Dans le berceau
de l'ennemi

Sara Young

Dans le berceau de l'ennemi

Traduit de l'anglais (États-Unis)
par Florence Hertz

Titre original : *My Enemy's Cradle*
publié par Harcourt, Inc., New York

Une édition du Club France Loisirs,
avec l'autorisation des Éditions Belfond.

Éditions France Loisirs,
123, boulevard de Grenelle, Paris.
www.franceloisirs.com

ISBN : 978-2-298-01968-1

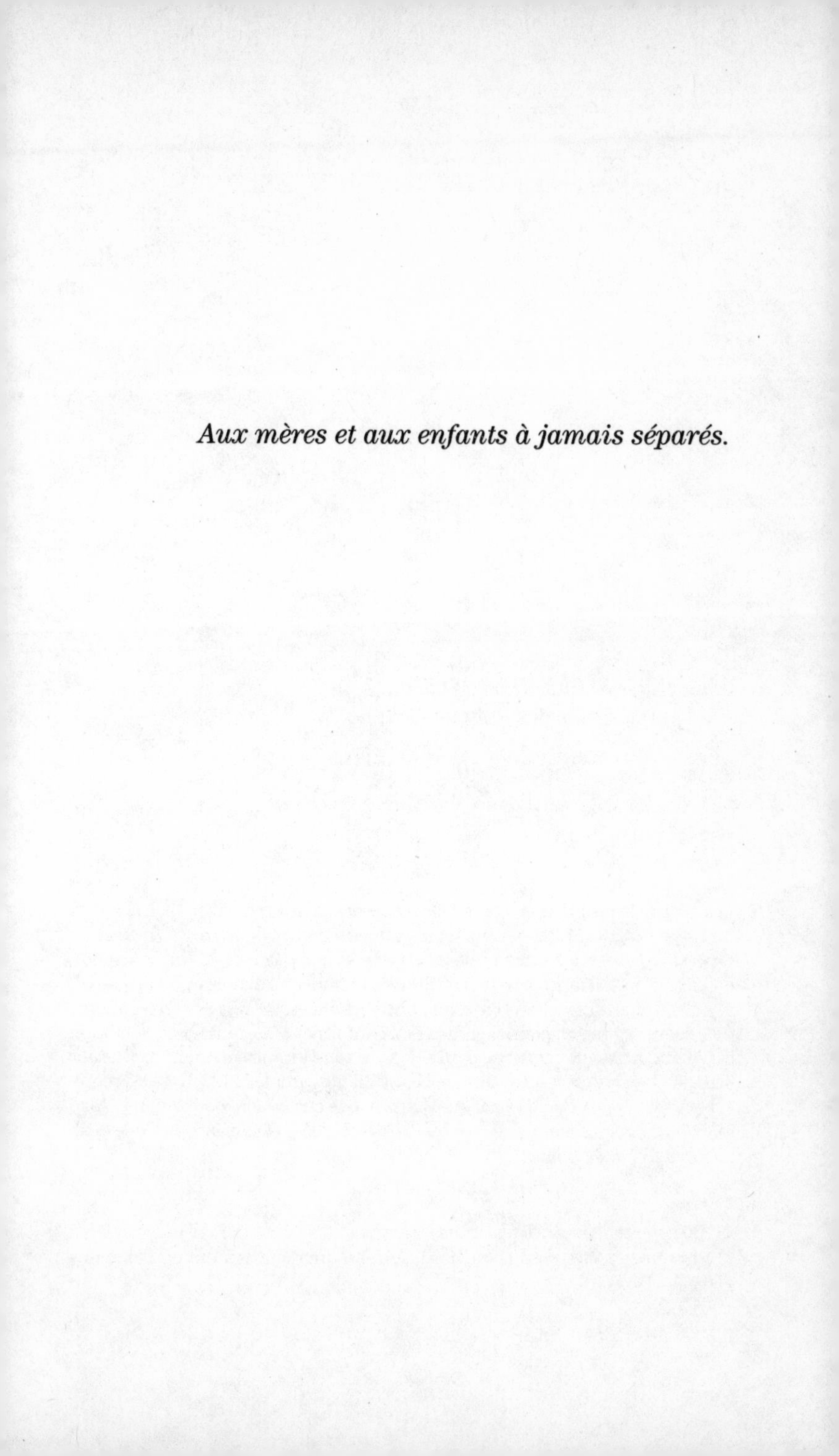

Aux mères et aux enfants à jamais séparés.

1

Septembre 1941

— Quoi, chez nous aussi ? *Nee !*

En franchissant la porte de la salle à manger, je vis ma tante renverser quelques gouttes de soupe sur la nappe. Le bouillon était maintenant si maigre que les taches partiraient vite, mais mon cœur se serra quand elle ne lâcha pas sa louche pour les essuyer. Depuis le début de l'occupation allemande, elle se refusait à affronter la réalité, paraissant même parfois tellement absente que j'avais l'impression de perdre ma mère une deuxième fois.

— Évidemment, ici aussi, Mies, s'emporta mon oncle, dont la peau pâle parsemée de taches de rousseur s'empourpra.

Il ôta ses lunettes pour en essuyer la buée avec sa serviette.

— Tu n'imaginais quand même pas que les Allemands avaient annexé les Pays-Bas pour le plaisir de donner une terre d'accueil aux Juifs ? Nous avons déjà de la chance que ça ne soit pas arrivé plus tôt.

Je m'assis après avoir posé le pain sur la table.

— Que se passe-t-il ?

— Des restrictions ont été imposées aux Juifs aujourd'hui, expliqua mon oncle. Ils ne pourront quasiment plus sortir de chez eux.

Il examina ses verres, rechaussa ses lunettes, puis me regarda.

Je me figeai d'angoisse, la main crispée sur ma cuillère, me souvenant soudain d'une scène dont j'avais été témoin dans mon enfance.

Alors que nous rentrions de l'école en groupe, nous avions vu un passant qui battait son chien. Nous lui avions crié d'arrêter – nous étions assez nombreux pour nous sentir ce courage – et certains des plus âgés avaient même essayé de lui arracher le pauvre animal. Mon attention avait été attirée par un garçon qui, je le savais, se faisait souvent maltraiter par les grands. Il hurlait comme nous : « Arrêtez ! Arrêtez ! », mais son regard m'avait glacée. J'y avais lu une satisfaction sournoise, cette même expression que je venais de reconnaître chez mon oncle quand il s'était tourné vers moi.

— Tout va changer, maintenant, Cyrla.

J'eus un coup au cœur et baissai la tête. Craignait-il qu'il ne soit trop risqué de me garder chez lui ?

En tout cas, il me signifiait que je n'étais pas chez moi. Je regardai fixement la nappe blanche, avec sa sous-nappe de soie bordée de franges dorées. À mon arrivée, j'avais trouvé étrange cette habitude de couvrir une table de salle à manger, mais à présent j'en connaissais toutes les couleurs, tous les motifs. Je relevai les yeux pour considérer cette pièce que j'avais appris à aimer, avec ses hautes fenêtres d'un blanc lumineux donnant sur notre petite cour, les trois aquarelles du Rijksmuseum accrochées l'une au-dessus de l'autre par une cordelière, le salon qui se profilait derrière la lourde tenture de velours bordeaux avec le piano dans un coin, couronné des photos de famille encadrées. Mon cœur battit encore plus fort. Où irais-je s'il ne voulait plus de moi ?

Je jetai un coup d'œil à ma cousine : Anneke était le sauf-conduit qui me protégeait dans le territoire périlleux des humeurs de mon oncle. Mais, distraite ce jour-là, elle écoutait à peine ce qu'on lui disait, absorbée par des pensées secrètes. Elle n'avait même pas entendu la menace brandie par son père.

Je demandai, tâchant de rester calme :

— Quoi ? Qu'est-ce qui va changer ?

Occupé à couper le pain, il ne s'interrompit pas, mais je surpris le regard qu'il lançait à ma tante pour la faire taire.

— Tout va changer, c'est tout.

Arrivé à la troisième tranche, il reposa le couteau d'un geste lent et ajouta :

— Rien ne sera plus pareil.

J'attirai la miche à moi, m'emparai du couteau à la manière précise et déterminée d'un joueur d'échecs, et coupai une quatrième tranche. Je parvins à reposer le couteau à pain sur la planche sans trembler, mais je dus ensuite mettre les mains sur mes genoux pour les soustraire à sa vue. Droite et fière, je lui dis sans ciller :

— Tu avais oublié une tranche, oncle Pieter.

Il sembla gêné mais son visage resta sombre comme une meurtrissure.

Quand le repas s'acheva enfin, mon oncle retourna à la boutique pour écouter la radio qu'il dissimulait dans l'atelier malgré l'interdiction. Ma tante, Anneke et moi, nous débarrassâmes la table puis nous nous attelâmes à la vaisselle. Nous nous activions en silence, moi toute à ma peur, ma tante cloîtrée dans sa tristesse, et Anneke obnubilée par son secret.

Au-dessus de l'évier, ma cousine poussa un cri. Le couteau à pain tomba par terre, et elle leva la main au-dessus du bac. Du sang coula dans l'eau savonneuse, teintant la mousse de rose. J'attrapai un torchon pour lui envelopper le doigt, puis la menai à la banquette sous la fenêtre. Elle s'assit, passive, contemplant sans réagir le sang qui imprégnait le tissu. Son inertie me fit peur. Anneke prenait grand soin de ses mains. Elle pouvait même se priver de sa ration de lait pour y tremper les ongles, et elle parvenait encore à trouver du vernis alors que plus personne en Hollande ne semblait en posséder. Si la perspective d'une cicatrice la laissait tellement indifférente, alors son secret devait être vraiment grave.

Ma tante s'agenouilla devant elle pour examiner la blessure, la grondant d'avoir été distraite. Anneke, tête en arrière et yeux clos, se contentait de se masser la gorge de sa main libre avec un sourire heureux. C'était l'expression que je voyais sur son visage quand elle rentrait sur la pointe des pieds dans notre chambre au milieu de la nuit : troublée, méditative, changée.

Je n'aimais pas Karl.

Soudain, je compris.

Dès que ma tante nous laissa pour chercher du désinfectant et une compresse, je chuchotai :

— Tu te rends compte de ce que tu as fait ?

— Plus tard, murmura-t-elle. Quand ils dormiront.

La soirée, occupée par du repassage et du raccommodage, me sembla interminable. Nous avions mis un disque de Hugo Wolf sur l'électrophone, que nous écoutions tout en travaillant, mais j'aurais préféré le silence, car, pour la première fois, je percevais à quel point la vie tragique de Wolf avait influencé sa musique. Le souffle du désespoir en rendait la beauté trop poignante. Quand ma tante annonça qu'elle montait se coucher, j'échangeai un regard avec Anneke, et nous la suivîmes.

Après de rapides ablutions, quand nous fûmes prêtes à nous mettre au lit, il ne me fut plus possible de contenir mon impatience.

— Alors… ?

Ma cousine se tourna vers moi avec un sourire. Je ne lui en avais jamais vu d'aussi radieux.

— C'est merveilleux, Cyrla, dit-elle en posant la main sur son ventre.

Sa coupure avait dû se rouvrir et du sang saturer son pansement car, alors qu'elle exprimait ainsi son bonheur, une fleur rouge s'épanouit sur le coton bleu pâle de sa chemise de nuit.

2

— Je pars, je m'en vais !

Maintenant qu'elle avait commencé, Anneke était intarissable.

— Nous nous marierons ici, à Schiedam, à la mairie probablement. La famille de Karl vit juste à l'extérieur de Hambourg. Nous nous installerons peut-être là-bas après la guerre, avec un jardin pour les enfants, près d'un parc… Hambourg ! Tu imagines, Cyrla ?

— Chut ! Elle va nous entendre.

Ce n'était pas ma tante que nous redoutions, mais Mme Bakker qui vivait dans la maison mitoyenne. Elle était vieille et alimentait ses incessants commérages en espionnant ses voisins. Tous les matins, elle se postait dans son salon pour surveiller les allées et venues dans la Tielman Oemstraat grâce à deux miroirs fixés à ses fenêtres. Un soir, nous l'avions entendue tousser et en avions déduit que sa chambre à coucher devait se trouver de l'autre côté du mur. Nous la jugions fort capable de coller un verre à la paroi qui séparait nos deux appartements pour écouter nos conversations. Mais au fond, je me moquais bien de Mme Bakker. Avant tout, je cherchais à faire taire Anneke.

Je lui ôtai son pansement et nettoyai sa coupure avec l'eau de notre broc.

— Change ta chemise de nuit. Je descends te chercher une autre compresse.

Une fois dans le couloir, je pris le temps de me calmer, puis j'allai prendre le pansement ainsi qu'une tasse de lait et une assiette de *spekulaas*. Anneke n'avait quasiment rien avalé au dîner, et elle adorait les petits biscuits aux épices qu'elle subtilisait dans la boulangerie où elle travaillait. Si j'arrivais à détourner son attention, peut-être cesserait-elle de parler de départ. Et puis en lui démontrant à quel point je lui étais indispensable, je lui ferais comprendre ce qu'elle perdrait en nous quittant. Rien n'était plus terrible que les départs.

Je m'assis près d'elle sur le lit pour lui panser le doigt, incapable de la regarder en face. Elle, en revanche, ne me lâchait pas des yeux. Je voulais encore espérer.

— Tu es sûre ? Et si tu te trompais… Vous n'avez pas fait attention… ?

Elle détourna la tête.

— Ce sont des choses qui arrivent.

Sa gêne ne dura pas. Son sourire revint, ce sourire merveilleux qui me désarmait.

— Un bébé… tu imagines ?

Je passai un bras autour de sa taille et posai la tête sur son épaule, inspirant la bonne odeur qu'elle rapportait de la boulangerie, cet arôme de gâteau, sucré et chaud, qui lui allait si bien. Je me demandai quel parfum s'accrochait à ma peau. Celui du vinaigre que j'avais manipulé toute la semaine pour les conserves de légumes ? Ou du détergent avec lequel je faisais le ménage dans l'atelier de couture de mon oncle ?

Anneke essuya de ses caresses les larmes qui coulaient sur mes joues.

— Je suis désolée, Cyrla. Tu vas me manquer. C'est toi que je regretterai le plus.

Ma cousine savait être adorable. Parfois, il lui arrivait de me blesser, pas par méchanceté mais innocemment, comme le font les filles très belles qui n'ont pas dû apprendre à ménager les autres. Je lui en voulais, alors, mais sa gentillesse spontanée me faisait vite honte d'éprouver un tel sentiment.

— Si tu savais comme je suis heureuse ! s'exclama-t-elle comme si son air radieux ne m'avait pas assez convaincue. Il est tellement beau !

Elle se laissa tomber en arrière sur le matelas, main plaquée sur le cœur.

— Il ressemble à Rhett Butler, tu ne trouves pas ?

J'entrai dans le jeu.

— Il n'a rien à voir avec Rhett Butler, voyons ! Pour commencer, il est blond.

Anneke balaya ce détail d'un geste de sa main pansée.

— Et il a les yeux bleus, continuai-je. Et pas de moustache.

Je me levai pour aller chercher le lait sur la commode et posai la tasse sur la table de nuit.

— Bon, j'admets qu'il est beau garçon. Mais franchement, que veux-tu que ça me fasse ?

Anneke rit en se redressant.

— Tu vas être tante ! La guerre sera bientôt finie, et tu pourras nous rendre visite.

Je savais qu'elle était sincèrement optimiste. La vie avait toujours été facile pour elle ; elle était gracieuse, comme son prénom l'y avait prédestinée. Parfois le bonheur se déversait sur elle en telle abondance qu'elle en remplissait ses jolies mains et le laissait filer entre ses doigts.

Elle ne se rendait pas compte que ma situation n'était en rien comparable à la sienne. À mon arrivée, elle avait décidé une fois pour toutes que j'avais laissé en Pologne ma moitié juive, tout comme j'y avais laissé mon enfance. *Bien sûr*, devait-elle se dire, si elle y pensait jamais, *Cyrla était juive quand elle était petite en Pologne, mais maintenant elle a grandi !* En Hollande, je menais la vie de tout le monde, et comme je lui ressemblais au point qu'on nous prenait souvent pour des sœurs, elle ne se posait pas plus de questions.

En Pologne, j'avais vécu avec mon père, sa seconde épouse et mes deux demi-frères. Mon père, après son remariage, était devenu plus pratiquant, et nous avions commencé à observer les traditions juives. Peu à peu, il ne m'était plus resté de ma mère hollandaise que ses cheveux blonds.

L'attitude d'Anneke n'était pas très éloignée de celle de mon père qui m'avait aussi demandé d'abandonner mon identité juive. Il avait voulu me convaincre que, en fuyant aux Pays-Bas, je ne commettrais aucune trahison :

— On ne renie pas une partie de ses origines en acceptant l'autre. Il s'agit simplement de rétablir l'équilibre. Va dans le monde de ta mère. En apprenant à connaître la vie qu'elle y a menée, tu comprendras mieux l'héritage que tu tiens d'elle.

Le premier vendredi après mon arrivée en Hollande, au coucher du soleil, je m'étais sentie perdue. C'était l'heure où ma belle-mère allumait les bougies pour marquer le début du shabbat. Ma tante, me voyant errer dans le salon, était venue me prendre dans ses bras avec un soupir.

— Non, avait-elle murmuré.

Cinq ans s'étaient écoulés, et le vendredi soir ne signifiait plus rien de particulier pour moi. Je me souvenais des dates des fêtes juives, mais j'avais appris à chasser la culpabilité qui me prenait, au début, quand je ne les respectais pas.

J'espérais que, très bientôt, le danger passé, je pourrais rentrer chez mon père pour redevenir la Cyrla d'autrefois.

Seulement le temps de la Pologne était loin.

Anneke aurait pourtant dû se douter du profond malaise que me causerait le choix de son mari. Mais non, elle refusait de prendre en compte cette partie de l'identité de Karl avec autant d'entêtement qu'elle oubliait que j'étais à moitié juive.

— Mais il construit des bateaux, avait-elle protesté au commencement quand, avec ma tante, nous avions essayé de la convaincre de cesser de le fréquenter. Ce n'est pas un nazi, c'est un soldat ordinaire. Il n'a pas eu le choix.

Il n'y avait bien qu'elle pour faire ce genre de distinction. Les amies d'Anneke se vantaient de sortir avec des Allemands à seule fin de les soûler et de les pousser dans les canaux. Je n'avais pourtant jamais entendu parler de soldats morts noyés. Nous nous moquions d'eux ; nos plaisanteries rendaient l'Occupation plus supportable. Et tout le monde s'arrangeait pour leur compliquer la vie le plus possible. Intervertir les panneaux de signalisation routière, faire semblant de ne pas comprendre l'allemand quand des militaires demandaient leur chemin. Les lettres *OZO*, qui signifiaient : « L'orange vaincra », peintes de notre couleur nationale interdite, fleurissaient partout.

Anneke ne réagissait pas comme nous. J'aurais dû me rendre compte tout de suite qu'elle tombait amoureuse, et intervenir.

Mais je n'aurais pas apprécié davantage Karl s'il avait appartenu à l'armée néerlandaise. Je ne l'avais vu qu'une seule fois, une semaine plus tôt, et je ne l'avais pas trouvé sympathique. Anneke s'était débrouillée pour nous faire rencontrer « par hasard » à la boulangerie en me demandant de passer la chercher, fière de me montrer son bel Allemand. Il m'avait bien fallu reconnaître que son physique n'était pas désagréable, même si seuls les bruns au regard profond du genre d'Isaak me séduisaient. Karl était blond et grand, un point en sa défaveur, mais surtout je lui avais trouvé une expression fuyante. Quand Anneke nous avait présentés, il m'avait à peine regardée. Encore, s'il n'avait eu d'yeux que pour elle, j'aurais compris et même trouvé sa distraction romantique. Mais non, il avait évité mon visage comme s'il avait quelque chose à cacher. J'avais gardé cette impression pour moi, et j'avais dit à ma cousine :

— Le bleu clair de ses yeux, sur leur fond blanc, me rappelle les jacinthes en fleur quand il neige tard dans la saison.

La comparaison lui avait plu et je l'avais émise avec d'autant plus de facilité qu'elle était sincère, mais je regrettais à présent de ne pas lui avoir confié la méfiance qu'il m'inspirait.

Le choc fut trop fort ce premier soir pour me permettre de penser à autre chose qu'à l'abandon d'Anneke. J'étouffais tellement de tout ce que je voulais lui dire que je ne pouvais plus prononcer un seul mot. J'éteignis et lui tournai le dos, mais le sommeil se refusa à moi.

Vers minuit, je dus me lever pour aller aux toilettes. Alors que j'avançais sur la pointe des pieds dans le couloir pour ne réveiller personne, j'entendis des voix en passant devant la chambre de mon oncle et de ma tante.

— … il n'est pas question que je mette notre famille en danger, disait-il.

— Mais elle fait partie de notre famille, Pieter !

— Sûrement pas ! De la tienne, peut-être, mais pas de la nôtre.

Le lendemain matin, Anneke se leva avant moi et je l'observai de mon lit pendant qu'elle se préparait pour aller au travail. Je devinai, en la voyant se faire belle, qu'elle retrouverait Karl après.

— Quand vas-tu annoncer la nouvelle à tes parents ?

— J'en parlerai à maman ce soir…

Elle choisit un rouge à lèvres framboise et prit le temps de l'appliquer avant de continuer :

— Mais d'abord, il vaut mieux que je le dise à Karl.

Je me redressai d'un bond.

— Quoi ? Anneke !

Elle se contenta de rire et, me regardant dans le miroir, chassa le problème avec son petit mouvement de doigts habituel, comme on écarte des moucherons.

— Il sera ravi. Il veut beaucoup d'enfants. Il vient d'avoir une nièce qu'il adore.

— Mais alors, tous les projets dont tu parles…

— Tu prends la vie trop au sérieux, *katje* !

Elle ne m'avait pas appelée « chaton » depuis longtemps. C'était le surnom qu'elle m'avait donné à mon arrivée alors que je n'avais que quatorze ans, et elle seize.

— Montre-moi ta main. Je vais te prédire l'avenir, dit-elle en s'asseyant au bord de mon lit.

Elle embrassa la paume que je lui tendais en y laissant une marque de rouge à lèvres en forme de cœur.

— Regarde ça ! s'exclama-t-elle. C'est très bon signe. Ça veut dire que tu vas bientôt tomber amoureuse. Tu vas te marier, toi aussi, et tu vivras très longtemps, et nous aurons toutes les deux beaucoup d'enfants. Dix chacune, qui auront dix enfants chacun, et nous vieillirons ensemble et nous serons tous très heureux.

Je repliai la main sur la marque rouge.

— Tu es sûre, Anneke ? Est-ce que tu l'aimes vraiment ?

Elle retourna à la coiffeuse, retira ses barrettes et passa la brosse dans ses boucles avant de répondre.

— Je suis amoureuse. Je veux me marier… Et il n'y a plus un seul Hollandais dans le pays.

Avec un soupir, elle tourna le dos au miroir.

— Il m'aime, et moi je veux partir de chez mes parents. Et maintenant, je suis enceinte. Il me semble que ça suffit.

Elle revint s'asseoir sur mon lit.

— Attends, je vais te brosser les cheveux. Tu devrais me laisser te les couper avant que je parte. Plus personne ne les porte longs, ça t'irait tellement bien. Tu serais très belle.

Belle, non, sûrement pas. Anneke et moi, nous nous ressemblions comme nos mères s'étaient ressemblé, mais le bon pain et le mauvais sont composés des mêmes ingrédients. D'ailleurs, je n'accepterais jamais de me couper les cheveux. Je les portais tressés et remontés en chignon sur la nuque, comme ma mère. Je laissai Anneke les défaire et les brosser, puis, quand elle partit, je ne descendis pas tout de suite. Je pliai sa chemise de nuit, la rangeai sous son oreiller, et rebouchai son tube de rouge.

Pour finir, je redressai les photos découpées dans des magazines qu'elle glissait autour du cadre du miroir. La princesse Elizabeth, la princesse Margaret, Gary Cooper, Carole Lombard. Cette chambre, je ne pouvais pas l'imaginer sans ses affaires, sans sa présence…

Après la mort de ma mère, mon père avait fait le tour de la maison pour réunir tout ce qui lui avait appartenu, regardant à peine ce qu'il prenait, le visage dur. Tous les objets qu'elle avait touchés furent entassés dans des malles noires. Il ne supportait plus de les voir. Moi j'avais encore plus souffert d'en être privée. Je m'effondrai sur le lit d'Anneke les yeux débordant de larmes.

Plus tard, en début d'après-midi, alors que je posais la brosse et le seau sur le pas de la porte pour nettoyer les marches, Mme Bakker m'appela de devant chez elle.

— Tu as entendu la nouvelle ? Les lois de Nuremberg sur les Juifs vont être appliquées ici aussi.

— *Ja*…, répondis-je prudemment en versant de l'eau sur les marches.

Je l'avais bien compris, même si mon oncle n'avait pas été aussi explicite. Je me penchai sur les briques et me mis à frotter.

— La vie va devenir très difficile pour eux…

Une aigreur dans son intonation m'alerta.

— Il vaut mieux ne pas avoir de sang juif dans les veines, ajouta-t-elle.

Je me concentrai sur le mouvement de mon bras et m'appliquai à brosser comme si de rien n'était, mais j'étouffais. Les bruits de la rue se déformaient, devenaient stridents, assourdissants. Je gardais les yeux rivés sur le motif du carrelage bleu et gris de la bordure du seuil pour cacher ma peur. Depuis mon arrivée, personne ne m'avait posé de questions sur mon père ni sur ma vie en Pologne. Je crois que ma tante et mon oncle n'avaient jamais expliqué la raison de ma présence chez eux, se contentant d'évoquer brièvement la mort de ma mère. Nous n'en parlions même pas entre nous.

— Bonne journée, Cyrla, lança Mme Bakker en rentrant chez elle.

Je terminai ma tâche aussi vite que je le pus. À l'intérieur, je retrouvai ma tante qui épluchait des poires. Elle mettait des fruits en bocaux depuis des semaines.

— Je vais faire les courses, annonçai-je en prenant les coupons de rationnement sur l'étagère.

Sans attendre sa réponse, je sortis mon vélo et je partis.

Mais pas vers la place du marché.

3

J'empruntai la piste cyclable de la Burgemeester Knappertlaan malgré ma préférence pour les petites rues qui ne longeaient pas le canal. J'avais beau vivre depuis des années aux Pays-Bas, je ne m'étais toujours pas habituée à l'eau profonde et noire embusquée derrière la bordure des quais. Les bombardements de Rotterdam remontaient à un an et demi, mais je sentais encore comme une odeur de fumée flotter sur les canaux qui d'ailleurs charriaient encore des cendres et des gravats rapportés du port maritime. Je me demandais si des débris de chair humaine et d'os calcinés dérivaient toujours dans les eaux saumâtres – près d'un millier de personnes étaient mortes, calcinées, dans la fournaise. Bref, j'évitais de passer par là, mais je devais voir Isaak de toute urgence, et c'était le trajet le plus direct pour aller au conseil juif. Tant pis s'il fallait braver la brume qui exhalait vers moi son souffle glacé.

Une affichette fixée au tronc d'un saule attira mon attention. Je m'arrêtai pour la lire. *Parc interdit aux Juifs.* Une autre était apposée sur la grille de la promenade. Devant moi se succédaient les avertissements : le moindre bouquet d'arbres avait été rebaptisé « parc ». *Interdit aux Juifs.* Je me remis à pédaler, tâchant de ne voir que le rouge et or flamboyant des chrysanthèmes qui fleurissaient les quais.

Le conseil était situé au premier étage d'un vieux bâtiment de brique ayant autrefois abrité une banque, une halle aux poissons, et un marchand de glaces qui avaient tous fermé quand des « J » jaunes avaient été peints sur leurs vitrines. J'avais très souvent accompagné Isaak qui s'arrêtait pour acheter le journal et pour parler aux uns et aux autres. Nous n'avions jamais eu qu'à franchir les portes, mais ce jour-là, deux agents de la Gestapo, longs manteaux verts et bottes noires, barraient l'accès au porche, fumant d'un air blasé. Un troisième punaisait un avertissement sur la porte. Les nouveaux décrets antijuifs. J'approchai pour lire.

Il se tourna vers moi.

— Circulez, ça n'est pas pour vous.

Je voulus entrer malgré tout, mais il m'en empêcha.

— Vous n'avez rien à faire ici.

— Je viens chercher un ami.

— Un ami, ici ! En voilà une drôle d'idée !

Il semblait s'amuser qu'une Hollandaise veuille entrer dans un endroit pareil. J'insistai.

— Il faut que j'entre. Je dois voir quelqu'un.

Son ton devint plus sec.

— Vous devriez avoir de meilleures fréquentations.

Un des deux autres écrasa sa cigarette en nous observant, prêt à intervenir.

Je repris mon vélo et filai à la synagogue, à quelques rues de là. Je trouvai le rabbin Geron dans son bureau. Il m'apprit qu'Isaak avait été convoqué à une réunion à Delft la veille au soir, et qu'on ne savait pas quand il rentrerait. Je lui demandai de bien vouloir m'autoriser à l'attendre dans sa chambre. S'il fut surpris, il n'en laissa rien paraître, ce qui me ravit, comme si je m'introduisais dans une intimité clandestine. Ce fut presque le cœur joyeux que je le suivis dans la cour pavée qui séparait la synagogue de l'annexe où vivait Isaak.

Avant l'Occupation, ce bâtiment avait abrité des bureaux et des remises, maintenant il servait à loger tous ceux qui cherchaient un refuge. Je savais par Isaak qu'un avocat s'y était installé, ainsi qu'un professeur exclu de son lycée, qui restait seul après avoir envoyé sa femme et sa fille en Amérique où ils avaient de la famille. Le vieux gardien chargé de l'entretien dormait aussi là, de même qu'un garçon de quinze ans orphelin depuis peu.

Un jour, j'avais dit à Isaak : « Je suppose que vous avez tendance à reconstituer une sorte de famille.

Le garçon pourrait être ton frère. Et le professeur ? Joue-t-il un peu le rôle de ton père ? »

Il n'avait pas paru comprendre.

Nous avions beau être proches depuis longtemps, il ne m'avait jamais invitée chez lui. C'était un garçon extrêmement réservé qui ne livrait rien de sa vie privée. Mais quand le rabbin Geron m'ouvrit la porte, je reconnus sa chambre tant elle lui ressemblait.

Dans un coin, le lit étroit était fait au carré, avec une couverture à rayures grises et bleues impeccablement tirée sur le dessus. La lampe de chevet à col-de-cygne était la seule ligne courbe de la pièce. Il y avait beaucoup de livres par terre, mais empilés en colonnes parfaites. Deux reproductions de dessins de Léonard de Vinci et cinq ou six cartes géographiques étaient accrochées aux murs, strictement alignées.

Sur le bureau, dans une chope en porcelaine blanche fêlée, se trouvaient un fusain et trois crayons. Je les soulevai un par un rien que pour avoir le plaisir de les toucher, parce que Isaak les avait tenus dans sa main. À côté, étaient posés deux carnets de croquis. Je savais que le plus petit contenait ses dessins d'oiseaux : il adorait dessiner les oiseaux, mais ne s'autorisait plus ce plaisir que rarement. Je pris le plus grand et l'ouvris à la page sur laquelle figurait le château en ruine situé juste en dehors de la ville. Je me souvenais bien de la promenade que nous y avions faite au printemps. Je m'étais assise un peu à l'écart pour travailler à un poème pendant qu'il dessinait. J'avais été déçue qu'il ne me montre pas son dessin, et qu'il ne demande pas de lire ce que j'avais écrit.

Il avait rendu avec un art consommé la force immuable des pierres massives polies par le temps. Je regrettai cependant qu'il n'ait pas inclus des promeneurs dans son dessin. J'aurais aimé revoir ces lieux peuplés des familles qui avaient déjeuné sur l'herbe, des amoureux qui se faisaient la lecture allongés sur des couvertures et que j'avais jalousés, des enfants qui couraient avec leurs chiens. Il avait aussi dépouillé de leurs feuilles les branches du marronnier qui s'élevait au-dessus des ruines, ne laissant de sa frondaison que des os noircis. Un frisson me parcourut : le bombardement de Rotterdam avait eu lieu quelques semaines plus tard.

Je restai encore un moment immobile à respirer l'air d'Isaak. Demain je reviendrais avec un pot de géranium pour décorer sa fenêtre. Et un panier de pommes. J'apporterais aussi les rideaux de ma chambre pour les accrocher à sa tringle vide. Ravie de ce projet, j'ôtai mes chaussures et me glissai dans son lit. Allongée entre les draps imprégnés de son odeur, je parvins à imaginer qu'il était à côté de moi. Je passai la main dans l'échancrure de ma robe et me caressai doucement la poitrine, que je sentis gonfler sous mes doigts.

À mon réveil, je trouvai Isaak assis à côté de moi. La lumière basse m'indiqua que nous étions en fin d'après-midi.

— Alors, tu as appris la nouvelle ? me demanda-t-il.

Je n'y comprenais rien : comment savait-il déjà ce qui arrivait à Anneke ?

— Tu n'aurais pas dû venir, Cyrla.

Je lui attrapai le bras.

— Anneke va partir, maintenant qu'elle est enceinte !

Isaak se leva, gardant les yeux sur moi. Je ne sus si c'était de la colère ou de l'inquiétude qui passait dans son regard, mais comme toujours j'éprouvai un intense plaisir à être le centre de son attention.

— Tu n'aurais pas dû venir, répéta-t-il. C'est très imprudent.

Il semblait chercher quelque chose autour de mon cou.

Les nouveaux décrets… Je tirai de mon corsage la carte d'identité que je portais autour du cou attachée à une cordelette.

— Je l'ai, tu vois. Je fais attention ! Tu as entendu ce que je te disais ? Anneke va se marier. Je ne veux pas qu'elle parte !

— Si elle est enceinte, elle ne peut s'en prendre qu'à elle-même.

Isaak n'éprouvait jamais de compassion pour Anneke. « C'est une enfant gâtée, disait-il souvent. Elle se plaint de ne plus trouver de bas de soie, que le café est trop cher, de ne plus voir les nouveaux films au cinéma. La pauvre petite chérie, quel malheur, alors qu'autour d'elle des gens perdent leur toit et leur liberté. Et leur vie ! »

J'approuvai sans avouer que, justement, c'était cela que j'aimais tant chez elle. À peine une semaine avant l'invasion, nous avions vu *Ninotchka* ensemble. En sa compagnie, j'arrivais à conserver l'illusion que nous pourrions très bientôt aller voir le prochain film de Greta Garbo, ou éprouver l'agréable sensation de la soie sur nos jambes, ou boire un café en plein après-midi tout en parlant de la dernière mode. Je pourrais de nouveau envisager de m'inscrire à l'université. Et Isaak pourrait s'autoriser à tomber amoureux. Un luxe devenu superflu pour lui.

— *Verdamt*...

Il s'inquiétait, passant nerveusement ses longs doigts dans ses cheveux bouclés. Ce geste machinal me donnait toujours une irrésistible envie de l'imiter.

— Si c'est le soldat allemand, j'espère qu'elle ne lui a rien dit.

Je le regardai fixement sans comprendre.

— Cyrla, ton secret ne va pas tenir longtemps. Ta véritable identité va finir par être connue.

— Anneke ne me trahirait pas.

— Il n'y a pas pire aveugle que celui qui ne veut pas voir. Anneke se moque bien de toi. Elle le fera si ça l'arrange.

— Pourquoi la juges-tu avec aussi peu d'indulgence ?

— Parce que, justement, elle est trop indulgente avec elle-même !

Il disait cela comme s'il la connaissait très bien, et pourtant il ignorait presque tout d'elle. Nous nous querellions souvent à son sujet.

Il se rassit au bord du lit. Je voulus me réfugier dans ses bras, mais il m'en empêcha.

— Tu n'es plus en sécurité ici. Il faut que tu partes. Je vais arranger ton passage à l'étranger.

— Pour quoi faire ? Rien n'a changé.

— Ça ne saurait tarder. Tu sais que les lois de Nuremberg s'appliquent pour les Pays-Bas depuis hier ?

— Elles ne me concernent pas. Et Anneke ne dira rien... Isaak, elle garde le secret depuis des années.

Tu m'as dit toi-même je ne sais combien de fois que je ne suis pas juive puisque ma mère ne l'était pas. Je ne vois pas pourquoi la situation aurait brusquement changé.

— Ce sont les Allemands qui l'ont modifiée.

— J'ai des papiers. Je ne crains rien. Je ne veux pas partir. C'est mon père qui m'a envoyée ici, il faut que je reste.

— Ne nous entraîne pas sur ce terrain… Tu sais bien où ça nous mène.

C'était en effet un sujet délicat. Je n'avais pas reçu de nouvelles de mon père depuis près de cinq mois. Dans sa dernière lettre, il m'apprenait que le ghetto de Łódź devait être fermé. Quelques mois plus tôt, disait-il, on avait obligé les filles de mon âge à nettoyer les latrines avec leurs corsages. Quand elles avaient eu terminé, les gardes allemands leur avaient fait nouer leurs vêtements souillés sur la tête. Certaines étaient d'anciennes camarades de classe. *Heureusement que tu n'es plus là*, avait écrit mon père.

Si les membres de ma famille se trouvaient encore à Łódź quand le ghetto avait été bouclé, disait Isaak, ils avaient été pris au piège et ne pouvaient plus partir. À moins qu'on les ait déplacés. « Déplacé », c'était un mot qui signifiait des choses trop terribles, que je ne voulais pas entendre, mais Isaak insistait, implacable. Son intelligence inflexible lui interdisait d'adoucir la vérité.

— Il ne leur arrivera rien, lui rappelai-je. Mon père et sa femme travaillent dans une usine, il dit que ça les protège.

— Pas pour longtemps. Nous pensons que les Allemands veulent vider tous les ghettos pour mettre leurs occupants dans des camps.

Même mes sanglots ne l'arrêtaient pas. Il voulait que je regarde la vérité en face : ma famille avait peut-être disparu. Je devais être consciente du danger. Et surtout, il fallait que j'apprenne à être forte.

Isaak m'était odieux quand il me parlait ainsi, mais je lui pardonnais parce que je le connaissais : il imaginait toujours le pire, c'était dans sa nature. Il voyait le mal partout. Ses raisonnements s'appuyaient trop sur la logique, or la logique ne gouvernait pas tous les événements de la vie. Il aurait dû le savoir, lui qui affirmait souvent que le dessin traduisait mieux la réalité que la photographie. Mais il faut de l'humanité pour comprendre l'essence des choses, et c'était de cela dont il manquait le plus, l'orphelin de naissance, l'enfant sans famille.

Moi, je savais à quel point mon père vibrait de vitalité. Je connaissais sa passion pour la musique, l'amour qu'il portait à ses enfants ; je l'avais vu danser avec ma mère. Quand on aimait la vie à ce point, on ne pouvait pas mourir. Cette foi que j'avais en lui me portait. S'il n'écrivait plus, c'était pour protéger mes petits frères, parce que c'était dangereux. Isaak et moi avions décidé de ne plus nous disputer à ce sujet depuis longtemps.

— La semaine dernière, nous avons réussi à faire partir deux familles de Noordwijk à bord d'un bateau de pêche. Elles sont arrivées en Angleterre. Il est encore possible de fuir. Tu as des papiers : ça ne sera pas trop difficile.

— Je ne veux pas partir.

— Il le faut. Le prochain mariage d'Anneke te met trop en danger.

Et encore, je ne lui avais pas parlé de la menace voilée de Mme Bakker, ni de ce que j'avais entendu mon oncle dire dans sa chambre. Je me levai et enfilai mes chaussures sans le regarder. Si je me laissais attendrir par ses boucles rebelles derrière les oreilles, par les paillettes d'or qui constellaient ses prunelles brunes, ou la ride creusée par son sourire douloureux sur sa joue, je n'arriverais pas à sortir de sa chambre. Et si je restais, je risquerais d'avouer que je ne voulais pas m'enfuir parce que je l'aimais. J'en avais assez de quitter ceux que j'aimais, et lui, il avait été trop souvent abandonné. Mais le pire eût été de provoquer une réponse que je ne voulais surtout pas entendre. Je me dirigeai vers la porte.

Isaak me suivit et la bloqua avec la main pour m'empêcher de l'ouvrir. Sa soudaine proximité me coupa la respiration.

— Tu ne peux pas rentrer maintenant. Attends que le jour soit tombé. Téléphone à ta tante si tu veux, ajouta-t-il en ouvrant. Il y a un téléphone dans le couloir. Je vais te montrer.

— Je trouverai, rétorquai-je froidement.

Comment pouvait-il me conseiller de fuir ? N'avait-il pas peur de me perdre ? Mais peu importait. J'avais dix-neuf ans ; personne ne pouvait plus me contraindre à faire ce qui ne me plaisait pas.

J'appelai ma tante, ayant soudain très envie d'entendre sa voix. Je devinai tout de suite qu'Anneke ne lui avait pas encore parlé : elle ne serait pas arrivée à passer sous silence une chose pareille. Je lui demandai de me passer ma cousine.

— Elle n'est pas rentrée. Je vous croyais ensemble. Elle ne travaillait que jusqu'à trois heures, alors je pensais que vous vous étiez retrouvées. J'imagine qu'elle est encore avec cet homme. Et toi, où es-tu, Cyrla ? J'espère que tu n'es pas avec… Ton oncle dit qu'à cause des nouvelles restrictions…

— Je ne vais plus tarder.

Je raccrochai et retournai dans la chambre d'Isaak. L'espace qui me séparait de lui me sembla soudain immense et trop silencieux. Il prit une énorme encyclopédie sur l'étagère : *Oiseaux d'Europe*, qu'il plaça sur son bureau. Ensuite, il tira un fil électrique de la fenêtre à guillotine où il était dissimulé. Je regardai par-dessus son épaule pendant qu'il ouvrait la couverture. Le livre était creux à l'intérieur, et dans le trou était cachée une radio. Jolie chanson pour des oiseaux en cage.

Il termina l'installation, procéda à quelques réglages, et, très vite, on entendit des grésillements. Il écoutait la BBC, si bien que, comme je savais mal l'anglais et qu'il y avait beaucoup de parasites, je ne saisis que quelques mots au passage.

— Les nouvelles sont mauvaises, commenta-t-il après avoir démonté la radio. Je sais que dix-huit mille Juifs ont été tués en Ukraine, à Berdichev, et près de vingt-cinq mille à Kamenets-Podolski la semaine dernière. Hitler durcit son action, mais Churchill n'en a pas parlé. Il n'a mentionné que les *Einsatzgruppen* en Russie, mais comme si les morts étaient justifiées par les actions militaires, et n'étaient pas des meurtres purs et simples.

— S'il n'a rien dit, c'est que ce n'est peut-être pas vrai.

Il ne me laissait jamais me bercer d'illusions.

— Bien sûr que c'est vrai. Je pense qu'il ne peut pas l'annoncer publiquement parce que cela révélerait aux nazis qu'il obtient des informations. En tout cas, c'est ce que j'espère. Il est au courant. Roosevelt aussi est au courant. Les nouvelles que nous avons reçues de Berdichev ont été confirmées par les réseaux de résistance à Londres. Nous savons qu'il y a eu beaucoup de victimes aussi en Lituanie. La situation se dégrade terriblement à l'Est, surtout dans les Balkans.

— Mais pas à Łódź.

— Pas à Łódź, non.

— Et pas ici non plus.

Je regrettai immédiatement ce commentaire.

— Et alors ? gronda Isaak en frottant son front soucieux. Dix-huit mille morts, vingt-cinq mille, ça ne te suffit pas ? Non, ça n'a pas encore commencé ici, mais ça viendra. Ce n'est qu'une question de temps. Après les restrictions, on nous obligera à porter l'étoile. Après l'étoile, il y aura les ghettos, et après les ghettos, les déportations. C'est ce qui est arrivé dans tous les autres pays. Il y a cent quarante mille Juifs aux Pays-Bas. Le chiffre est peut-être trop faible pour faire de nous une priorité, mais il nous reste peu de temps, j'en suis persuadé. Si Anneke épouse son soldat allemand, il faudra que tu partes.

— Anneke m'aime trop pour me trahir.

— Elle est étourdie. Elle n'a pas conscience du danger... elle ne craint pas pour sa vie, elle. Mais toi, tu es vulnérable, et tu refuses de l'admettre. C'est ça le pire. Parfois, Cyrla, je...

— Je sais ce que je fais, l'interrompis-je, déterminée. Je n'ai pas de leçons à recevoir de toi

Après quoi, je rentrai chez moi.

4

Ma tante était assise sur la banquette devant la fenêtre de la cuisine, un numéro de *Libelle* posé à côté d'elle ainsi qu'une tasse de thé qu'elle n'avait pas encore bue. Elle ne remarqua même pas que je rangeais les coupons de ravitaillement sans les avoir utilisés.

— Tu la connais, dis-je en déboutonnant mon cardigan. Il n'est même pas encore huit heures.

J'allai voir si la tasse de ma tante était encore chaude, pour refaire du thé si nécessaire.

— Je t'assure qu'il ne lui est rien arrivé.

Anneke avait la fâcheuse tendance d'oublier les autres quand elle s'amusait.

Ma tante me saisit par le poignet.

— Il y avait des soldats partout aujourd'hui… des contrôles à tous les coins de rue…

Je reposai sa tasse et me libérai.

— Anneke ne risque rien.

Et moi ? avais-je envie de crier. *C'est pour moi que tu devrais t'inquiéter, c'est moi que les contrôles mettent en danger !*

Soudain, je sentis une odeur.

Un parfum sucré flottait dans l'air.

— Attends, je reviens.

Je montai l'escalier au pas de course jusqu'au grenier, et ouvris la porte de la chambre où avait dormi la grand-mère d'Anneke jusqu'à sa mort. Ma cousine était allongée sur le lit, face au mur. La lumière du couloir tombait sur sa silhouette en donnant du relief à l'arrondi de sa hanche. Cette position lui donnait l'air fragile et vulnérable. Je m'agenouillai à côté d'elle et lui entourai les épaules avec le bras.

— Que se passe-t-il ?

Elle tourna le visage vers moi.

— Quel idiot ! murmurai-je.

Je décollai la petite boucle d'oreille en pierre de lune qui s'était incrustée dans sa joue ; le filigrane en or s'était imprimé sur sa peau mouillée de larmes. Elle devait pleurer depuis des heures.

— Il ne te mérite pas.

J'éprouvai soudain une vive culpabilité : je m'en voulais d'avoir souhaité lui voler son bonheur pour qu'elle reste.

— Tu peux faire adopter le bébé. Ou si tu le gardes, je t'aiderai à t'en occuper.

Anneke me prit la main, les yeux embués de larmes. Elle ne parvenait toujours pas à parler.

— Ta mère s'inquiète. Il faut lui dire. Est-ce que tu te sens la force… ? Laisse. Ne t'en fais pas, je m'en occupe. Je n'en ai pas pour longtemps, ajoutai-je en l'embrassant.

Quand j'annonçai à ma tante qu'Anneke était enceinte, son visage se décomposa. Elle pressa les deux mains sur sa bouche, l'air hagard, comme si je lui avais porté un coup au ventre. Je n'avais jamais imaginé qu'elle puisse nourrir des ambitions secrètes pour sa fille. Je les vis surgir dans son regard, mais seulement, et ce fut terrible, pour se briser et se disloquer. Pas un seul mot de reproche contre Anneke, ni même contre Karl, ne s'échappa de ses lèvres qu'elle comprimait pour mieux se contenir.

Nous fîmes descendre ma cousine du grenier et la couchâmes dans son lit, ne nous occupant plus pendant une heure que de lui prodiguer des soins : lui brosser les cheveux, lui enfiler sa chemise de nuit. Je dus changer son pansement car la coupure ne cicatrisait pas. Anneke nous laissait faire sans nous regarder, les yeux posés sur le papier noir qui obstruait la fenêtre comme si elle pouvait voir au travers. Je lui préparai du cacao et du pain grillé, lui donnant le reste de confiture de groseilles qu'elle aimait tant, puis je montai le vase de Delft bleu et blanc et son bouquet de roses thé qui égayait la cuisine. Ma tante ne posa aucune question, murmurant seulement : « *Lieveling, lieveling.* » Comme il devait lui en coûter de ravaler des reproches bien naturels… « Comment as-tu pu ? » « Si seulement ! » Mais à quoi bon revenir sur l'enchaînement des événements qui avait mené au naufrage quand il était trop tard ?

Enfin, Anneke se redressa sur ses oreillers et nous expliqua ce qui s'était passé. Karl l'aimait, bien sûr, seulement, on le renvoyait en Allemagne. Et à Hambourg il avait une fiancée qu'il devait épouser à son retour. Anneke fondit de nouveau en larmes.

— Il ne l'aime pas, assura-t-elle entre deux sanglots, mais il n'a pas le choix. Les soldats allemands sont obligés de se marier, et il est lié par sa promesse.

J'étouffais d'indignation, furieuse contre elle parce qu'elle défendait Karl, et contre lui aussi. Quel imbécile d'épouser une femme qu'il n'aimait pas alors qu'il abandonnait Anneke et leur enfant ! Je ne voyais pas ce qu'il y avait d'honorable à obéir à ce genre de contrainte. Je résolus d'aller le trouver le lendemain matin pour lui faire entendre raison.

Anneke pensa soudain à son père.

— Il est allé à Amsterdam, lui apprit tante Mies. Il est parti cet après-midi pour aller chercher un arrivage de tissu de laine. Il y a eu des retards, et il doit passer la nuit là-bas.

Devinant son soulagement, sa mère la mit en garde :

— Il revient demain par le train du soir. Nous ne pouvons pas lui cacher la vérité, tu le sais très bien.

Anneke lança un regard implorant à ma tante qui la rassura d'une caresse sur le front.

— Je me charge de lui apprendre la nouvelle. Tout se passera bien, ne crains rien.

Elle administra un somnifère à Anneke et me demanda de rester auprès d'elle pour lui faire la lecture en attendant qu'elle s'endorme. Je cherchai un livre qui pourrait la distraire. Un recueil de Verwey était posé près de mon lit. Il y avait aussi le *Livre d'heures* de Rilke, si souvent feuilleté qu'il avait presque doublé d'épaisseur. J'adorais Rilke. J'avais l'impression que ses poèmes étaient des flèches lancées à travers le temps pour venir se ficher droit dans mon cœur. Mais ce soir, ils feraient du mal à Anneke.

Je suggérai à ma tante de nous apporter le numéro de *Libelle* que j'avais vu dans la cuisine. C'était un magazine féminin qu'Anneke et moi affections de mépriser mais que nous dévorions tous les mois. Mon choix était judicieux, Anneke s'endormit vite.

Je n'eus pas cette chance. Je remontai dans la chambre du grenier, poussai le lit sous la lucarne, et grimpai sur le matelas pour l'ouvrir et passer la tête dehors. Avant l'invasion allemande, Anneke et moi adorions regarder les toits de notre perchoir. Tout Rotterdam se découpait au loin et on voyait le port à l'embouchure de la Meuse. Quelle que soit l'heure, la ville était toujours animée. La nuit du 14 mai, nous étions montés tous les quatre la mort dans l'âme pour contempler les ruines noires de notre pauvre ville, qui se détachaient sur un fond de flammes, jusqu'à ce que nous soyons chassés par la fumée, preuve irrespirable que le désastre avait bien eu lieu. Une épaisse couche de cendres couvrit Schiedam pendant des jours et des jours alors que Rotterdam brûlait – les Allemands tiraient pour l'exemple sur tous ceux qui tentaient d'éteindre les incendies. Depuis lors, plus personne n'était monté regarder par la lucarne.

Mais ce soir-là, je ressentais le besoin de voir l'horizon. Un quartier de lune éclairait Rotterdam – lune descendante, je le savais car, depuis le black-out, nous étions devenus experts en ce domaine. Même au bout d'un an et demi, la ville noire et ravagée se ressentait encore du bombardement. Quelques pâles lumières luisaient vers le port. C'était sans doute les Allemands qui passaient à bord de leurs navires de guerre gris. Karl était peut-être là-bas. Je récapitulai mes arguments pour le lendemain. Il ne fallait rien laisser de côté.

Ayant refermé la lucarne, je m'assis sur le lit pour préparer aussi les arguments que je présenterais à Isaak. Je décortiquai la conversation que nous avions eue dans sa chambre. S'il voulait que je parte, c'était parce qu'il m'aimait. Mais il ne l'avouerait jamais. Ce n'était pas dans sa nature d'exprimer ses sentiments ; il me fallait donc interpréter seule ses paroles dures pour y trouver leur signification cachée.

Maintenant je n'avais plus rien à craindre. Anneke ne risquait plus de trop bavarder devant son mari allemand, et tant que personne ne savait que j'étais à moitié juive, les nouveaux décrets ne me concernaient pas. Et puis ce n'étaient que des lois. Insultantes, contraignantes, mais pas dangereuses en tant que telles. Isaak s'inquiétait trop ; il ne m'arriverait rien. Si lui-même se sentait en danger et devait partir, je le suivrais, mais nous devions nous sauver ensemble. C'était ce que je voulais lui faire comprendre.

Je m'éveillai à l'aube, laissai un mot, et pris mon vélo pour aller en ville.

Ma tante avait raison : il y avait davantage de soldats. Par groupes de deux, ils gardaient toutes les entrées du parc. D'autres affichaient des avertissements, d'autres encore procédaient à des contrôles d'identité aux arrêts de tramway. L'un d'entre eux me jeta un coup d'œil alors que je passais. Malgré son sourire et le salut qu'il me fit en touchant son casque, mon cœur partit au galop. L'unité de Karl était logée dans plusieurs maisons de Ruyterstraat. Anneke m'avait montré laquelle une semaine plus tôt. J'avais les jambes flageolantes en arrivant à destination, mais je savais comment surmonter ma timidité. Il suffisait de faire le premier pas sans préjuger de la suite.

Ce jour-là, par exemple, je me donnai simplement pour but de frapper à la porte. Ensuite, rien ne m'empêcherait de partir.

Une gentille petite vieille dame dodue, portant une coiffe blanche de grand-mère et un tablier long vint m'ouvrir.

— *Goedemorgen !* dit-elle avec un sourire.

Je lui souhaitai aussi le bonjour, et ce ne fut pas plus difficile que ça. Sans même y penser, je lui avais demandé à voir le soldat allemand prénommé Karl. En moins de temps qu'il n'en faut pour le dire, je me retrouvai dans sa cuisine, une pièce rose à la rassurante odeur de clou de girofle et d'eau de Javel, et elle m'offrait un café.

— De l'ersatz ! soupira-t-elle.

Ses yeux levés au ciel semblaient dire *Que voulez-vous qu'on y fasse, hein ?*

Elle m'ouvrit la porte du jardin.

— Ils sont là. Ils font leur gymnastique dehors. La semaine dernière, ils ont piétiné mon jasmin. Allez-y.

Ils n'étaient que deux. Ils me tournaient le dos, mais je vis tout de suite que ni l'un ni l'autre n'était Karl. L'angoisse monta de nouveau, mais je n'avais plus le choix : en entendant mes pas, ils s'étaient tournés vers moi. Leur jeunesse me fit un choc.

Je leur demandai s'ils savaient où je pouvais trouver Karl Getz.

— Il est parti, m'apprit le plus grand.

C'était un brun joufflu qui n'avait même pas l'air d'avoir l'âge de se raser.

— Quand doit-il rentrer ?

Il hésita un peu, mais sembla estimer qu'il n'y avait pas de risque à m'en dire plus.

— Il a été muté à Munich. Vous l'avez manqué d'une heure.

J'avais beau parler allemand couramment, je crus avoir mal compris.

— À Munich ? On ne l'a pas envoyé à Hambourg ?

Non, m'assurèrent-ils. Karl n'était pas parti pour Hambourg. Ils échangèrent un regard, puis le plus discret des deux, qui avait les cheveux plus clairs et bouclés, fit un pas vers moi et me demanda si j'étais la petite amie de Karl.

Je ne répondis pas, trop occupée à poser des questions.

— Et sa fiancée ? Ils vont se marier ?

Ils se jetèrent un nouveau regard, mais cette fois avec un sourire narquois.

— Quel cachottier ! Il ne nous en a jamais parlé !

J'en savais assez.

— Ce n'est pas grave, au revoir.

— Attendez, lança le brun. Comment vous appelez-vous ?

Il cherchait simplement à engager la conversation parce qu'il se sentait seul.

— Non, je… Désolée de vous avoir dérangés.

J'aurais voulu partir, mais il fit une dernière tentative.

— Je me demandais juste si…

Il baissa le nez et passa la main dans ses cheveux pour dégager son front, puis rassemblant son courage, il releva les yeux vers moi.

— Je me demandais juste si vous n'auriez pas envie de sortir ce soir… On pourrait aller au café. Vous ressemblez beaucoup à ma sœur, et je ne l'ai pas vue depuis tellement longtemps…

Je bafouillai une excuse, prétextant que je travaillais le soir, et m'échappai.

Je rentrai en pédalant aussi vite que les pavés me le permettaient. Deux univers parallèles se côtoyaient. Dans l'un, de jeunes soldats pensaient à leurs sœurs avec nostalgie et ressentaient le manque de compagnie féminine. Dans l'autre, on entourait la tête des lycéennes avec les chiffons qui avaient servi à nettoyer les latrines, on m'arrachait à ma famille, et on m'aurait interdit l'accès aux parcs et aux tramways si on avait su qui j'étais.

Le monde était devenu fou. Comment m'aurait-il été possible de le comprendre ?

5

La perspective du retour de mon oncle pesa sur la journée comme un orage inéluctable. Même l'air était lourd. Je téléphonai à la boulangerie et racontai qu'Anneke s'était tordu la cheville. Pour nous occuper, nous entreprîmes de laver les carreaux, puis de préparer des pommes au four enrobées de pâte brisée, et de la soupe de pois cassés. Ensuite nous nettoyâmes les cheminées, sortîmes les couvertures des placards pour les aérer en prévision de l'hiver. Et tout cela sans mentionner une seule fois la grossesse d'Anneke ni imaginer la réaction de mon oncle. Mais quand je regardais ma tante, je voyais que son visage était crispé d'inquiétude. Ma cousine, elle, semblait indifférente, ce qui était pire. Moi, j'avais envie de casser quelque chose, de hurler.

Finalement, je n'y tins plus.

— Et si nous partions tout de suite ? proposai-je en milieu d'après-midi.

Il était prévu qu'Anneke et moi sortirions dans la soirée avant l'arrivée du train de mon oncle. Nous devions dîner dans un café pour laisser les parents de ma cousine en tête à tête. Ma tante avait acheté son jambon préféré à mon oncle, et avait décidé d'attendre qu'il ait fini son repas pour lui parler. Une telle idée ne me serait jamais venue à l'esprit. Moi, je lui aurais dit sans détour : « Voilà ce qui arrive. Il faut accepter la situation et aider notre fille. » Je n'aurais pas songé à lui servir de bons petits plats pour tenter de lui faire avaler la nouvelle en douceur.

Anneke me suivit sans protester. Nous avions décidé d'aller en train à Scheveningen. Le soleil était si bon cet après-midi-là que nous ôtâmes nos chaussures pour nous promener sur la plage. Ensuite nous allâmes au bout de la jetée en bois où les chalutiers déchargeaient le poisson au soleil couchant. Nous n'avions pas vu un seul soldat allemand depuis notre descente du train. Miraculeusement, il n'y avait rien pour nous rappeler l'Occupation, hormis quelques bunkers dans les dunes – de ceux qui nous faisaient toujours rire, parce qu'ils étaient camouflés en maisons hollandaises, peints de fenêtres ridicules fleuries de géraniums. Les Allemands croyaient-ils vraiment que quelqu'un s'y laisserait prendre ?

Dans un café, nous commandâmes de la bière et du flétan, puis du gâteau aux cerises. Nous évitâmes tous les sujets d'inquiétude, mettant nos soucis de côté comme on pose des sacs encombrants dans un coin. Anneke me raconta que Kees, le fils du boulanger, avait reçu un vélo en cadeau, et je lui appris que les petites poules rouge et blanc de Mme Schaaps ne pondaient plus d'œufs. Après le dîner, nous fîmes durer le café, comme si nous savions que cette soirée serait notre dernier moment de répit.

Finalement, Anneke parla de Karl. Il était plus mûr, plus passionné que les garçons qu'elle avait fréquentés avant lui. Si on ne l'avait pas transféré, sans doute aurait-elle réussi à le convaincre de l'épouser parce qu'il l'aimait. Mais il devait rester fidèle à sa promesse.

Ce que j'avais découvert sur lui me minait, et j'avais peur qu'elle ne remarque ma peine.

— J'ai quelque chose à te dire, Anneke. Je suis allée voir Karl ce matin.

Elle se figea de stupeur.

— Il n'était pas là, ajoutai-je précipitamment, mais j'ai discuté avec deux de ses camarades. Il était déjà parti. Il a reçu sa feuille de route plus tôt que prévu. Il paraît qu'il souffrait beaucoup de devoir te quitter.

J'aurais raconté n'importe quoi pour la réconforter.

Le visage indéchiffrable, elle regarda ailleurs.

— C'est comme ça, que veux-tu…

Il fallut bien se résoudre à rentrer, il était tard. Au moment où nous allions sortir du café, un soldat nous aborda sous prétexte de nous demander du feu. En fait, comme tous les hommes, il était attiré par Anneke. Pour ne pas l'encourager, elle évitait son regard, mais il fit tout pour nous retenir. Il était autrichien, nous expliqua-t-il, et professeur de lycée avant la guerre. Il jouait du piano.

— Savez-vous où on peut aller écouter de la musique le soir ?

Tout en nous posant cette question, il implorait Anneke du regard. *Vous ne voulez pas venir écouter de la musique avec moi ?* semblait-il demander.

Elle fit un pas de côté pour pousser la porte, mais je vis des larmes briller dans ses yeux.

Dans le train, elle parla peu, mais j'eus l'impression qu'elle n'éprouvait aucune crainte. Le pire était déjà arrivé. La réaction de son père n'y changerait rien.

Il nous attendait dans l'entrée.

Je m'étais attendue à de la fureur car il contrôlait mal son caractère emporté. Mais il resta de marbre devant Anneke, montrant une froideur pire que la colère.

Elle avança vers lui et murmura d'une petite voix touchante :

— *Vader ?*

Il l'arrêta d'un geste pour l'empêcher de chercher du réconfort dans ses bras.

— Espèce de petite traînée ! Tu n'es pas ma fille !

Des mots calculés pour faire mal. Je vis qu'ils atteignaient Anneke de plein fouet. Elle se protégea le ventre avec les bras – le corps comprend vite où il est le plus vulnérable.

— Tu n'es pas ma fille !

Ayant assené ce désaveu une deuxième fois, il décrocha son manteau et sortit en claquant la porte.

Ma tante ne le retint pas. Elle se contenta de prendre Anneke dans ses bras.

— Ce n'est rien, il se calmera.

Mais ce n'était pas rien ! J'ouvris la porte et criai du haut des marches, hors de moi :

— C'est une honte de traiter sa fille comme ça ! Un père n'abandonne pas sa fille quand elle a besoin de lui !

Sous la pâle lueur du croissant de lune, il se retourna et je vis qu'il était devenu blanc de rage.

— Toi non plus, tu n'es pas ma fille, ne l'oublie pas !

— Heureusement ! Avoir un père pareil, c'est pire que de ne pas en avoir du tout !

— Cyrla, tais-toi ! intervint ma tante en me tirant par le bras pour me faire rentrer.

Il me semblait que je ne pardonnerais jamais à mon oncle la peine qu'il venait de faire à Anneke. Je montai avec elle dans notre chambre, ne la quittant pas des yeux, désolée de ne pas savoir comment réparer cette humiliation. J'aurais voulu trouver le moyen de lui rendre sa dignité. Après avoir sorti nos chemises de nuit de sous nos oreillers, nous nous déshabillâmes sans prononcer un mot.

Finalement, une fois au lit, je brisai le silence.

— Dis-moi ce qu'on ressent. Je voudrais savoir comment on fait.

— Ce qu'on ressent quand ? Ah ! s'exclama-t-elle avec un rire. On n'a pas besoin de mode d'emploi, *katje !* Ton corps saura quoi faire, et ton cœur.

— Je connais le principe… mais je voudrais savoir comment on s'y prend vraiment.

— Je t'assure que tu n'auras aucune difficulté.

Elle s'interrompit pour repousser les cheveux de son front. Je devinai aussitôt que c'était un geste de Karl.

— Tu auras l'impression que ton corps a toujours su comment faire l'amour, qu'il est né pour ça, que tu ne t'en étais pas rendu compte avant.

Elle soupira devant mon air incrédule.

— Bon, j'exagère un peu, mais je t'assure que ça vient tout seul. On n'a qu'à écouter son désir. Tu as déjà éprouvé du désir ?

Je répondis que oui. J'avais déjà eu envie de faire l'amour.

— Non, je veux dire, est-ce que vous vous êtes touchés, est-ce que vous vous êtes caressés, est-ce que vous vous êtes embrassés jusqu'à ce que tu ressentes ce besoin dans ton corps, entre tes cuisses, comme de l'électricité ? Une nécessité de l'attirer en toi… une chaleur ?

Je dus admette que non, ça ne m'était encore jamais arrivé.

— C'est par là qu'il faut commencer. Une fois qu'on a ressenti ça, on n'a plus qu'à se laisser aller.

J'attendis, les yeux posés sur elle.

— Mais enfin, Cyrla, tu sais bien ce qui se passe ensuite, non ?

Elle s'interrompit de nouveau, se rappelant sans doute que j'avais arrêté le lycée très tôt. Depuis l'époque napoléonienne, dans toutes les villes des Pays-Bas, on enregistrait les naissances, les décès et les mariages dans des registres d'état civil dont on envoyait les doubles à La Haye. J'avais beau avoir des papiers, comme je ne figurais pas dans ces listes, ma tante avait préféré me retirer de mon établissement scolaire quand les Allemands avaient occupé le pays. Pour la même raison, je ne travaillais que dans la boutique de mon oncle. Ma meilleure amie ayant quitté Schiedam après les bombardements, depuis un an et demi je n'avais quasiment plus aucun contact avec des filles de mon âge.

— C'est bon, je t'explique. Tu l'embrasses. Sa langue, c'est son âme. Attire-la dans ta bouche, donne-toi à elle. Aspire son souffle. Prends-le dans tes bras, touche-le. Touche son visage, sa poitrine, son ventre… plus bas. Va doucement, sois caressante, tu lui donneras envie de toi. Et c'est tout. Je t'assure. Le reste vient naturellement, comme si on ne pouvait pas faire autrement. Tu auras l'impression que… Tu auras l'impression que chacun de vos mouvements sera une façon de dire à l'autre : « Je te connais ! Je te connais ! » Et après… après, tu verras, tout te semblera plus beau.

— Merci, Anneke.

C'était cette générosité de ma cousine qu'Isaak ne connaissait pas et qu'il m'arrivait souvent d'oublier. Un jour, je lui avais confié mon rêve de devenir poète. « Mais poète, tu l'es déjà, s'était-elle exclamée. Tu es poète dans ta façon de choisir tes mots, dans ta façon de voir les choses et de me les dépeindre. »

Jusqu'à cette conversation, je n'avais fait que lire de la poésie ; je n'en avais jamais écrit. Des vers me venaient en tête, sans queue ni tête bien souvent, que je notais, mais je n'avais encore jamais essayé de les travailler, de leur donner un sens et une forme. Ce soir-là, j'avais trouvé le courage d'écrire mon premier poème, quatre vers sur l'état de grâce.

L'égoïste, c'était moi, parce que je me réjouissais qu'elle ne me quitte pas.

— Alors, tu ne veux pas me dire qui est l'heureux élu ? Excuse-moi, j'étais tellement préoccupée par Karl que je ne t'ai pas posé beaucoup de questions.

— Isaak, évidemment !

— Isaak ? Ah, je vois.

— Tu vois quoi ?

— Rien. Je ne savais pas, c'est tout. Je suis contente pour vous.

Elle éteignit la lampe entre nos deux lits.

— Attends, dit-elle dans le noir. Il faut que tu saches autre chose. Tu dois te préparer, autrement, tu risques d'avoir mal la première fois et de ne pas éprouver de plaisir.

J'attendis la suite.

— Ton hymen. Tu peux le déchirer toi-même, ce n'est pas difficile. C'est Gera qui m'a appris ça. Sa tante lui a expliqué comment faire, elle s'y connaît. Prends un objet arrondi et lisse, pas trop gros. La tante de Gera lui a raconté que dans certaines civilisations, on sculptait de petites déesses en pierre ou en bois pour les jeunes filles, et que c'était un rituel sacré. Mais on peut se servir de n'importe quoi. Une cuillère fera très bien l'affaire. Propre, évidemment.

— Toi, tu as pris quoi ?

Elle eut un rire, et, même sans la voir dans le noir, je devinai qu'elle faisait la grimace. Cela ne dura qu'un instant, mais je la retrouvai telle qu'elle avait toujours été.

— Jan Wegerif !

Je me redressai d'un bond dans mon lit.

— Jan Wegerif ? Je ne savais même pas que tu le voyais.

— Ça n'a pas duré. On s'est juste cachés une fois dans le hangar à bateau de son grand-père. J'ai trouvé ça très désagréable. Voilà pourquoi je te conseille de t'en occuper toi-même. Et puis surtout, Cyrla…

— Oui ?

— Ne tombe pas enceinte.

6

Mon oncle ne revint pas à de meilleurs sentiments. Pendant deux jours, il écrasa Anneke de son mépris et m'ignora. Heureusement, il n'était presque jamais à la maison. Il ne rentrait pas déjeuner et je ne savais pas si c'était parce qu'il était en colère ou parce qu'il avait trop de travail : il devait fabriquer six cents couvertures pour l'armée allemande, et il était allé à Amsterdam chercher des rouleaux de laine.

Je n'aimais pas beaucoup cela. Mon oncle se plaignait autant de l'Occupation et de ses inconvénients que tout le monde. Il était même particulièrement indigné par les convois qui roulaient sans discontinuer vers l'Est, chargés de produits pillés chez nous, dont les containers étaient estampillés de ce mensonge insultant : *Don des Hollandais à leurs frères allemands*. J'avais toujours supposé que ses sentiments antiallemands naissaient de solides principes moraux : il avait beaucoup d'amis grossistes juifs dans la Breedstraat à Amsterdam, qui lui vendaient du tissu. Mais depuis peu, même si je ne l'avais jamais entendu exprimer ouvertement de sympathie pour les nazis, je commençais à me demander s'il était vraiment aussi opposé à l'Occupant qu'il le prétendait.

Depuis quelque temps, il raccommodait beaucoup d'uniformes de soldats ennemis cantonnés dans la ville. Au début, tante Mies lui avait demandé de ne pas accepter ce genre de travail. « Ferme la boutique, avait-elle supplié plus d'une fois. Ne sois pas complice de ce qui se passe. »

Mon oncle disait alors avoir peur des conséquences s'il refusait de travailler pour les nazis. Et puis s'il fermait la boutique, il devrait s'inscrive au Service du travail obligatoire. De quoi vivrions-nous s'il était envoyé en Allemagne ?

Il n'y avait aucune raison de douter de sa bonne foi. Tout le monde faisait des compromis. Mais lorsque je l'entendais s'entretenir avec les Allemands alors que je coupais du tissu dans l'atelier, j'étais choquée par son amabilité. Je le trouvais même particulièrement arrangeant.

Au cours des derniers mois, ma tante avait cessé de discuter. Les nouvelles de la guerre sapaient peu à peu ce qui lui restait d'énergie. Elle était devenue l'ombre d'elle-même, sans forces ni volonté, laissant à mon oncle toutes les responsabilités. De son côté, il semblait nourrir une profonde amertume qui empoisonnait toutes ses paroles et tous ses actes, étouffante comme une fumée nocive. Sans Anneke et sa bonne humeur, notre vie serait devenue insupportable. Et puis soudain, tout avait changé : un jour après que mon oncle eut déserté la maison, ma tante avait retrouvé sa vigueur.

Le premier jour, Anneke et moi fûmes réveillées par des bruits de marteau. Nous trouvâmes ma tante à la cave, qui clouait des planches entre deux poteaux pour construire un placard secret.

— Allez chercher toutes les provisions non périssables, ordonna-t-elle. Nous les cacherons ici.

Ainsi, nous engrangeâmes des raisins secs, des boîtes de pois cassés et de haricots secs, les conserves de fruits que ma tante avait préparées pendant l'été, le reste de nos rations de sucre et de farine de la semaine, du bouillon Kub, et même la triste poignée de nouilles qui restait au fond d'un bocal.

Plus tard dans la matinée, alors que nous cherchions dans le journal les directives de rationnement pour la semaine, elle nous fit part de son plan de bataille.

— Toutes les semaines, nous dépenserons nos coupons de produits laitiers en lait concentré. Pour compléter nous pourrons faire des échanges. Nous n'avons besoin ni de cigarettes ni de bonbons : nous prendrons de la farine et du lait à la place. Avec les rations de tissu, nous achèterons de quoi habiller le bébé plus tard.

Mon regard croisa celui d'Anneke. Elle avait du mal à s'imaginer cet enfant dont parlait sa mère. C'était déjà assez difficile pour elle d'accepter l'idée qu'elle était enceinte.

Tante Mies nous occupa toute la journée. Nous étions tellement étonnées de lui retrouver son dynamisme d'autrefois que nous obéissions sans discuter, et puis cela nous faisait du bien de nous oublier dans le travail, d'agir plutôt que de subir. Il fallait pourtant reconnaître que toute cette énergie qu'elle déployait était un peu fiévreuse, et j'eus l'impression qu'elle s'imposait ces préparatifs comme une sorte de pénitence. Comme si c'était sa faute… Avait-elle l'impression que, si elle avait été plus prévoyante, plus vigilante, elle aurait pu empêcher ce qui était arrivé ?

J'avais toujours imaginé que l'amour qu'une mère portait à son enfant était irremplaçable, et le chagrin d'en être privée m'avait tellement absorbée que je n'avais jamais envisagé que cette tendresse puisse aussi bénéficier à la mère. J'étais fascinée par les réactions de ma tante et par celles d'Anneke, et j'attendais de voir ce que changerait l'arrivée du bébé.

Ce soir-là, quand nous entendîmes rentrer mon oncle, ma tante nous signifia d'un regard qu'il était temps de sortir. Pendant qu'elle l'accueillait à la porte, nous ne prîmes que le temps d'enfiler nos pulls avant de nous éclipser dans le jardin par la cuisine. Nous attendîmes, assises sur les marches de brique en mangeant les dernières tomates accrochées aux plants jaunissants, pendant que montait un étroit croissant de lune. Le vent se leva, et le bruissement des feuilles brunes du noyer au-dessus de nos têtes couvrit presque entièrement le murmure de conversation qui s'échappait de la salle à manger. On entendait pourtant que les paroles étaient rares, et qu'elles étaient dures.

Anneke sortit des cigarettes et un briquet de sa poche de pantalon. Elle en alluma une puis me tendit le paquet.

Je refusai.

— Ça ne va pas plaire à ton père.

Elle s'était mise à fumer quand elle avait rencontré Karl, mais comme mon oncle détestait voir les femmes la cigarette à la bouche, elle n'en allumait jamais à la maison. Parfois, l'après-midi, nous nous promenions jusqu'aux grands entrepôts au bord des quais de déchargement des péniches. Là, nous allumions une cigarette et fumions en écoutant les plaisanteries qu'échangeaient les débardeurs en se passant des tonneaux de clous, de tabac et de harengs. Nous aimions sentir l'odeur de notre fumée se mêler au lourd parfum des épices et du goudron.

Elle haussa les épaules. Évidemment, au point où nous en étions… Je me servis donc et fumai avec elle, le dos raide dans la fraîcheur du soir. Nous attendîmes que mon oncle retourne à la boutique pour rentrer. Combien de temps allions-nous pouvoir cohabiter sans nous voir ? C'était toute la question.

Le lendemain, une pluie froide tomba toute la matinée. Anneke n'alla pas travailler, et, grâce à son aide, le ménage fut vite achevé. Nous mîmes un disque et sortîmes le coffret de jacquet. Ma tante, qui traversait le salon une pile de linge tout juste revenu de la blanchisserie dans les bras, s'arrêta pour regarder les pièces en ivoire de notre jeu.

— Nous en aurons peut-être besoin plus tard pour les échanger contre de la nourriture pour le bébé, dit-elle. Enveloppez-les et cachez-les, au cas où les Allemands reviendraient réquisitionner ce qui nous reste. Ils n'obtiendront plus rien de nous, je vous assure. Ah, et n'oubliez pas les pièces du jeu d'échecs. Cachez-les derrière la réserve à charbon. Et ces statuettes aussi, et les pinces à feu…

Elle se tourna ensuite vers l'électrophone qu'elle considéra, sourcils froncés. Je commençais à trouver son acharnement un peu bizarre, et Anneke dut ressentir également une inquiétude car elle intervint :

— Les Allemands n'en voudront pas, maman. Et puis il est trop gros, on ne saurait pas où le cacher.

— Tu as raison, répondit ma tante avec un sourire.

Mais l'atmosphère oppressante qui régnait dans la maison ne se dissipa pas, et Anneke et moi attendîmes avec impatience qu'il arrête de pleuvoir pour sortir.

Nous prîmes nos vélos pour aller au parc du canal. Il faisait frais, mais le soleil était revenu après la pluie, et j'eus peur que le ciel, si bleu entre les nuages blancs, ne rappelle à Anneke les yeux de Karl. J'aurais voulu qu'elle laisse ses soucis de côté au moins pour l'après-midi, mais c'était malheureusement impossible. Un couple s'enlaçait sur un banc, et je la voyais penser : *Karl m'a abandonnée.* Des mères surveillaient leurs enfants trop jeunes pour aller à l'école. Ils jouaient aux billes et à saute-mouton, et quand ils couraient et trébuchaient devant nous, elle se rappelait pour la millième fois : *Je suis enceinte et il m'a abandonnée.* Le plus petit détail la torturait. Deux pigeons qui se disputaient une miette de pain, une vieille dame qui retenait sa jupe soulevée par le vent, un vol d'oies sauvages dans le soleil automnal – nous commencions par partager un sourire, puis Anneke se reprenait en songeant : *Non, ça ne m'amuse pas, je ne suis pas heureuse.*

Son visage s'assombrissait, ses lèvres se mettaient à trembler.

À la fin, je me résolus à lui demander :

— Tu vas le garder, cet enfant ?

Nous étions arrivées à un pont. Anneke baissa les yeux sur l'eau calme du canal, verte et scintillante, mais qui ne reflétait que son malheur. On ne pouvait pas échapper à soi-même très longtemps avec tous ces miroirs qui sillonnaient le pays. La Hollande était cruelle pour ceux qui ne voulaient pas se voir. Je ramassai un caillou et le jetai dans l'eau pour en troubler la surface. Anneke se détacha de son image.

— Je voudrais de tout mon cœur ne pas être enceinte, mais puisque je le suis, j'aurais besoin que Karl soit près de moi. Je n'arrive pas à voir plus loin. Je sais que je vais devoir prendre certaines décisions. Je peux le faire adopter. Je peux même m'en débarrasser avant sa naissance : la tante de Gera dit qu'il y a moyen de s'arranger… Mais quand j'essaie de me projeter dans l'avenir, je n'y arrive pas.

Elle leva les mains en signe d'impuissance, puis les croisa sur son ventre dans un geste qui devenait familier.

— Et si nous partions ensemble, Anneke ? Si nous prenions un appartement toutes les deux ? Lijsje et Frannie ont emménagé à Amsterdam l'année dernière, tu te souviens ? Elles ont trouvé du travail dans une banque. Diet de Jonge s'est installée seule à Utrecht. Nous commencerions une nouvelle vie. De toute façon, je vais sans doute devoir bientôt partir. Ton père ne veut plus de moi…

Anneke eut son habituel mouvement de doigts pour chasser mes problèmes comme s'il suffisait de disperser les paroles dérangeantes.

— Ah, si seulement je n'étais pas enceinte ! Mais ce qui est fait est fait. Qui sait combien de temps je vais pouvoir continuer à travailler. Si je gardais le bébé, tu imagines vraiment que tu pourrais entretenir trois personnes ? Heureusement que tu es là, *katje*, soupira-t-elle en posant la tête sur mon épaule, je me sentirais tellement seule sans toi.

Je la pris doucement par les bras, résistant à la tentation de la secouer comme un prunier.

— Justement, tu vas te sentir très seule si tu ne pars pas avec moi, parce que ton père va me chasser, c'est certain. Tu n'as pas encore compris ?

— Essaie de lui parler. Tu es chez toi.

— Non, justement. Je le sais bien. Il a accepté de m'héberger, mais il ne m'a pas accueillie dans son cœur, dans votre famille. Ma vie n'est pas aussi facile que la tienne, toi il te suffit de bouder cinq minutes pour qu'on vienne te consoler en toute hâte.

— Ah, tu trouves ma vie facile ? s'exclama Anneke en s'arrachant à moi.

Je l'avais blessée, mais je ne m'excusai pas. Elle posa les mains sur son ventre en me fusillant du regard.

— Es-tu sûre de vraiment m'envier ma vie, maintenant, Cyrla ?

Je comprimai les lèvres et détournai la tête, parce que la réponse était *Oui*.

Elle sembla reprendre courage.

— Rentrons. Il commence à faire sombre. Nous ne pouvons pas éviter mon père indéfiniment.

C'était pourtant ce que nous aurions dû faire.

7

À notre retour, mon oncle était en train d'installer un poêle dans le salon. Il ne nous regarda pas quand nous passâmes près de lui pour aller à la cuisine aider ma tante à préparer le dîner.

— C'est à cause de la pénurie, expliqua-t-elle, le front soucieux. Nous allons devoir enfourner du charbon dans cet engin à longueur de journée. Et ça fait une poussière !

Elle me tendit quatre pommes de terre et un tablier.

Je pris l'épluche-légumes dans le tiroir, m'assis à la table et m'attelai à la tâche. Quelques minutes plus tard, mon oncle entra dans la cuisine, un journal sous le bras.

— Je veux que tu dînes ici ce soir, ordonna-t-il à Anneke.

Son visage ne trahissait aucun sentiment, et ma cousine resta aussi impassible que lui.

Il approcha de la table, jeta le journal devant moi, prit un torchon pour s'essuyer les mains, puis ressortit.

Sur la page qui me faisait face, je vis un grand encart. C'était un « aide-mémoire » pour rappeler tous les endroits où les Juifs n'avaient plus le droit d'aller. L'épluche-légumes me tomba des mains. *Joden Verboden*. Interdiction d'aller au restaurant, au cinéma, d'entrer dans les boutiques. Ils étaient exclus des écoles. Des parcs. Des plages. Des transports en commun. Il aurait été plus bref de dresser la liste des lieux où ils étaient encore tolérés.

Et cette liste m'était destinée : le message que m'adressait mon oncle était clair. Les événements allaient simplement un peu plus vite que je ne l'avais redouté.

Je pliai le journal et tentai de le dissimuler sous le seau où nous jetions les épluchures de pommes de terre, mais Anneke vit mon geste. Elle le prit pour le lire, mit un instant à comprendre, mais ce ne fut pas long.

Elle tendit le journal à ma tante qui vint poser son bras sur mes épaules.

— Ton oncle Pieter… C'est un moment difficile pour lui. Ça ne veut rien dire…

— Si ! m'écriai-je.

Je me levai pour aller fermer la porte de la cuisine, et continuai un ton plus bas pour ne pas être entendue de lui.

— Et vous, demandai-je en tournant les yeux de l'une à l'autre, est-ce que sa réaction ne vous inquiète pas ? Est-ce que vous n'avez pas peur pour moi ?

— Non, répondit Anneke. Je ne me suis jamais fait de soucis pour toi, Cyrla. Tu crois que tu risques quelque chose ?

— Je ne sais pas.

C'était une bonne question. Au printemps, quand on avait commencé à voir apparaître des pancartes contre les Juifs dans les boutiques et les restaurants, la formulation n'interdisait pas strictement l'accès aux Juifs. *JODEN NIET GEWENST*, LES JUIFS NE SONT PAS LES BIENVENUS, disaient-elles en grosses lettres noires sur fond blanc. J'étais chez l'épicier avec ma tante la première fois que nous en avions vu une.

Ma tante avait été scandalisée.

— Mais qu'est-ce que ça veut dire ? avait-elle lancé à M. Kuyper qu'elle connaissait depuis toujours. Vous avez des clients juifs ! Des amis !

Mes mains s'étaient crispées sur les pommes que je choisissais. J'avais eu un peu envie de l'entendre dire : « Et ma nièce ? Elle est à moitié juive. Est-ce qu'elle ne peut plus venir chez vous ? » Mais que serait-il arrivé alors ? À cet instant, j'avais senti que mon existence reposait sur des sables mouvants, et qu'au moindre faux pas je risquais d'être engloutie.

— Et Mme Abraham ? Et Mme Levi ? avait insisté ma tante. Alors comme ça, au bout de tant d'années, vous ne voulez plus de leur clientèle ?

Finalement, j'avais été follement soulagée qu'elle ne m'associe pas à ceux auxquels cette pancarte s'adressait. J'avais eu honte de ma réaction. J'avais aussi ressenti de la colère, une indignation intense au nom de mon père, de mes frères, d'Isaak. Mais, par-dessus tout, j'avais apprécié que par ces quelques mots ma tante confirme clairement ce que je sentais depuis mon arrivée : ici, aux Pays-Bas, je n'étais pas juive. Elle devait savoir ce qu'elle disait.

— Je ne sais pas, répétai-je en commençant à couper les frites. Je n'aime pas penser à ça, mais Isaak dit que…

Je m'interrompis, imaginant la réaction d'Isaak s'il apprenait ce que mon oncle venait de faire. Je me dépêchai de le chasser de mon esprit.

— Tant que personne ne sera au courant, je ne risquerai rien. Vous avez parlé de moi à Mme Bakker ? ajoutai-je en me tournant vers ma tante.

J'expliquai ce qui était arrivé quelques jours plus tôt.

— Non, bien sûr que non. Elle se mêle de ce qui ne la regarde pas, mais elle n'est pas méchante. Nous n'en avons jamais parlé à personne… C'est ce que ton père a demandé en t'envoyant chez nous.

On ne me l'avait encore jamais dit. J'avais quatorze ans quand j'étais arrivée, et je n'avais posé aucune question, parce que je n'y avais pas pensé, ou peut-être parce que j'avais eu peur.

— Alors tout va bien, conclus-je. Personne ne sait, et tu as peut-être raison… Oncle Pieter ne fera rien, il est seulement fâché.

Interprétation qui m'éviterait peut-être de rapporter l'incident à Isaak.

J'allai à la cuisinière et jetai les frites dans l'huile bouillante. Anneke laissa la cuillère dont elle se servait pour tourner la sauce et me posa la main sur le bras.

— Cyrla… Karl est au courant.

— *Anneke !* s'écria ma tante.

J'en restai muette de stupeur.

— Ne t'en fais pas, s'empressa d'ajouter ma cousine. Il déteste les nazis. Karl te plairait beaucoup. Je t'assure que tu peux avoir confiance en lui.

J'eus envie de hurler : *Et toi ? Tu lui as fait confiance, et tu vois où ça t'a menée ?* Pensait-elle encore le connaître ? Je vis qu'elle se posait la même question.

— Peu importe, commentai-je. Il est parti, ça ne fait rien.

Mais je n'en pensais pas un mot. C'était le faux pas que j'avais redouté, et le danger venait justement de la personne contre laquelle Isaak m'avait mise en garde. Les sables mouvants allaient m'engloutir. Déjà, je sentais le sol se dérober sous mes pieds. Pourtant, j'avais encore du mal à l'admettre, et puis je ne voulais pas montrer ma peur à tante Mies ni à Anneke alors qu'oncle Pieter nous attendait à table. Je m'efforçai de rester imperturbable en finissant de préparer le repas et en apportant les plats dans la salle à manger. Il y avait de la viande ce soir-là, et pas seulement quelques morceaux pour donner du goût à la soupe. C'était un gros morceau de bœuf, les rations de la semaine, mijoté avec des oignons. Ma tante se servait toujours de la même stratégie pour amadouer mon oncle.

Nous prîmes nos places habituelles, mais après deux dîners manqués, je me sentais mal à l'aise.

Mon oncle fit la prière et se mit à manger. Il releva la tête vers nous.

— Allez-y, commencez !

Nous prîmes nos fourchettes. Il fallait essayer d'avaler.

Il parla du temps qu'il faisait, de l'hiver qui approchait, du nouveau chauffage.

— Moitié coke, moitié charbon, on ne peut guère espérer mieux, annonça-t-il comme si cela nous intéressait.

Il nous raconta qu'une de ses machines à coudre l'avait lâché et qu'il avait besoin d'une pièce de rechange. Cela ne pouvait tomber plus mal avec sa grosse commande de couvertures. Et puis il lui faudrait engager deux ouvrières, ce qui ne serait pas trop difficile avec le chômage.

Une veine battait à la tempe d'Anneke. Sa peau diaphane était fine et transparente comme une pellicule de verre, et j'eus peur qu'elle ne s'effondre avant la fin du dîner. J'aurais voulu trouver le moyen d'obliger mon oncle à se dépêcher sans le mettre en colère. Le repas dura des heures. Ce fut interminable. Enfin, il posa sa fourchette et nous regarda l'une après l'autre pour s'assurer que nous l'écoutions bien.

— J'ai trouvé une solution. Une maternité. Très confortable, où l'on dispense les soins médicaux les plus modernes.

— Anneke n'a pas besoin d'aller dans une maternité, protesta calmement ma tante. Je m'occuperai d'elle à la maison.

— Il n'est pas question qu'elle reste ici.

Il coupa une bouchée de viande, la mangea, but de la bière, sans nous regarder. Nous attendîmes qu'il se décide à s'expliquer.

— C'est très bien qu'ils prennent en charge ce genre de souci, très progressiste. Ils ne sont pas aussi abominables qu'on veut bien le dire, vous savez.

— Qui ça ? demanda ma tante.

— Mais les Allemands ! Ils ont monté ce genre de maison partout où ils envoient leurs soldats. C'est un problème qui surgit couramment, et c'est une bonne façon de le régler.

Seule ma tante retrouva sa voix.

— Quel problème ? Quel rapport avec les Allemands ?

— Anneke n'est pas la seule. Ils s'occupent de toutes les filles qui tombent enceintes comme elle.

La nation allemande assume ses responsabilités même si ses soldats ne le font pas individuellement.

— Comment as-tu appris ça ?

Voyant qu'il ne voulait pas répondre, je m'entêtai.

— Qui t'a parlé de ça ? À qui as-tu parlé d'Anneke ?

Il se taisait, mais nous avions deviné.

— Tu leur as dit ? murmura Anneke. Tu en as parlé aux Allemands qui viennent à la boutique ?

— Tu m'as déshonoré ! s'indigna mon oncle. Il fallait bien que je trouve une solution.

— Pieter ! Tu te rends compte de ce que tu as fait ? s'indigna ma tante.

— Anneke a rendez-vous demain. Elle doit passer un entretien et subir des examens. Je l'emmènerai. De toute façon, je ne peux pas travailler tant que je n'aurai pas reçu ma pièce de rechange.

— Quel genre d'examens ? demandai-je.

Mon oncle me considéra un moment, le regard dur derrière ses lunettes cerclées d'acier. Je me demandai s'il réfléchissait à la question, ou s'il hésitait à m'adresser la parole.

— Une formalité, répondit-il finalement. Pour le dossier médical.

Il mentait.

— *Nee !* s'exclama ma tante. Je ne te laisserai pas faire !

Je ne l'avais encore jamais vue s'opposer ouvertement à mon oncle. Nous comprîmes que le rapport de force changeait, et qu'un nouvel équilibre allait s'établir.

Mon oncle devint écarlate au point que, sous ses cheveux clairs, son crâne sembla avoir foncé de plusieurs teintes.

— Notre fille nous a couverts de honte. C'est le seul moyen de retrouver notre honneur.

— C'est ça que tu appelles retrouver notre honneur, Pieter ? s'écria ma tante.

Je quittai ma place et allai me planter derrière Anneke, les mains posées sur ses épaules.

— En quoi te fait-elle honte ? Elle a aimé un homme. L'amour n'a rien de honteux, c'est tout le contraire. Ne la chasse pas !

Mon oncle repoussa brutalement sa chaise et se leva.

— Anneke, sois prête à partir demain matin. Nous reviendrons dimanche.

Ma tante se leva à son tour.

— *Nee*, répéta-t-elle. Je t'interdis de l'emmener.

Je sentis Anneke faiblir sous mes mains.

— Arrêtez, ne vous disputez pas, supplia-t-elle. J'irai.

Plus tard, elle refusa d'en reparler, lâchant simplement, pendant que nous nous mettions au lit :

— Est-ce que tu imagines ce que j'aurais à endurer si je devais rester ici ?

Je n'y avais pas songé. Elle avait raison. Tout le monde la mépriserait parce que Karl était un soldat allemand.

Ils auraient bien tort. Je pensai à Isaak : ce n'était pas parce qu'il était hollandais que mon cœur cessait de battre dès que je l'apercevais. Ce n'étaient pas ses opinions politiques qui chauffaient ma peau quand nos cuisses se touchaient. Karl était allemand, mais Goethe aussi était allemand, et Schiller qui avait écrit sur la liberté. Et Rilke. Beethoven, Bach, Brahms. Des boulangers, des professeurs, des infirmières, des peintres étaient allemands. Des hommes et des femmes paisibles qui aimaient leurs enfants. C'étaient les nazis nos ennemis, et je croyais Anneke quand elle affirmait que Karl n'était pas un sympathisant du national-socialisme. Il appartenait seulement à une armée qu'il avait été appelé à servir, et l'amour qu'elle lui portait malgré tout prouvait simplement à quel point elle était ouverte et aimante. Elle s'était trompée sur la sincérité de Karl, mais elle n'avait trahi aucun principe moral en l'aimant. Au contraire, elle s'était élevée au-dessus des préjugés.

Mais ces arguments, elle avait raison, ne convaincraient pas nos voisins de Schiedam. Elle ne pouvait pas rester chez ses parents. Qu'à cela ne tienne : il ne nous restait plus qu'à partir ensemble.

8

Cette nuit-là, je vis mes parents en rêve comme ils m'apparaissaient souvent dans mon sommeil. Ils étaient couchés dans leur lit ; mon père sur le dos, ma mère sur le côté, lovée contre lui la tête posée sur son cœur, tenue par le bras gauche de mon père qui l'enveloppait. Les cheveux défaits de ma mère couraient comme une onde d'ambre sur l'épaule de mon père, sur sa barbe, et scintillaient sur le fond noir de ses cheveux. L'autre bras de mon père, ramené sur sa poitrine juste sous les côtes, rejoignait la main de maman dont il enlaçait les doigts au creux de sa taille. C'était une image sereine. L'arc des cheveux et celui des bras décrivaient un cercle qui les entourait, beau par sa perfection, terrible par son exclusion.

Car le rêve continue ainsi : j'approche de mes parents, désirant de toutes mes forces pénétrer dans leur cercle, mais ils ne l'ouvrent pas pour moi : leurs mains soudées les en empêchent. Ils me le montrent en soulevant leurs bras sans pouvoir se détacher. Et leurs cheveux sont tressés en une corde unique. Pardon, pardon.

Je m'éveillai, cette vision encore fraîche, douloureuse comme une blessure, et je vis qu'Anneke était partie.

Elle ne devait rester absente qu'un seul jour, me rappelai-je. Ce n'était qu'une visite médicale ; elle reviendrait le lendemain. J'aurais le temps de lui parler du projet que j'avais échafaudé avant de m'endormir.

Au petit déjeuner, ma tante ne voulut pas revenir sur ce qui s'était passé la veille au soir. Elle me parla du ménage, mais comme il n'y avait pas grand-chose à faire, nous traînâmes devant un café à la table de la cuisine, dans un rayon de soleil.

J'enlevai une feuille morte au géranium.

— Tante Mies, parle-moi de mes parents.

Elle eut l'air surpris. Je les mentionnais très rarement.

— Que veux-tu savoir ?

— Raconte-moi comment ils étaient quand ils se sont rencontrés.

Ma tante se pencha vers moi pour ramener une mèche derrière mon oreille.

— Tu as des souvenirs d'eux, Cyrla ?

— Ils étaient très proches, répondis-je sans vraiment savoir où cela allait me mener. Je les revois très près l'un de l'autre. Debout ou assis, ils se touchent. Quand je pense à eux, ils sont toujours ensemble.

Menton appuyé à mes poings fermés, je réfléchis.

— Sauf quand ma mère et moi étions seules à la cuisine. Elle me parlait hollandais dans ces moments-là. Je croyais que les gens parlaient hollandais quand ils faisaient la cuisine.

Un instant, je replongeai dans ce souvenir : les bras de ma mère blancs de farine jusqu'aux coudes, son visage lumineux, reflet de son amour pour moi.

— *Ja*, tu as raison. Depuis le tout début, ils ont donné l'impression d'avoir toujours été ensemble. Comme s'ils étaient deux moitiés d'un tout. Et pourtant, ils étaient tellement différents ! Tu ressembles énormément à ta mère, tu sais. Parfois, je la retrouve en toi. Vous avez le même caractère. Elle aimait beaucoup ton père. Et, oui, ils étaient constamment l'un près de l'autre. Ils se touchaient sans arrêt.

Il me vint alors à l'esprit que je ne voyais jamais ma tante et mon oncle se toucher. Mon oncle ne touchait jamais personne, d'ailleurs. Il me sembla que tante Mies pensait à la même chose.

— Ton oncle nous aime, mais il ne réagit pas pareil. C'est un homme très moral. Et Anneke a… elle a…

Oui, qu'avait-elle fait, au juste ? En aimant Karl, avait-elle enfreint la morale ? Moi, si j'avais la chance de rencontrer un homme qui me complétait parfaitement, cela me suffirait. Je ne demanderais pas à l'amour d'obéir à des règles.

— Le journal, hier soir… c'est seulement parce qu'il s'inquiète.

Je fis signe que je n'y pensais plus, mais elle tint à s'expliquer.

— C'est compliqué. Ton oncle n'est pas un sympathisant, tu le sais. Cyrla, écoute-moi. Essaie de comprendre. Tu sais qu'il vient d'une famille qui était riche autrefois. Ils ont été ruinés par les emprunts russes, comme beaucoup de Néerlandais. Quand les bolcheviques ont tiré un trait sur les dettes étrangères contractées à l'époque tsariste, la famille de Pieter a presque tout perdu et il a dû quitter l'université pour devenir artisan. C'est ça qui le mine.

Je pensai à l'habitude qu'il avait d'accrocher des rideaux neufs dans le salon tous les printemps. Seulement dans le salon, la seule pièce qui donnait sur la rue. Le premier printemps après mon arrivée, ma tante lui avait reproché d'avoir utilisé le même épais satin rouille pour l'endroit et pour la doublure.

— Pour qui te donnes-tu tout ce mal, Pieter ? avait-elle demandé. Pour nous, ou pour les passants ?

— C'est pour la réputation de la boutique, avait-il répondu.

Mais j'avais bien vu que la remarque de ma tante avait rouvert une blessure. Et quand elle récupérait le tissu encore neuf des rideaux qu'il décrochait – pour faire des couvre-lits avec ceux en soie damassée à rayures grises, des capes pour Anneke et moi avec le velours vert bouteille –, il était contrarié.

— Ça explique pourquoi, avant ton arrivée, l'antibolchevisme d'Hitler lui plaisait, continua ma tante. Mais plus maintenant.

— Je ne comprends pas ce qu'il me veut, dis-je en tâchant de ne pas laisser l'émotion me submerger.

— Les Juifs doivent se faire recenser. C'est une obligation terrible. Nous ne voulons pas obéir aux

Allemands, mais cela l'inquiète. Il a peur d'enfreindre la loi. Et maintenant, avec les nouvelles ordonnances antijuives… Mais je lui parlerai.

— Non, ça ne fait rien…

Dès le ménage terminé, je téléphonai à Isaak à son travail.

— J'ai besoin de te voir. Il faut que je te parle tout de suite.

— Je ne peux pas, Cyrla. D'ailleurs où voudrais-tu qu'on se retrouve ?

— Au parc de Burgemeester Knappertlaan, par exemple.

Il faisait très beau. Ce serait agréable de marcher.

En l'entendant soupirer, je me souvins que le seul endroit où pouvait se rendre Isaak sans enfreindre les nouvelles interdictions, c'était le quartier juif. Or il ne voulait pas que j'y aille. Cela ne m'arrêterait pas.

— Je viens au conseil.

— Non, tu sais bien que ce n'est pas prudent. Tu n'as qu'à me parler au téléphone maintenant.

— Attends, j'y pense, la boutique de mon oncle est fermée aujourd'hui. Viens m'y retrouver dans une heure.

— Non, Cyrla. Je mettrais beaucoup trop de gens en danger si je me faisais prendre.

— La porte de derrière. Rien que pour cette fois.

En raccrochant, je fus saisie par l'étrangeté de notre relation. Il me fallait toujours une bonne raison pour voir Isaak, un problème à résoudre. Mes soucis étaient ma monnaie d'échange pour obtenir ses visites.

Isaak m'en voulait : je m'en rendis compte dès que je lui ouvris la porte. Au moment où il entrait, je compris aussi qu'il allait voir les tables couvertes de rouleaux de laine brune dans l'atelier. Il allait sûrement me demander qui avait passé une aussi grosse commande.

— Allons sur le toit, c'est plus sûr.

Je le pris par la main pour l'entraîner vers l'escalier et le sentis se crisper. Isaak détestait les contacts physiques. Il payait très cher de ne pas avoir eu de parents. Des hommes de cœur l'avaient élevé, m'avait-il raconté. Les premières années, il avait été placé dans un orphelinat, puis les anciens de la synagogue de son village s'étaient occupés de lui. Mais personne ne l'avait pris dans ses bras le soir pour lui faire comprendre par le langage du corps qu'il était aimé. Quand je le touchais, il ne me repoussait pas, mais il ne cherchait jamais le contact lui-même.

Une fois sur le toit en terrasse, il parut se détendre. Nous nous approchâmes du bord pour regarder la rue. L'ocre des maisons de brique aux frontons en escalier se réchauffait dans le soleil de l'après-midi. Le canal, d'un vert profond et frais, virait à l'or au-delà des arbres, dans le lointain. Au-dessus du tumulte de la rue, l'air était serein. Isaak, qui regrettait certainement de ne pas avoir apporté son carnet de croquis, semblait écouter quelque chose.

— Tu entends ? C'est un loriot. Il doit être dans un de ces poiriers, là-bas. Mais c'est curieux, on dirait le chant nuptial. Je ne l'ai jamais entendu si tard dans la saison.

— Il n'a pas encore trouvé de compagne ?

Cela m'évoquait un poème de Rilke sur le début de l'automne, qui me poursuivait. Je lui en récitai deux vers.

— *Qui n'a pas encore de maison n'en bâtira plus. / Qui est encore seul restera seul.* Comme ton loriot… Comme nous.

— Non, pas exactement. Je pense qu'il avait sans doute une compagne qui est morte. Et si elle est morte, leurs oisillons n'ont sans doute pas survécu. Si, bien sûr, elle a eu le temps de pondre.

Je vis une ombre passer sur son visage, et je compris que ces considérations le ramenaient à d'autres pensées. Nous nous assîmes sur le gravier tiédi par le soleil, le dos appuyé au muret.

Je lui parlai des menaces de mon oncle et des allusions de Mme Bakker. Et puis d'Anneke, qui avait parlé de moi à Karl. La situation devenait dangereuse.

— Tu avais raison, Isaak. Il faut que je parte.

Je lui jetai un regard en coin pour voir si la perspective de mon départ le peinait. Mais évidemment, il prit soin de cacher ses sentiments.

— Je vais préparer ton départ. Le *Verzet* a l'habitude. On peut leur faire confiance.

— Mais je ne veux pas partir à l'étranger. Ce n'est pas nécessaire.

Je lui expliquai que je préférais aller vivre à Amsterdam ou à Rotterdam en me cachant sous une nouvelle identité, à condition du moins qu'il puisse me procurer des papiers. Il se contenta d'écouter en hochant la tête, mais quand je lui appris mon intention de m'installer avec Anneke, il eut l'air ennuyé. Je lui rapportai alors que mon oncle voulait l'envoyer dans un foyer.

— J'ai entendu parler de ce genre d'endroit, dit-il en prenant une poignée de gravier. C'est un Lebensborn. Tu sais ce que c'est, au moins ?

— Une résidence où les filles qui attendent des enfants sans être mariées peuvent mener leur grossesse à terme et accoucher en cachette pour ne pas se faire rejeter par la société.

Il laissa filer le gravier entre ses doigts.

— Pas exactement. Les Allemands ne sont pas des philanthropes. Pourquoi se donnent-ils tout ce mal, à ton avis ?

— Parce que c'est un soldat allemand qui l'a mise enceinte. Ils estiment que c'est leur responsabilité, et qu'il faut l'aider à accoucher dans de bonnes conditions.

— Sans doute, mais tu penses qu'ils font ça par grandeur d'âme ? Réfléchis à ce que veut dire le mot « Lebensborn ». Source de vie.

Isaak m'observait, attendant que je tire moi-même les conclusions qui s'imposaient. Il me poussait toujours à aller au fond des choses, à comprendre les motivations cachées des gens. Pour lui plaire, je tâchai d'analyser la situation à sa manière. Il fut satisfait de ma réponse :

— Non.

— Évidemment, approuva-t-il. Ces berceaux sont frappés de la croix gammée. Tu connais le slogan « Faites des enfants pour le Führer » ? On pousse les femmes allemandes, qu'elles soient mariées ou non, à donner des enfants au pays. Il faut de bons Allemands pour peupler les territoires envahis. Et puis des soldats. Tu sais ce qui m'effraie le plus ? C'est la façon dont ils planifient l'avenir à long terme. Pour les nazis, les nouveau-nés ne sont pas des bébés. Ce sont des ressources matérielles. Et ils commencent à s'en procurer aussi dans les pays occupés.

J'imaginai le petit garçon ou la petite fille que portait Anneke. Les Allemands prenaient leurs enfants aux Hollandais tout comme ils prenaient leur combustible, leur nourriture, leur tissu. Je me rappelai alors la bénédiction que nous avions prononcée à la circoncision de mon plus jeune frère Benjamin, quand on lui avait donné son nom : *Puisses-tu vivre pour voir s'accomplir tes espérances, puisses-tu réaliser ta destinée dans un monde meilleur, puisses-tu donner ta confiance aux générations passées et à venir.*

Je sentais presque la bonne odeur de savon qui montait de son cou, son poids doux et chaud dans mes bras. Il somnolait, les doigts accrochés à l'une de mes nattes, si bien qu'à chaque pas un doux tiraillement me rappelait sa présence.

— Je lui expliquerai de quoi il s'agit, promis-je à Isaak. Elle partira avec moi.

— Elle n'en fera qu'à sa tête, riposta-t-il avec une amertume qui m'étonna. Mais rien n'est encore sûr. Elle ne sera sans doute pas admise. C'est assez difficile d'entrer dans ces foyers. Tu sais qu'ils font passer toutes sortes d'examens ?

Je fis signe que oui, puis que non, parce que je ne savais pas en quoi ils consistaient.

— Il faut apporter la preuve qu'on est issu d'une lignée pure. Il faut avoir les cheveux clairs, les yeux clairs. Être aryen, comme ils disent. Être acceptable.

Quelque part – je ne savais pas exactement où –, on soumettait ma cousine à cette humiliation. Acceptable… Mesurerait-on sa gentillesse ? Sa joie de vivre qui illuminait toute la famille ? Je sombrai dans le silence. Je me sentais soudain vidée, épuisée par ces quelques jours de tension nerveuse. J'appuyai la tête contre l'épaule d'Isaak. Il se rétracta.

D'après Anneke, c'était par le toucher qu'on commençait à faire l'amour. Alors il faudrait d'abord apprendre à Isaak le langage des sens. C'était à moi de le lui enseigner. Il n'avait personne d'autre.

Je posai la main à la base de son cou dans l'échancrure de sa chemise, et lui caressai très doucement la gorge du bout des doigts. Sa peau était douce et chaude, brunie par le soleil, ses muscles saillants et longilignes. Mon univers se concentra en ce point, explosa dans cette question tactile. J'attendis sa réponse, tremblante.

Il prit ma main, la serra fort dans la sienne, puis la lâcha.

— Non, Cyrla. Ce n'est pas… Je dois rentrer.

Il se leva, évitant mon regard.

J'aurais voulu le retenir, le forcer à poser les yeux sur moi. Mais je le comprenais. Il lui fallait du temps pour s'habituer à ce nouveau langage. Malheureusement, nous en manquions cruellement.

Ce soir-là, en faisant la vaisselle du dîner, je pris une cuillère dans l'eau savonneuse et la glissai dans ma poche.

9

L'Anneke qui rentra le dimanche soir n'était plus l'Anneke que je connaissais.

Quand je voulus m'approcher d'elle, elle eut un mouvement de recul. Elle monta directement dans notre chambre alors qu'il n'était même pas neuf heures, et quand ma tante et moi la suivîmes, elle ne voulut tout d'abord pas répondre à nos questions, ni même nous regarder. Peut-être ne le pouvait-elle pas.

— Tant pis, dit ma tante en l'embrassant. Tu me raconteras demain.

Elle sortit de la chambre, certainement pour aller interroger mon oncle sur ce qui s'était passé.

Anneke ôta sa robe et l'accrocha, contrairement à ses habitudes. Son vernis à ongles était écaillé. Cela non plus, je ne l'avais jamais vu. Elle passa sa chemise de nuit et tira les couvertures sur elle avec de petits gestes prudents.

Je fus prise d'une culpabilité soudaine, comme si je l'avais abandonnée.

— J'ai bien réfléchi, Anneke. Si tu vas là-bas, je ne resterai pas. Je ne pourrais pas vivre ici sans toi, même si ton père acceptait de me garder. Nous n'avons qu'à partir ensemble. Nous trouverons un appartement à Amsterdam, du travail, dans un endroit où personne ne nous connaîtra. Nous raconterons ce que tu voudras.

— Je suis épuisée, Cyrla…

— Non, attends. Isaak m'a parlé des Lebensborn. Je connais toute l'histoire, maintenant. Dis-moi où tu es allée. Raconte-moi ce qu'on t'a fait.

Anneke se rétracta, disparaissant presque sous le drap.

Je me levai, m'assis sur son lit et posai les mains sur ses épaules. Elle avait le corps glacé sous sa chemise de nuit, mais elle ne grelottait pas.

— Parle-moi, je t'en prie. Je ne dormirai pas tant que tu ne m'auras rien dit. Tu n'iras pas là-bas, et on ne te prendra pas ton enfant. Raconte.

Elle poussa un soupir, le regard lointain et las.

— Tu ne peux pas comprendre.

Quelque chose d'essentiel s'était échappé de son âme.

— Je vais bien. Ce n'était rien du tout. J'ai vu des médecins au quartier général. Juste quelques formalités. On m'a mesurée… On m'a mesurée sous toutes les coutures. On nous a posé des questions sur la famille. C'est tout. J'ai envie de dormir.

— Anneke, tu m'as entendue ? Rien ne t'oblige à aller là-bas.

Je fus prise d'une idée qui me sembla excellente.

— Ta mère doit aller à Amsterdam demain pour chercher la pièce dont ton père à besoin pour sa machine. Accompagnons-la. Nous en profiterons pour aller voir Frannie et Lijsje. Nous leur demanderons de nous aider à trouver un appartement. Nous allons bien nous amuser.

Anneke m'écoutait à peine.

— Laisse-moi, Cyrla, dit-elle en me tournant le dos.

Cela me mit en colère. Je lui en voulais de s'être fourrée dans cette situation et de refuser que je l'aide à en sortir. Plus tard, en l'entendant pleurer, j'eus honte.

Le lendemain matin, elle était déjà debout à mon réveil.

— Alors ? demandai-je aussitôt, on va à Amsterdam ?

— Je dois retourner travailler, mais toi, tu n'as qu'à y aller avec maman. C'est une bonne idée. Essaie de voir si c'est possible.

Elle mit sa jupe de lainage gris et un pull bordeaux, et je lui trouvai meilleure mine, meilleure allure.

— C'est sûr, tu iras ? insista-t-elle quelques minutes plus tard.

Elle attendit même que je promette, ce qui me ravit. Mon idée lui avait redonné espoir.

Elle me tint compagnie pendant que je m'habillais, et me posa des questions sur Isaak. Elle voulut savoir comment je me sentais quand j'étais avec lui, comment il réagissait, si j'étais sûre que c'était le bon. Un millier de choses.

— Est-ce qu'on peut vraiment être sûre ? lui demandai-je.

Alors elle me donna encore des conseils, m'expliquant comment je saurais que c'était l'homme de ma vie, ce que je ressentirais. Je n'avais pas besoin de l'écouter. J'avais trouvé le grand amour le jour où je l'avais rencontré, le jour de mon arrivée en Hollande. Il n'y avait aucun doute possible. L'essentiel pour l'instant, c'était qu'Anneke semblait redevenue tout à fait normale. Mais elle ne se regarda pas dans la glace avant de descendre, et elle ne changea pas son vernis à ongles.

Je n'aurais jamais dû la laisser seule.

Le train était bondé – comme d'habitude depuis que les Allemands avaient réquisitionné nos motrices électriques modernes, ne nous laissant que les vieilles locomotives à charbon qui tombaient sans arrêt en panne, et les wagons les plus inconfortables.

Quand nous arrivâmes à Amsterdam, il y avait des centaines de voyageurs debout, entassés dans les couloirs. Si quelqu'un s'était évanoui, on ne s'en serait pas rendu compte parce qu'il serait resté serré contre les autres usagers. Les deux derniers wagons réservés aux Allemands étaient vides : *NUR FÜR WEHRMACHT* disaient les affichettes que les voyageurs respectaient même quand, comme aujourd'hui, il n'y avait pas de soldats. Cette affluence était de bon augure. Si tant de monde se rendait à Amsterdam, cela signifiait sans doute qu'on y trouvait du travail.

On respirait mal et l'air était saturé de suie, mais comme Schiedam se trouvait près de la tête de ligne, nous avions eu la chance de trouver des places assises. Pendant le trajet, ma tante me rapporta ce que mon oncle lui avait raconté la veille au soir : il y avait un foyer à Nimègue, le foyer Gelderland, qui se trouvait à une centaine de kilomètres à peine de chez nous. Anneke avait passé tous les examens avec succès, et le foyer l'accueillerait à bras ouverts le temps que durerait sa grossesse et pour y accoucher. En général, les filles attendaient de ne plus pouvoir cacher leur état pour y entrer, mais mon oncle avait absolument tenu à ce qu'elle s'installe tout de suite. Elle était attendue le vendredi suivant.

— Il y a de quoi manger, là-bas. Des légumes frais, des fruits tous les jours. Du lait à volonté. Et de la meilleure qualité. Et puis ce n'est pas trop loin…

— Tante Mies ! Tu ne vas pas accepter d'envoyer Anneke là-bas !

Mais les arguments de mon oncle avaient su la convaincre. Nourriture saine et abondante : des mots aussi satisfaisants pour elle que les repas qu'elle aurait voulu nous servir. En un an, nous avions perdu du poids, Anneke et moi. Et depuis qu'elle avait rencontré Karl, Anneke avait encore maigri, comme si un feu intérieur consumait ce qu'elle avalait. Parfois, ma tante tirait sur la taille trop large de la jupe de sa fille, visiblement mortifiée par son incapacité à nous nourrir.

— Je pense qu'elle y sera mieux qu'à la maison. Je ne pourrai pas m'occuper aussi bien d'elle. Les rations ne sont pas assez copieuses. Et puis il y a des médecins, des infirmières. On la soignera bien.

— Non !

J'avais crié si fort que plusieurs voyageurs nous dévisagèrent, mais je m'en moquais.

— Ce n'est pas du tout le paradis que tu imagines. C'est un Lebensborn. Isaak m'a expliqué ce que c'est. Tu ne sais pas ce que ça signifie ? Tu n'as pas demandé en quoi consistaient les examens ? Oncle Pieter ne t'a pas dit ce que deviendrait le bébé ? Où il serait envoyé ?

Je racontai tout à ma tante, puis je lui dévoilai mon projet. Je n'avais rien à perdre. Nous n'avions plus le choix.

Elle écouta attentivement, me traitant en adulte pour la première fois de ma vie. Elle ne me contredit sur aucun point, même quand j'ajoutai qu'il ne faudrait rien dire à oncle Pieter ; elle se contenta de se tourner vers la vitre grise de suie derrière laquelle défilait la campagne, et hocha la tête.

— Je vous aiderai, promit-elle quand j'eus terminé.

L'espoir renaissait. Il y avait un avenir possible pour Anneke et moi à Amsterdam en attendant la fin de la guerre. Cela ne serait pas la vie dont nous aurions rêvé, mais tous les habitants des pays en guerre étaient logés à la même enseigne. Les roues du train chantaient sur les rails.

Munie de l'adresse de Lijsje et de Frannie, je pris le tramway pour me rendre chez elles. Le tram était bondé, comme le train, de gens qui allaient travailler, d'étudiants, d'un mélange de nationalités qui n'existait pas à Schiedam. Amsterdam avait toujours été une ville très moderne, tolérante et accueillante. Parfois, quand j'en rentrais, j'avais l'impression de retourner vingt ans en arrière. Les filles, en particulier, étaient très différentes à Amsterdam. Je leur enviais leur prestance, et me demandais combien de temps il me faudrait pour leur ressembler, et si, une fois la transformation effectuée, j'en aurais encore conscience.

Je me sentais anonyme et libre, comme si j'avais déjà changé d'identité et que je commençais ma nouvelle vie. Il faudrait que je me trouve un autre nom. J'avais toujours aimé Kalie, le prénom de ma meilleure amie qui avait quitté Schiedam, ou alors Alie, ou bien Johanna comme ma mère. Non, pas Johanna.

Je descendis à Konigsstraat et cherchai la rue de Lijsje et de Frannie. Leur appartement était situé au-dessus de l'échoppe d'un cordonnier. Encore un bon signe, songeai-je, car à Schiedam, le cordonnier avait fait faillite depuis des mois. À côté, il y avait un fromager dont la boutique était pleine de monde.

Encadrant le porche qui menait aux appartements, les deux boutiques étaient fleuries par des jardinières de dahlias jaune soleil. Sur les devantures, les deux commerçants avaient affiché les nouvelles pancartes *JODEN VERBODEN* en plus grosses lettres que les anciennes, et plus noires.

— Vous avez vu que c'est interdit aux Juifs ?

Je sursautai en entendant cette exclamation derrière moi.

— Mais dans quel monde on vit ! continua l'homme. Dire qu'on ne peut même plus servir qui on veut chez nous ! Ça vous donne envie de ne plus mettre les pieds chez les commerçants, mais comment faire autrement ? Ils en ont mis partout, maintenant.

Visiblement écœuré, il me dépassa pour entrer dans la fromagerie.

Je montai vite à l'appartement, espérant que les battements de mon cœur allaient se calmer, et sans vouloir me demander pourquoi j'avais eu si peur.

Je frappai, mais il n'y avait personne, ce qui ne m'étonna guère parce que Lijsje et Frannie devaient déjà être parties travailler. Je redescendis et les cherchai un moment. Ne sachant pas dans quelle banque elles étaient employées, je m'arrêtai dans toutes celles que je croisais pour demander si on les connaissait. Personne n'avait entendu parler de nos amies, et partout il y avait les nouvelles pancartes. J'en profitai pour demander s'il y avait du travail. On me répondit deux fois par la négative, mais dans la troisième banque j'appris qu'il y aurait des possibilités d'ici une ou deux semaines, et on me conseilla de revenir. Parfait. Je pourrais dire à Anneke que j'étais sûre que nous trouverions du travail.

Je me promenai encore plusieurs heures, complétant mon enquête pour rapporter à ma cousine toutes les informations possibles sur Amsterdam en guise de cadeau. J'entendis jouer de la clarinette ; un peintre à son chevalet avait pris pour modèle une péniche aménagée ; un groupe d'étudiants distribuaient des tracts pour une pièce de théâtre. Ici aussi il y avait des soldats allemands partout, mais ils semblaient s'être intégrés à la ville au lieu de tenir la population sous leur botte comme chez nous. Nous serions heureuses ici, nous aurions une nouvelle vie.

L'heure de mon rendez-vous avec ma tante était presque arrivée. Je m'arrêtai dans une pâtisserie, ayant l'intention d'acheter des *taartjes* pour le train. Ici aussi il y avait une affichette collée à la porte : *JODEN VERBODEN*. Cela me coupa l'appétit. Alors que je faisais demi-tour sur le seuil, trois vieilles dames voulurent à entrer dans le magasin.

Je m'aplatis contre la porte pour les laisser passer avec un sourire et leur souhaitai : « *Goedemiddag.* » Pendant qu'elles entraient avec la lenteur de l'âge, je glissai la main droite derrière mon dos et trouvai l'avis insultant. Je l'arrachai, le froissai en boule et le laissai tomber sur le carrelage.

— Quelle belle journée ! lançai-je en sortant toute guillerette.

Oui, Anneke et moi, nous serions heureuses ici.

Nous rentrâmes à la nuit tombée. Au moment où j'ouvrais la porte, j'entendis le téléphone sonner. Je me dépêchai de tourner la clé et courus répondre.

C'était M. Eman, le boulanger. Il voulait savoir si Anneke serait bientôt rétablie.

— Ma femme a fait des heures supplémentaires pour la remplacer, mais si Anneke devait rester encore longtemps absente…

10

Ma tante comprit avant moi. Je tenais encore le téléphone contre mon oreille qu'elle courait déjà vers l'escalier en appelant Anneke. Puis elle vacilla, suffoquée par la senteur douceâtre qui annonçait la terrible nouvelle, l'écœurante exhalaison de l'hémorragie qui avait vidé sa fille de son sang. Elle jeta son manteau et son sac et monta à toutes jambes. L'odeur était si forte qu'elle m'étrangla et me donna un haut-le-cœur. Et pourtant, alors que le téléphone me tombait des mains, alors que je voyais ma tante affolée grimper l'escalier, je n'arrivais toujours pas à appréhender la gravité de la situation.

Un hurlement retentit, qui m'indiqua où était ma tante. Il y avait des centaines de marches à l'escalier ce soir-là, des centaines et des centaines. Je montai avec des jambes de plomb.

Anneke.

Une mare de sang, qui coagulait déjà sur le pourtour, avait détrempé le matelas et s'étalait sur la carpette entre nos deux lits. Au milieu, se dressaient les quatre pilotis d'acajou des pieds de la table de nuit. Ma tante s'agenouilla dans le sang à côté du lit en sanglotant, la tête plongée dans l'oreiller près du visage de sa fille. Anneke était livide – blanche comme sa taie, blanche comme le haut de sa combinaison au-dessus de la taille. Plus bas, le tissu était gluant de rouge, noirci. La dentelle de l'ourlet avait gonflé, brune et luisante comme une algue, enroulée entre ses jambes à la source de l'hémorragie.

Je gémis :

— *Non, non, ce n'est pas possible…*

Je me jetai sur le lit près du corps inerte d'Anneke, la suppliant de ne pas me quitter, de ne pas avoir fait de fausse couche, de ne pas avoir été enceinte. « Non ! » Je criais non à tout. Mais trop tard. Ma tante la prit dans ses bras en hurlant sa douleur.

Mon oncle apparut à la porte. Avec un cri qui partait du fond de la poitrine, il traversa la chambre comme une flèche et se pencha sur Anneke, la tira du puits sombre de notre amour, et la souleva, la serrant contre son cœur à la briser. Il s'accroupit entre nos lits la tenant toujours, et tira à lui ma couverture pour l'en envelopper. *Non*, pensai-je, *non, ne me la prends pas !* Et puis aussitôt : *Si ! réchauffe-la, soigne-la. Ramène-la ! Ramène-la !* Je descendis du lit et m'agenouillai près de lui pour bercer moi aussi ma cousine, puis ma tante nous rejoignit.

Nous restâmes par terre accrochés à elle, nos six bras attachés au moyeu perdu de notre vie, longtemps peut-être, je ne sais pas – une demi-heure, toute la nuit – parce que le temps n'était plus mesurable. L'un après l'autre, nous étions happés par la douleur, emportés par des accès de désespoir dont nous revenions avec peine. Le pire fut de voir mon oncle perdre la bataille. Le choc l'atteignait en plein cœur chaque fois, comme un coup de canon. Il s'effondrait avec un grand sanglot qui l'étouffait, et plongeait sa grosse tête entre ses mains massives.

La souffrance de ma tante était d'une intensité atroce à voir, mais pendant la nuit, son désespoir la dévora, la transformant en une femme aux yeux flamboyants qui ne pleurait plus. Elle rompit notre cercle en se levant, et entreprit de retracer le fil des événements.

— Qui l'a vue pour la dernière fois ? À quelle heure est-elle partie ?

Elle se tenait devant nous, pétrissant la chair autour de son cœur, cherchant, semblait-il, à arracher cette chose qui lui faisait si mal.

— Nous avons pris le petit déjeuner ensemble après votre départ, rapporta mon oncle sans quitter sa fille des yeux.

Il paraissait incapable de se détacher de cette contemplation, comme s'il croyait que sa fille était cachée derrière ce masque figé, et qu'en l'observant attentivement, il pourrait la retrouver. Moi, je ne pouvais pas regarder son visage parce qu'elle ne l'habitait plus. Mais, le plus dur, c'était de voir ses bras inertes. Les doigts, collés par la glu sombre de son sang, étaient rouges jusqu'aux poignets comme si elle portait des gants lie-de-vin sur ses bras blancs.

— Je suis sorti le premier. Elle a dit qu'elle allait bientôt partir aussi. Elle m'a demandé si je rentrerais tard.

Oncle Pieter passa la main sur le front d'Anneke et répéta doucement :

— Elle m'a juste demandé si je rentrerais tard.

— Mais pourquoi n'a-t-elle pas cherché de l'aide ? Pourquoi n'est-elle pas allée trouver une voisine ?

Ma tante ne pouvait répéter que cela, cherchant la réponse sur le visage de mon oncle, puis sur le mien, passant de l'un à l'autre fébrilement mais sans vraiment nous voir.

Anneke m'avait demandé deux fois si j'irais à Amsterdam avec sa mère. Avait-elle senti venir un malaise ? Avait-elle eu envie que je reste ? J'avais pourtant eu l'impression du contraire, qu'elle tenait à m'envoyer là-bas. Je songeai à le dire à ma tante, mais je m'en abstins. Cela n'aurait servi à rien.

Je voulus me rappeler les dernières paroles que nous avions échangées, mais sans y parvenir. Pourtant, rien ne me semblait plus important en cet instant : j'avais le sentiment que si je m'étais souvenue de notre dernière discussion, j'aurais pu changer mes réponses, et ainsi empêcher qu'advienne ce qui était arrivé.

Ma tante ne pouvait plus rester inactive. Elle avait un besoin viscéral d'agir. Je la comprenais, tout en redoutant que ne lui reprenne la frénésie qui lui avait déjà fait vider la maison de tout ce qu'auraient pu y réquisitionner les Allemands. Le rapprochement me semblait épouvantable : ils avaient voulu prendre le fruit des entrailles d'Anneke. Et ils ne l'auraient pas.

— Descends, m'ordonna-t-elle. Remplis un seau avec de l'eau très chaude et de la lessive, et prends de la Javel. Des serpillières, aussi, et une brosse en crin. Tous les chiffons que tu trouveras.

Je descendis, dans un état second, et écartai les rideaux du salon. Dehors, il faisait nuit noire. Pas de lumières, pas même de lune. On aurait pu croire que le monde réel n'existait plus. Mes jambes se mirent à trembler, et je dus aller vomir.

Quand je remontai avec le seau, mon oncle était penché sur la coiffeuse d'Anneke. Il soulevait maladroitement les brosses à cheveux, le rouge à lèvres, le parfum, comme si ses doigts étaient trop gros et malhabiles. Sur mon lit, ma tante lavait les mains de sa fille. Elle essorait le gant dans la cuvette, se servant du savon à la lavande, le préféré d'Anneke.

— Défais son lit d'abord, ordonna-t-elle comme s'il s'agissait d'un jour de ménage ordinaire.

J'obéis, soulagée d'avoir quelque chose à faire, mais incapable de regarder la tache qui assombrissait le centre du matelas, preuve de la mort d'Anneke. Je soulevai l'oreiller pour saisir le drap par le bord parce que c'était le seul endroit encore propre, en évitant de poser les yeux ailleurs. Sous l'oreiller, je vis alors une aiguille à tricoter métallique, couverte de traces brunes séchées.

— Regardez ce que j'ai trouvé.

Et là, le peu de certitudes qui nous restait vola en éclats.

11

« La tante de Gera dit qu'il y a moyen de s'arranger… »

Mais quel gâchis ! Une seconde, une violente colère me prit, me donnant envie de la secouer pour lui faire entendre raison. Puis je vis son bras inerte, propre et blanc à présent, qui pendait, échappant à l'étreinte de ma tante, et mon cœur se contracta.

L'aiguille à tricoter me tomba de la main. Je n'aurais pas pu blesser ma tante et mon oncle plus profondément si je la leur avais plantée dans le cœur. Ma tante serrait Anneke convulsivement, assaillie par de nouvelles images. Mon oncle sanglotait, la tête enfouie dans le pull qu'elle avait ôté, effondré sur sa coiffeuse au milieu de ses affaires. Ce n'était pas un accident.

Elle avait désiré rester seule, elle n'avait pas voulu de ma présence. Mais cela n'avait aucun sens : j'avais vu la façon dont elle posait la main sur son ventre.

Je devinai ce qui était arrivé avant mon oncle et ma tante, et je plaquai les mains sur ma bouche pour ne rien laisser échapper. J'aurais donné n'importe quoi pour les protéger de la vérité. Mon oncle comprit ensuite, lâcha un cri, et s'affaissa sur la coiffeuse, abattu par le poids de sa culpabilité : elle ne s'était pas transpercé le corps parce qu'elle ne voulait pas du bébé, mais pour ne pas aller dans le foyer. Elle avait préféré tuer son enfant plutôt que de l'abandonner aux Allemands.

Ma tante bondit du lit pour se jeter sur mon oncle. Elle fit pleuvoir sur son dos une grêle de coups, le frappant de toutes ses faibles forces comme pour se soulager de sa douleur. J'intervins, renversant le seau dans ma hâte, et la séparai de mon oncle. Je dus m'arc-bouter pour la retenir car sa fureur la rendait sauvage et elle se débattait pour essayer de l'atteindre. Vibrante de rage, elle ravala ses sanglots pour trouver assez de souffle afin de crier :

— Toi et ta morale !

— Mies…

Sa voix saignait, et il leva ses mains maudites vers elle. Un de ses verres de lunettes s'était brisé.

— Tu es content, maintenant ? Tu l'as assez bien défendue, ta morale ?

— Tante Mies, tais-toi, suppliai-je.

Cette chambre renfermait déjà trop de douleur.

Mais elle n'avait pas terminé.

— Tu crois que c'est elle qui nous a déshonorés ? *Elle* ? Va-t'en !

Sa voix était si basse, si froide, que je ne la reconnaissais plus.

— *Sors de cette maison !*

Il capitula sous le regard accusateur. Je lui trouvai l'air presque soulagé d'avoir atteint le fond de sa déchéance. Tout valait mieux qu'une chute interminable. Peut-être aussi préférait-il reconnaître sa responsabilité, être jugé et condamné. Le pardon aurait été plus insupportable. Il sortit comme un dément de la pièce, serrant encore contre lui le pull d'Anneke, pour aller vers une vie de remords. Par terre, le sang se mêlait à l'eau savonneuse en tourbillons paresseux, teintant la mousse de rose.

12

De noir, le ciel était passé au gris. Ou peut-être mes yeux s'étaient-ils habitués à l'obscurité. J'attendais la lumière du jour comme si elle devait nous ramener à la normalité. Une fois la nuit passée, il y aurait du monde dans la maison, des voisins, des amis, Isaak. Isaak surtout. Il saurait quoi dire, quoi faire. Mais ma tante refusait de me laisser lui téléphoner.

Elle avait lavé Anneke seule. Après le départ de mon oncle, elle m'avait chassée de la chambre, ce qui m'arrangeait plutôt. Je ne voulais plus jamais y retourner. Mais j'étais restée devant la porte, et en l'entendant laver le sol à grande eau, j'avais senti ma gorge se nouer. Je m'étais couchée par terre dans le couloir, éperdue de chagrin, terrassée par le choc.

Se souvenant de moi, elle sortit et s'agenouilla à mes côtés.

— Va dormir, *kleintje*, dit-elle en caressant mes cheveux défaits. Tu ne peux plus rien faire. Couche-toi dans mon lit.

Elle m'aida à ôter mes vêtements poissés de sang séché, puis elle lava les traces que j'avais sur moi. J'avais honte de la chaleur de mon corps, sachant qu'elle venait de nettoyer le même sang de la peau froide de sa fille.

Ensuite, elle me donna un somnifère et l'une de ses chemises de nuit. Je ne protestai pas car je n'aspirais qu'à l'inconscience.

Je m'éveillai dans un monde que je ne connaissais pas. Un soleil de fin d'après-midi, brillant et dur, attaquait mes yeux douloureux. Au lieu de chasser les malheurs de la nuit, il agressait ma rétine. De quel droit le soleil pénétrait-il ici ? Je trouvai ma tante à la cuisine, en train de laver les carreaux. Ses doigts étaient blancs et gonflés, et des ronds de transpiration assombrissaient le dessous de ses bras. Une odeur âpre de vinaigre flottait dans l'air. Je devinai qu'elle avait nettoyé les fenêtres du bas qu'elle avait déjà lavées trois jours plus tôt. Il y avait de cela une éternité.

Elle devina ma présence et se tourna vers moi. Elle avait les traits tirés à l'extrême, un teint de cendre. Un vaisseau éclaté avait étalé dans l'un de ses yeux une tache rouge qui paraissait d'autant plus vive que son visage était gris. On aurait dit qu'elle avait pleuré du sang.

Elle posa son chiffon et je la pris dans mes bras.

— Anneke…, commençai-je.

Elle sursauta et s'écarta de moi.

— Tante Mies…

Elle ouvrit la bouche pour parler mais se mordit les lèvres. Sans un mot, elle sortit de sa poche un papier qu'elle me tendit. C'était une affichette que je reconnus aussitôt car Isaak m'en avait montré une en janvier, trouvée punaisée à sa porte. Il y en avait eu partout en ville à cette époque.

RECENSEMENT DES JUIFS OBLIGATOIRE. LES CONTREVENANTS FERONT L'OBJET DE GRAVES SANCTIONS.

— Où as-tu trouvé ça ?

Ma voix était si calme que je m'en étonnais moi-même. Les événements de la nuit m'avaient ôté toute énergie.

— Glissé sous la porte, ce matin.

Pendant que nous étions en haut, en train de tout perdre, quelqu'un était venu nous dépouiller du reste. À cet instant, tout espoir m'abandonna, mais ce fut un soulagement. J'avais redouté cette sourde menace trop longtemps ; je préférais faire face à un danger concret. Je froissai l'affichette et la jetai sur la table.

Je voulus reprendre ma phrase interrompue.

— Anneke…

Ma tante se saisit du papier roulé en boule, me coupant de nouveau la parole.

— Ça ne peut pas être la Wehrmacht. Ils l'auraient accrochée à la porte l'hiver dernier quand le décret est passé. Ça pourrait être Mme Bakker, non ?

Elle avait vieilli de vingt ans depuis la veille.

— Ou alors un autre voisin, reprit-elle. Elle a peut-être vendu la mèche. Ou alors Karl.

Nous nous dévisageâmes, incapables l'une comme l'autre de prononcer le nom de mon oncle.

— Peu importe. Ça n'a plus d'importance, dis-je.

— Tu as raison.

La voix de ma tante vibrait d'une intensité particulière. Elle sortit de la cuisine et revint avec un autre papier.

Je sentis l'air me manquer. CERTIFICAT DE DÉCÈS.

— Elle n'est plus là ? On l'a déjà emportée ?

Ma tante me fourra le certificat dans la main.

— Je me suis occupée de tout.

Sa nervosité me fit deviner que quelque chose n'allait pas dans ce monde qui fonctionnait déjà en dépit du bon sens.

Je regardai de nouveau le certificat, et je faillis tomber. J'y avais vu mon nom.

Yeux soudés au papier, je la laissai me conduire à la banquette sous la fenêtre où elle s'assit avec moi.

— Oui, c'est toi qui es morte hier, et pas… Tu ne risques plus rien. Personne ne saura.

Je voulus tourner la situation en plaisanterie, mais je me retins à temps. Les yeux injectés de sang de ma tante étaient trop désespérés pour que je puisse me permettre de rire de ses divagations.

— Mais enfin, tante Mies... Tu t'es un peu reposée ? Tu as besoin de dormir. Après un peu de repos, tu te rendras compte que ce n'est pas une solution.

— Les Schaaps viennent de passer, dit-elle en montrant un bouquet d'asters et une miche de pain sur la table. Ils ont vu la voiture des pompes funèbres. Ils doivent être en train de propager la nouvelle. D'autres voisins vont bientôt venir. Monte. Il va falloir te cacher jusqu'à ce que je puisse t'envoyer à Nimègue. Personne ne te cherchera là-bas. Cela nous laissera un peu de temps pour...

— Mais non, tu ne dois pas faire ça, ce n'est pas possible. Quand les voisins viendront, nous leur dirons qu'il y a eu une méprise. Il faut dormir. Je me fais du souci pour toi.

Ma tante m'attrapa par les épaules. Ses doigts me faisaient mal.

— J'ai perdu une fille. Je ne veux pas en perdre une deuxième.

Sa voix était comme un fil d'acier tendu à se rompre. Elle commençait à me faire peur. Je compris que la douleur lui avait ôté la raison. Il n'y avait pas de mesure possible quand on avait perdu son enfant.

— Nous en reparlerons plus tard, dis-je doucement. Quand tu auras dormi.

On sonna à la porte. Ma tante se leva et je la suivis. Elle regarda qui nous rendait visite par la fenêtre du salon.

— Mme Bakker, murmura-t-elle. Monte !

— Non, tante Mies, laisse-moi t'aider, je t'en prie. Écoute-moi, tu ne sais plus ce que tu fais, tu as trop de chagrin. Tu ne peux pas mentir à tout le monde.

Je vais aller chercher Mme Sietsma, nous lui avouerons tout, et elle nous aidera. D'accord ?

— Cyrla, monte immédiatement ! Laisse-moi faire. Je te dis que je ne perdrai pas un autre enfant !

Impossible de lui faire changer d'avis. Cela m'aurait semblé aussi dangereux que de frapper du verre avec un marteau. Et puis je n'avais pas la force de voir Mme Bakker. C'était trop tôt. Après tout, nous pouvions bien prolonger un peu le mensonge. Cela ne changerait pas grand-chose.

Je montai donc en courant et me cachai dans la chambre de ma tante et de mon oncle, collée à la porte.

Ma tante ouvrit et Mme Bakker entra sans y être invitée, comme une tornade.

— Mies, mais quelle tragédie ! Je viens d'apprendre la nouvelle. C'est terrible. Viens, je vais te préparer une tasse de thé. Comme c'est triste ! Elle était si jeune !

Quand je les entendis dans la cuisine, je descendis quelques marches à pas de loup pour écouter leur conversation.

— Une fausse couche. Cyrla était… Nous ne le savions pas…

Cela faisait une drôle d'impression. Il y eut un instant de silence, ou peut-être Mme Bakker parlait-elle trop bas pour que je l'entende. En tout cas, j'avais l'impression de la voir se délecter de la nouvelle, elle qui adorait les scandales : son visage illuminé, ses yeux de pie ravis.

— Et cette pauvre Anneke, comment prend-elle la chose ? demanda-t-elle. Elles étaient tellement proches.

Ma tante n'hésita qu'une seconde.

— C'est terrible pour elle. Elle est allée à Apeldoorn avec son père pour annoncer la nouvelle à sa famille en personne. Elle a tenu à faire ça pour sa cousine.

Ce mensonge, songeai-je, devait coûter beaucoup à ma tante. Elle aurait eu besoin de se confier, même à Mme Bakker, de dire que sa fille était morte, de se décharger un peu de son chagrin. Mais il me vint à l'esprit qu'elle préférait peut-être y croire. Elle avait envie d'imaginer qu'Anneke n'était pas morte, et qu'elle n'avait perdu que Cyrla. Une nièce, seulement, pas sa fille.

— Elle avait de la famille à Apeldoorn ? Je ne savais pas.

— Famille éloignée. Un cousin de son père. C'est un très vieux monsieur que Pieter a préféré prévenir en douceur.

— Bien sûr, bien sûr. Alors il ne faut surtout pas que tu restes seule, Mies. Je vais m'organiser avec les voisins. Je vais t'aider à t'occuper des formalités. Et je t'apporterai à dîner. Il faut que tu manges. Il va y avoir une cérémonie, je suppose.

Mme Bakker s'installait à demeure. Elle nous méprisait depuis des années, mais, maintenant, nous l'intéressions. Quand on sonna de nouveau à la porte, ce fut elle qui alla ouvrir et qui fit entrer deux autres familles du quartier. Elle leur raconta sur un ton de circonstance ce qui était arrivé et je lui en voulus terriblement de s'octroyer un rôle qui n'était pas le sien. Elle jouait mal la compassion. Il fallait bien admettre qu'il serait très utile qu'elle me croie morte si c'était elle qui avait glissé l'affichette sous notre porte. L'espace d'un instant, je me réjouis de lui ôter la satisfaction de nous avoir fait peur, et puis je me rendis compte que je devenais folle moi aussi.

J'avais besoin de voir Isaak. Je regardai par la fenêtre. Le jour tombait. Le ciel du crépuscule se teintait d'un bleu profond. Il me reprocherait d'être venue avant qu'il fasse assez noir, mais il comprendrait.

Mme Bakker recevait les voisins dans la salle à manger. Elle mettait des tasses sur la table, se donnait de l'importance. Je sentis une odeur de cannelle et de pommes cuites. Tant qu'ils resteraient à table, ils ne pourraient pas me voir. Comme il m'était impossible de retourner dans la chambre qu'Anneke avait quittée pour toujours, je boutonnai un cardigan de ma tante sur la chemise de nuit qu'elle m'avait prêtée, et je descendis sans bruit, portant une paire de ses chaussures à la main. J'ouvris la porte qui donnait sur la rue aussi silencieusement que possible.

13

Je pris par-derrière, mais le regrettai vite. Si près du port, l'eau transportait la dure odeur métallique des travaux de soudure que les Allemands n'interrompaient jamais. Une odeur de sang. J'eus une haine soudaine pour Karl, pour ses mensonges qui avaient répandu le sang d'Anneke. Si je l'avais eu devant moi, je lui aurais déchiqueté la gorge à coups de dents.

Je dus descendre deux fois de selle tant l'air entrait difficilement dans mes poumons.

Il avait beau ne pas faire encore nuit, Isaak ne m'adressa pas un seul reproche quand j'arrivai en titubant à sa porte. Son travail lui avait appris à reconnaître la détresse sur les visages. Il me conduisit au lit, m'y fit asseoir, puis prit place à mes côtés.

— Que se passe-t-il ?

Je m'assis sur ses genoux, me blottis dans ses bras, et sanglotai, visage enfoui dans son cou.

— Je veux qu'elle revienne, je veux qu'elle revienne, je veux qu'elle revienne...

Isaak attendait que je m'explique.

— J'avais l'impression qu'elle volait tout le soleil. J'étais tellement jalouse. Je regrette, je regrette tellement.

— Que s'est-il passé ?

Il me fut très pénible de décrire l'horreur de la scène que nous avions découverte, de projeter dans la réalité ce qui était arrivé en le racontant, de donner à l'événement un caractère aussi définitif ; je trouvai presque impossible de lui apprendre la violence qu'Anneke avait exercée sur son corps. Chaque syllabe me déchirait en deux, et je désirais de toute mon âme qu'Isaak me rassure en disant que je me trompais, que ça n'avait pas pu arriver.

Mais il m'écouta jusqu'au bout, sourcils froncés. Quand j'eus terminé, il marmonna quelques mots que j'entendis parfaitement.

— Quelle idiote ! Bête et égoïste.

Je m'arrachai à ses bras, stupéfaite, et m'essuyai les yeux.

— Mais enfin, Isaak, comment peux-tu penser que c'est sa faute !

— Elle a pris une vie. Cette grossesse ne l'arrangeait pas, alors…

Je me levai d'un bond, scandalisée.

— Comment peux-tu dire une chose pareille ? Pense à l'angoisse qu'elle a dû ressentir ! Pense au désespoir qui l'a poussée à… à prendre un tel risque. Elle ne méritait pas ça. C'est la faute de Karl, pas la sienne. Elle est morte, Isaak ! Elle était belle, généreuse, pleine de vie, de gentillesse. Elle offrait son sourire à tout le monde ! C'est affreux… Je l'aimais, et elle ne m'a pas fait confiance.

Je fondis de nouveau en larmes, et Isaak se laissa un peu attendrir, mais il ne lui trouvait toujours pas d'excuses.

— Je suis désolé. Je sais que tu l'aimais.

Jusqu'à cet instant, je n'avais pas vraiment mesuré à quel point il avait été perturbé par sa condition d'orphelin, quel mal il avait à se rapprocher des gens. Ce n'était pas sa faute, mais il valait mieux que je garde mon chagrin pour moi.

Je pris le temps de me calmer, puis je me rassis à côté de lui.

— Ce n'est pas tout. J'ai besoin de ton aide.

Je lui parlai de l'affichette qui avait été glissée sous notre porte.

— Ma tante est devenue folle. Elle a chassé oncle Pieter de la maison. Elle le rend responsable de ce qui est arrivé. Et puis elle refuse d'accepter la réalité. Elle a raconté aux pompes funèbres que c'était moi qui étais morte. Pour me protéger, prétend-elle. Elle imagine que personne ne découvrira la supercherie, que je pourrai quitter la ville avec les papiers d'Anneke et que le délateur renoncera. Je ne sais pas quoi faire. Tu ne voudrais pas rentrer avec moi pour lui parler ?

Il réfléchit un peu avant de répondre.

— Ça n'est pas une si mauvaise idée... Écoute, tu voulais rester en Hollande, non ? Tu avais l'intention de vivre ici dans la clandestinité. C'est beaucoup moins risqué avec des papiers... une véritable identité.

— Ne t'y mets pas, toi aussi !

Il attrapa le fauteuil de son bureau, le plaça devant le lit et s'assit face à moi. Coudes appuyés aux bras du siège, il posa le menton sur ses mains croisées. C'était la position rassurante qu'il devait adopter lors de ses entretiens au conseil. Un intense soulagement m'envahit : il allait m'écouter et trouver une solution, proposer une alternative logique et rationnelle.

Je me trompais.

— Laisse-moi terminer, Cyrla. Les vrais papiers sont beaucoup plus sûrs que les faux, et presque impossibles à trouver. Il faut que quelqu'un qui corresponde plus ou moins à la même description physique et qui ait plus ou moins le même âge meure ou disparaisse, et que la famille se signale pour permettre l'échange. Ça ne se fait pas tout seul. Et toi, voilà qu'on t'offre ce dont des millions de Juifs rêvent : de vrais papiers venant d'une personne qui te ressemblait au point que vous auriez pu être jumelles, et une famille qui accepte de jouer le jeu.

Je n'en croyais pas mes oreilles. J'avais l'impression d'être au bord d'un gouffre dans lequel ceux en qui j'avais placé toute ma confiance essayaient de me pousser.

— Il n'en est pas question ! De toute façon, maintenant qu'Anneke est morte, je ne vois pas comment je pourrais vivre sans elle ! Je n'arrive même pas à me souvenir des dernières paroles que nous avons échangées. Je veux qu'elle revienne. Je veux qu'elle revienne !

Je me rendis compte que je m'étais mise à crier, et je fis un gros effort pour baisser le ton.

— Ma tante a perdu la tête. Tu ne veux pas rentrer avec moi pour la raisonner ?

Il m'écoutait à peine, semblant toujours réfléchir à cette idée d'échange d'identité.

— Isaak, ça ne peut pas marcher. Je ne lui ressemble pas tant que ça, tu sais.

— Mais bien sûr que si. Vous vous ressembliez comme deux gouttes d'eau. Vous aviez même...

Il avança la main comme pour toucher le grain de beauté que j'avais à la nuque, sous mon chignon. Anneke avait le même, mais il ne pouvait pas avoir vu le sien qui était caché par ses cheveux.

— Les mêmes cheveux, acheva-t-il. Exactement la même couleur de cheveux. Dis-toi surtout que quelqu'un t'a percée à jour. L'avertissement glissé sous ta porte, c'est une menace de dénonciation explicite. Tu n'as pas le choix, il faut que tu disparaisses, or on te propose des papiers. Si tu n'en veux pas, je demanderai à ta tante de les mettre à ma disposition pour quelqu'un d'autre. Je connais cinquante femmes qui saisiraient l'occasion sur-le-champ avec gratitude. Cent cinquante. Même sans ressembler à Anneke, elles tenteraient leur chance parce que c'est la seule façon de s'en sortir. La situation va s'aggraver. Tu as beau ne pas vouloir l'entendre, c'est la vérité. Et il te faut des papiers tout de suite. Je pourrais t'en avoir par le réseau de résistance Pays-Bas libres, mais cela prendrait une semaine, et ils seraient faux.

Je l'interrompis en lui prenant les mains. À chaque respiration j'avais mal comme si je n'inspirais que de la cendre. Je tâchai de lui cacher la violente panique qui s'était emparée de moi.

— Écoute, ça n'est pas l'histoire des papiers qui me choque, c'est la réaction de ma tante. Elle veut me faire vivre la vie d'Anneke. Elle a décidé de m'envoyer à Nimègue la semaine prochaine à sa place ! C'est ça qui est tellement... Si je prenais l'identité d'Anneke, si par miracle ma tante arrivait à faire croire à tout le monde que c'est moi qui suis morte, est-ce que je ne pourrais pas tout simplement aller à Amsterdam ? Tu ne pourrais pas au moins essayer de la convaincre de ça ?

Isaak se leva et retourna à la fenêtre.

— J'avais oublié le Lebensborn. Il y a un foyer à Nimègue ? Je ne savais pas. Donc elle avait été acceptée... Tu pourrais aller à Amsterdam, mais ça serait dangereux parce que si les Allemands attendent Anneke la semaine prochaine, ils mèneront une enquête pour savoir pourquoi elle n'est pas venue. Ces enfants ont une immense valeur pour eux. Si ce n'était pas toi qui prenais les papiers, si je les donnais à une autre femme, oui, c'est ce que je lui conseillerais de faire. Je lui dirais d'aller se perdre dans une grande ville en espérant gagner du temps. Personne d'autre que toi ne lui ressemblerait assez pour se faire passer pour elle dans un foyer maternel. Mais réfléchis bien, Cyrla. De toutes les cachettes possibles, c'est peut-être la meilleure. Tu vivrais parmi eux, ils s'occuperaient de toi. Tu serais entourée d'infirmières, de médecins, d'autres Hollandaises...

Je me levai d'un bond et me détournai pour lui cacher que j'étais prête à pleurer.

— Tais-toi ! Comment peux-tu songer une seule seconde à m'expédier dans cet endroit ! N'en parlons plus.

Isaak s'approcha de moi par-derrière mais sans me toucher. Ah ! s'il avait pu me prendre dans ses bras, me dire que, bien sûr, il ne me laisserait pas partir...

— Ça ne serait que provisoire... juste le temps de mettre au point une solution plus permanente. Le mieux serait que tu partes pour l'Angleterre, surtout vu les circonstances. En attendant que le passage soit organisé, je pense que tu seras en sécurité dans ce foyer. Je ne vois pas comment les Allemands pourraient chercher des Juifs dans un endroit de ce genre. Je dirais même que c'est le seul endroit de tout le pays où ils n'iraient pas chercher des fugitifs. Là-bas, il n'y a que des médecins, et aucun agent de la Gestapo. Réfléchis : les papiers d'Anneke indiquent non seulement qu'elle est hollandaise, mais aussi qu'elle a réussi tous les examens prouvant les ascendances aryennes requises pour se faire admettre. Tu ne risquerais rien. Et souviens-toi que ça ne serait que pour quelques semaines. Un mois, tout au plus.

Je fis volte-face.

— Quoi ? Tu voudrais que je me fasse passer pour Anneke dans cet endroit pendant un mois ?

Je me mordis les lèvres, mais sans arriver à contenir mes larmes.

Isaak m'essuya les joues avec la main. Malgré ma détresse, je fus bouleversée par ce geste. C'était la première fois qu'il me touchait de lui-même. Il avait fallu que je pleure.

— Je n'ai pas de meilleure solution à te proposer dans l'immédiat. Ton séjour pourrait même durer plus longtemps. On ne peut pas savoir comment la guerre va tourner. Mieux vaut te préparer à toute éventualité.

Anneke n'était plus là. Mon oncle n'était plus là. Ma tante non plus ne serait plus jamais vraiment là, d'une certaine façon. Isaak ne m'aiderait pas. Je ne pouvais compter que sur moi-même. Et puis d'un coup, je me rendis compte que nous avions oublié un détail essentiel.

J'éclatai de rire malgré mes larmes. Incapable de m'arrêter, je m'effondrai sur le lit en sanglotant et en riant à la fois. C'était tellement évident ! Comment n'y avions-nous pas pensé ?

— Quoi ? demanda Isaak. Qu'est-ce qu'il y a ?

— Isaak, Isaak !

Je m'essuyai les yeux moi-même parce que je n'avais jamais eu besoin de personne pour le faire, et maintenant j'étais prête à payer le prix de mon indépendance.

— Je ne suis pas enceinte !

Et puis soudain, l'envie de rire me passa.

14

Isaak et moi échangeâmes un long regard sans rien dire. Je vis défiler dans son esprit une série d'objections. D'abord, il rejeta totalement l'idée qui nous était venue en même temps. Il essaya de trouver une meilleure cachette pour moi que le foyer. À défaut, je vis qu'il se demandait si ce serait très risqué de m'envoyer là-bas si je n'étais pas enceinte. Finalement, il retomba sur la conclusion évidente.

J'espérais que, de son côté, il ne pouvait pas lire dans mes pensées. Une fois de plus, je devais m'exiler, mais cette fois, j'avais le choix : me cacher seule ou créer ma propre famille avant de partir. Comment hésiter ?

Je murmurai :

— Un enfant de toi… J'emmènerai ton enfant en Angleterre, en sécurité.

Une promesse de descendance pour un homme privé de tout lien familial.

Il ne résista pas.

15

J'étais amoureuse d'Isaak depuis l'instant où je l'avais rencontré, le jour de mon arrivée aux Pays-Bas.

Trois semaines auparavant, mon père m'avait annoncé sa décision :

— À cause du nouveau régime…, avait-il commencé.

J'avais déjà ces mots en horreur. Il avait été renvoyé de l'enseignement à cause du nouveau régime. Nous avions dû emménager à Łódź à cause du nouveau régime. Pour la même raison, on avait institué le *numerus clausus*, qui limitait le nombre de Juifs qui pouvaient s'inscrire à l'université.

— Tu seras mieux en Hollande. Là-bas tu pourras faire des études supérieures. Tes frères n'auront peut-être pas cette chance.

— Mais papa, je n'ai que quatorze ans.

— Tu ne resteras que le temps nécessaire, jusqu'à ce que la situation s'améliore.

Il n'y avait rien à ajouter. J'avais eu beau supplier, il était resté inébranlable.

Je n'y avais rien compris. Et puis, en montant dans le train, je m'étais souvenue d'une chose : mon père avait fait disparaître toutes les traces de ma mère. J'avais pressé le visage contre la vitre sale, la mouillant de mes larmes tandis que je le regardais sur le quai. Il avait les bras croisés, le visage marqué et dur. Il se débarrassait de la dernière chose que ma mère avait aimée. Moi. Pendant les deux jours de voyage, j'étais restée glacée par cette idée terrible.

En descendant du train, j'avais aperçu ma tante. Elle ressemblait tellement à ma mère qu'un instant j'avais eu l'impression de la retrouver. Dans mon épuisement, le choc de revoir le visage bien-aimé avait déclenché de nouvelles larmes.

Après nos embrassades, j'avais vu Isaak derrière elle, qui me regardait. Pour la première fois de ma vie, je m'étais demandé si un garçon me trouvait jolie. Je savais que j'avais le visage maculé par la poussière du voyage mélangée à mes larmes, et que mes cheveux emmêlés s'échappaient de mon chapeau.

Il avait souri.

— Bienvenue en Hollande. J'aime bien ton prénom. Je ne le connaissais pas.

Je m'étais essuyé les yeux de mes mains gantées en me demandant qui il était. Il me montra un paquet. Sur le papier d'emballage, je vis mon nom, tracé de l'écriture de mon père.

— Cyrla, avait dit Isaak.

Je l'avais repris, car il prononçait « Sirla » et non « Tsérla » comme en polonais. Ensuite, j'avais regretté de l'avoir détrompé car j'aurais préféré que mon nom ait une sonorité spéciale dans sa bouche.

— Cyrla, avait-il répété correctement en me tendant le paquet. Tiens, ton père t'a envoyé ça en avance parce qu'il ne voulait pas que tu passes la frontière allemande avec.

Je l'avais ouvert, et trouvé une photographie encadrée de ma mère, de mon père et de moi à l'âge de quatre ans, levant les bras pour leur tenir la main. Il y avait aussi les bijoux de ma mère, et les bougeoirs de shabbat que mon père avait reçus du sien.

— Mon père se fait trop de soucis pour moi.

— Non, je ne pense pas. Les gens devraient au contraire s'inquiéter un peu plus.

Il me tendit une carte.

— Pour écrire à ta famille, apporte les lettres à cette adresse. Ton père nous a demandé de les faire passer pour toi.

J'y étais allée le lendemain, et nous nous étions promenés. Cela devint une habitude. Je lui apportais mes lettres – j'écrivais plus souvent, il faut l'avouer, que je ne l'aurais fait si le messager avait été quelqu'un d'autre – et Isaak m'emmenait visiter Schiedam, même si, au bout de quelques mois, je connaissais la ville aussi bien que lui.

Pendant les deux premières années, j'eus l'impression que ma nouvelle famille avait adopté Isaak en même temps que moi. Il venait dîner presque tous les soirs, et ensuite, lui, Anneke et moi, nous écoutions des disques, nous bavardions et nous allions voir des amis. Cette intimité à trois m'avait permis de mieux supporter la séparation. La haute taille d'Isaak, ses boucles noires, me rappelaient d'ailleurs tellement mon père que cela me réconfortait. Mais plus tard, la guerre avait pris de plus en plus de place dans nos conversations. Finalement, Anneke avait fait, ou dit, quelque chose qui avait contrarié Isaak – ni l'un ni l'autre ne m'avaient jamais révélé ce qui s'était passé au juste – et il avait brusquement cessé de venir à la maison.

Lui et moi étions restés amis. Il était orphelin, et d'une certaine manière, moi aussi. C'était naturel que nous nous sentions proches. Mais cela allait plus loin. J'avais l'impression qu'une étincelle était née sur le quai de la gare, et que la flamme se ranimait dès que nous nous retrouvions.

Au cours de nos cinq ans d'amitié, j'étais certaine qu'il ne m'avait jamais menti, et qu'il n'avait jamais voulu que mon bien. Et jusqu'à ce jour, le lendemain de la mort d'Anneke, il aurait pu dire la même chose de moi.

Il n'y eut pas d'autre discussion sur la décision que nous venions de prendre. Je ne voulais pas tenter le sort. Il ne fallait pas trop parler des miracles, pas trop les exposer à la lumière. Car il s'agissait bien d'un miracle. J'étais sur le point de recevoir ce que je désirais le plus au monde alors que je venais de perdre ce qui avait le plus compté pour moi. C'était mon malheur qui me valait ce bonheur. Un caprice du destin sur lequel je ne voulais surtout pas m'attarder.

Isaak reprit enfin la parole.

— Quand Anneke devait-elle entrer au foyer ?

— Deux semaines après sa première visite. Donc vendredi en huit.

— Il nous reste donc… dix… non, onze jours.

— Oui, onze jours.

— Et est-ce que ce sera possible ? Est-ce que… c'est le bon moment ?

— Je ne sais pas. J'ai eu… C'est terminé depuis une semaine… Oui, je pense que c'est possible.

— Et tu voudrais… Tu veux qu'on essaie tout de suite de… ?

— Non.

Je pris mon manteau.

— Tante Mies va se demander où je suis passée.

Sans savoir pourquoi, je ressentais le besoin de rentrer. Isaak eut l'air soulagé, ce qui signifiait sans doute que lui aussi avait besoin d'un peu de temps.

Il me raccompagna à vélo. Pour une fois, je comprenais l'avantage de sortir à la nuit tombée, quand le black-out la rend si noire. Ma nouvelle clandestinité me terrorisait. Nous fîmes discrètement le tour par l'arrière, et il attendit que je prenne la clé sous le pot de fleurs. C'était la première fois qu'il ne repartait pas tout de suite. Tout avait changé.

Je n'eus soudain plus envie de le quitter. Aucune lumière ne filtrait de notre maison ni de celle de Mme Bakker, mais je sentais le danger. J'étais trop exposée devant la porte de la cuisine. Étais-je maintenant condamnée à ressentir cette peur partout où j'irais ? J'attirai Isaak dans l'espace étroit entre notre remise de jardin et la haute barrière en bois.

Je murmurai :

— À demain.

Je lui enlaçai la taille, et, après une hésitation, il fit de même.

— Demain matin, je dois aller à Rotterdam, annonça-t-il. Je reviendrai dans l'après-midi. Où veux-tu que nous… nous retrouvions ?

— À la boutique de mon oncle. Il ne reviendra pas. Tu n'auras qu'à entrer par la porte de derrière.

J'appuyai la tête contre lui, puis la levai pour poser les lèvres dans son cou. J'attendis qu'il m'embrasse. J'en avais tellement envie… Mais il ne bougea pas. Je me serrai contre lui. Je n'avais jamais été aussi proche de lui, et le contact dur de ses hanches alluma un feu au fond de mon ventre. J'imaginais sa peau, tiède sous ses vêtements, la sentais presque glisser contre la mienne. J'eus un frisson. Je glissai la main jusqu'au bas de son dos pour l'attirer plus près.

Je levai le visage vers lui, et nous nous embrassâmes. J'ouvris la bouche pour l'attirer en moi, m'offrir à lui, comme Anneke me l'avait conseillé. Le désir me terrassait, le besoin de combler un vide qui me torturait.

Onze jours, c'était tellement court.

À l'instant où Isaak et moi avions pris notre décision, Anneke avait disparu de mon esprit. Pourtant, une fois que je fus rentrée, elle accapara toutes mes pensées. Ces deux sentiments étaient si violents que je ne pouvais en contenir qu'un seul à la fois.

Dans la maison, l'absence d'Anneke envahissait tout, démesurée, absolue. Sa main manquait au moulin à café, aux tasses, aux cuillères en bois. Son visage était absent du fond des casseroles pendues au mur, des portes vitrées. Privé de son parfum, de sa voix, l'air semblait vide. Rien n'était plus comme avant.

En entendant s'ouvrir la porte de la cuisine, ma tante descendit. Elle me sembla encore plus éprouvée qu'avant mon départ, qui ne remontait qu'à quelques heures, car en plus de pleurer sa fille, elle s'était inquiétée pour moi. Encore troublée par le baiser d'Isaak, je ressentis une vive honte. Je lui annonçai donc sans attendre la seule nouvelle qui pouvait la satisfaire : Isaak trouvait son idée bonne et acceptait de nous aider. Quant à moi, je ne m'y opposais pas.

Elle eut l'air soulagée.

— J'ai monté tes affaires dans la chambre du grenier. Tu t'y cacheras. Personne ne doit se douter que tu es là.

— Bien sûr… Tante Mies, est-ce qu'il va y avoir… Comment va se passer l'enterrement ?

Elle me tourna le dos, s'appuyant à l'évier, doigts crispés sur la faïence. Je m'attristai de voir qu'elle ne voulait pas pleurer devant moi. Quand elle me refit face, elle essuyait ses yeux rougis, la peau presque à vif comme si elle avait voulu ôter des traces plus tenaces que celles de ses larmes. Elle comprima les lèvres, rassemblant son courage.

— J'appellerai les pompes funèbres demain pour demander que la cérémonie ait lieu à Apeldoorn. J'ai raconté à tout le monde que tu avais de la famille là-bas et que Pieter et Anneke y étaient déjà partis. C'est la meilleure solution. Si j'organisais l'enterrement ici, tout le monde viendrait et on s'étonnerait de ne pas voir ma fille.

— Pauvre tante Mies ! Elle sera tellement loin ! Je suis désolée. Il y a peut-être une autre solution, nous pourrions dire que…

— Non, non, ça serait encore plus dur. La seule chose qui compte maintenant, c'est de te sauver. Si je ne peux pas au moins faire ça…

Elle se redressa avec un semblant de sourire qui n'était qu'un mouvement de lèvres sans joie.

— Je connais quelqu'un à Apeldoorn, une amie d'enfance. Ta mère la connaissait aussi. Je vais la contacter. Je pourrais peut-être rester un moment chez elle. Je crois que je n'aurai pas envie de revenir tout de suite.

L'idée de laisser la maison vide eut raison d'elle : Anneke avait été son âme. Notre âme.

16

Quand je m'éveillai le lendemain matin, Isaak était déjà présent dans mes pensées comme s'il avait dormi toute la nuit à mes côtés. Mais il aurait été mal accueilli ici, songeai-je en considérant la chambre sous les combles qui avait été celle de la grand-mère d'Anneke. Sa grand-mère et la mienne, que je n'avais pas connue parce qu'elle avait renié ma mère le jour où elle avait épousé un Juif. Ma naissance ne l'avait pas amadouée.

En arrivant en bas, je me demandai si ma tante avait dormi : les voilages de la cuisine blanchissaient dehors au soleil sur la corde à linge, et du sirop de pomme mijotait sur une cuisinière étincelante comme si elle venait d'être démontée et entièrement nettoyée. En me voyant entrer, tante Mies prit un bol bleu et se mit à battre la pâte à crêpes avec l'énergie du désespoir. Silencieuse et tragique, elle cassa deux œufs dans la poêle et prépara mes crêpes favorites à la confiture de prunes. Je n'osai pas protester. D'ailleurs je n'avais rien mangé depuis deux jours, et le goût assaillit mes sens comme si c'était la première fois que j'en consommais : les jaunes étaient chauds et fluides, la crêpe moelleuse, et la confiture si sucrée qu'elle piquait l'intérieur des joues. Je n'y pris pourtant aucun plaisir. J'avais du mal à avaler dans la cuisine silencieuse : Anneke ne connaîtrait plus jamais tout cela.

Elle était morte. Chaque fois, le choc me percutait en pleine poitrine. Chaque fois, le souffle coupé, je devais me rappeler de respirer. En se penchant sur moi pour me verser mon thé, ma tante posa une main tremblante sur mon épaule. Je me sentis encore plus seule. Pour combler le vide laissé par Anneke, elle déployait une activité débordante. Moi, j'avais Isaak. Et mon oncle ? Je me demandai s'il avait quelque chose.

Après le petit déjeuner, je me fis couler un bain et y versai les sels au gardénia que je gardais pour une grande occasion. J'eus le cœur gros en entrant dans l'eau parfumée : c'était Anneke qui me les avait offerts pour mon dernier anniversaire. Je pleurai en silence, si longtemps que j'eus l'impression d'être plongée dans mes larmes brûlantes. Je n'avais jamais autant pleuré de ma vie.

Mais je voulais pleurer. Je voulais garder Anneke en moi à jamais, penser à elle tous les jours, même si, pour cela, il fallait rouvrir la plaie pour l'empêcher de cicatriser. Je me forçai à imaginer comment elle aurait réagi en apprenant ce qu'Isaak et moi nous apprêtions à faire. La réponse me tira un sourire : elle m'aurait conseillé exactement cela, de prendre un bain aux sels de gardénia. Elle se préparait toujours avec un soin extrême avant d'aller retrouver Karl, comme si son corps était un cadeau destiné à le satisfaire jusque dans sa présentation.

J'eus beau avoir le sentiment de la trahir, je pensai à Isaak tout en me savonnant. C'étaient ses mains qui passaient sur mes seins, sur mon ventre. Que sentirait-il en me touchant ? Partout où je m'aventurais, montait une chaleur. J'imaginais le plaisir qu'il ressentirait en me pénétrant. La pensée qu'il me comblerait bientôt me troubla à un point indicible.

Je venais de me laver les cheveux et je me les rinçais sous le robinet quand ma tante frappa à la porte.

— Cyrla ! murmura-t-elle en entrant, l'air à demi folle avec son œil rouge. Mme Bakker est encore à la porte !

La salle de bains donnait dans l'entrée, sous l'escalier. Elle m'enveloppa les cheveux dans une serviette.

— Je vais essayer de la faire partir. Monte ! Vite !

Je courus au premier et me cachai de nouveau dans la chambre de ma tante. Elle ouvrit la porte et essaya de se débarrasser de notre voisine.

— J'allais sortir. J'ai beaucoup à faire aujourd'hui.

Cela n'empêcha pas Mme Bakker d'entrer.

— Je vais t'aider.

— Non... merci... c'est très gentil, mais je dois partir.

Il y eut un silence et je retins mon souffle. Je la voyais presque humer la vapeur fleurie de son air inquisiteur. Lorsqu'elle reprit la parole, ce fut du ton qui m'avait fait si peur quand je lavais nos marches, quelques jours plus tôt.

— Il y a de l'eau par terre, Mies. Tu as renversé quelque chose ?

— Non... je me faisais couler un bain. J'allais le prendre quand tu as sonné, c'est tout.

Elle ne mentait pas très bien.

— Je croyais que tu étais sur le point de sortir.

— Oui, je vais sortir après mon bain. Je vais vraiment prendre du retard si je ne me dépêche pas. Si ça ne t'ennuie pas de me laisser...

Mme Bakker partit, mais elle reviendrait. Ce serait difficile de vivre cachée dans la maison sans que personne ne s'en aperçoive.

Je me mis au soleil derrière les carreaux pour me sécher les cheveux. La pluie avait emporté tellement de feuilles mortes que les marrons d'Inde se montraient, brillant au soleil entre les pavés. Le ciel aussi semblait avoir été lavé de frais. Je compris soudain que je ne me promènerais sans doute plus jamais dans Tielman Oemstraat en m'arrêtant pour échanger quelques mots avec les voisins. Le téléphone sonna trois ou quatre fois ; j'entendis ma tante répéter sa version de la tragédie qui venait de nous frapper. À chaque répétition, je perdais un peu de ma réalité, comme si j'étais vraiment morte.

Deux corbeaux se perchèrent dans l'orme le plus proche de la fenêtre et me fixèrent de leurs yeux de malheur. J'agitai le bras pour les chasser, mais comme j'avais peur de me faire remarquer, ils m'ignorèrent après avoir donné un ou deux coups d'aile insolents. C'était à moi de battre en retraite. Les cheveux encore humides, je montai au grenier.

Ma tante avait déménagé toutes mes affaires, et il était frappant de voir le peu de volume qu'elles prenaient. Laisserais-je seulement une trace dans cette maison ? Mais aujourd'hui, me rappelai-je, l'essentiel était de la quitter. Je me fis belle, prenant modèle sur Anneke. Je choisis une combinaison de satin champagne qu'elle m'avait obligée à acheter quelques années plus tôt parce que Jean Harlow en avait porté une semblable. C'était mon seul vêtement vraiment luxueux, et je ne l'avais jamais porté. Le satin glissa sur mes épaules comme une caresse. Ensuite, je choisis un corsage couleur ivoire à boutons nacrés, cintré par de petites pinces tout autour de la taille, et une jupe noire, évasée aux hanches et fendue à l'arrière. Elle avait appartenu à Anneke qui me l'avait donnée, trouvant qu'elle m'allait mieux, mes hanches étant plus larges que les siennes et ma taille plus mince, disait-elle.

Tout m'évoquait ma cousine, et provoquait la même douleur. Je la voyais assise sur le lit, m'observant d'un œil attentif et jugeant chacun de mes choix.

— Ce n'est pas grave, lui aurais-je dit. Isaak ne remarque jamais ce que je porte.

— Mais si, c'est très important, m'aurait-elle répondu. Toi, tu sauras ce que tu portes. Maintenant, mets du rouge à lèvres. Et laisse tes cheveux sur tes épaules.

Non, je ne m'abaisserais pas à cela. Je n'étais pas du genre à porter du rouge à lèvres et à sortir les cheveux détachés.

Et pourtant, c'était peut-être justement une fille de ce genre que je m'apprêtais à devenir.

C'est alors qu'une partie de la conversation que nous avions eue avant mon départ pour Amsterdam me revint en mémoire. Elle m'avait expliqué ce qui changeait une fois qu'on avait fait l'amour. Je vivrais davantage à travers mon corps, et j'apprendrais à mieux comprendre son langage. Elle avait parlé de courage. Mais je ne me souvenais toujours pas des derniers mots que nous avions échangés.

En bas, ma tante était encore à la cuisine. Elle repassait des torchons empesés à l'amidon. Elle releva la tête en m'entendant, et, un instant, je vis un espoir fugace éclairer son visage, puis s'éteindre. Ce n'était que moi.

— Où vas-tu ? Tu ne peux pas sortir.

Gênée, je répondis :

— J'ai rendez-vous avec Isaak tout à l'heure.

— Ah…

Je ne sais comment, mais elle comprit. Je vis qu'elle avait envie de m'en empêcher, ou, du moins, qu'elle estimait que c'était de son devoir, mais elle n'eut pas la force d'intervenir. Elle se laissa tomber sur la banquette, puis elle se redressa, dents serrées. Sans doute avait-elle déjà fait cela cent fois dans la journée. Il fallait beaucoup de courage pour ne pas se laisser couler dans les flots du chagrin.

— Sois prudente, supplia-t-elle. Sois prudente.

— Nous avons rendez-vous à la boutique. Je mettrai ton manteau et ton chapeau et j'emporterai le panier de pique-nique. Les voisins ont l'habitude de te voir lui apporter son déjeuner.

Elle sembla approuver, mais quand je voulus la prendre dans mes bras, elle eut un mouvement de recul.

À midi, lorsque je redescendis, elle semblait aller un peu mieux. Elle avait préparé des sandwichs au pain de seigle et à la tomate qu'elle avait mis dans le panier avec des poires et du fromage. J'ajoutai un recueil de poèmes, qui m'occuperait en attendant Isaak.

Elle s'assit près de moi pour me natter les cheveux.

— C'est fou ce que tu ressembles à ta mère au même âge. Elle avait dix-neuf ans comme toi quand elle a rencontré ton père, tu sais.

Je me raidis. Parfois, je parvenais à penser à ma mère, parfois non. Je pris sur moi, et demandai à ma tante de me raconter encore une fois l'histoire de la rencontre de mes parents, que je connaissais bien. Ils avaient tous les deux étudié la musique à Vienne, loin de leurs familles et de leurs pays. Un jour, mon père avait entendu ma mère jouer une sonate de Mozart dans une salle d'étude, et il était tombé amoureux de la pianiste sans la voir.

— Il ne savait que son nom qui était écrit sur l'emploi du temps affiché à la porte, dit ma tante.

Elle semblait prendre plaisir à évoquer sa sœur, et n'en éprouver que peu de tristesse. En arriverions-nous jamais à ce stade pour Anneke ?

— Il est retourné tous les jours l'écouter à la même heure, alors que cela l'obligeait à manquer des cours, mais il était trop timide pour attendre qu'elle sorte et se présenter. Finalement, il a glissé un mot sous la porte pour lui donner rendez-vous. Elle y est allée, et je crois qu'ils ne se sont plus quittés un seul jour ensuite. Et puis...

Je fus surprise par son air énigmatique. Elle me tapota la joue en souriant.

— Tes parents se sont mariés en juillet, Cyrla, et tu es née en décembre. Je pense que ta mère te l'aurait dit aujourd'hui.

Je mis un instant à comprendre, puis je la serrai dans mes bras pour la remercier de ce beau cadeau qu'elle venait de me faire.

Il était temps de partir. Mon cœur battait à tout rompre, mais je sentais un grand calme tout au fond de moi. J'avais déjà commencé à changer.

17

Je plaquai le chapeau de ma tante sur ma tête avec une main comme si le vent voulait me l'arracher, et je me dépêchai d'aller à mon rendez-vous. Personne ne me vit. En tout cas, je ne remarquai rien.

La boutique et l'atelier étaient vides et sentaient l'odeur humide et rance de la laine bouillie des couvertures. Nous n'y serions pas bien. Je pensai de nouveau au toit, et montai jusqu'à la terrasse. Oui, nous serions beaucoup mieux dehors, mais nous ne pouvions pas nous coucher à même le gravier.

Je redescendis pour trouver de quoi nous fabriquer un lit. Il ne restait presque pas de tissu en stock, mis à part la laine brune des Allemands. Mon oncle n'avait rien pu acheter depuis des mois. Il ne restait que des coupons d'anciennes commandes, et quelques cartons de chutes inutilisables posés par terre.

Je faillis ne pas le voir. Derrière les rouleaux de laine à couverture, se cachait un reste de velours épais, d'un bleu si profond qu'il en était presque indigo. Le tissu venait d'une commande de rideaux que mon oncle avait effectuée plus d'un an auparavant pour la femme d'un hôtelier de Scheveningen. Par malheur, les nazis avaient réquisitionné l'hôtel pour y installer leur quartier général, et elle était tristement venue expliquer à mon oncle qu'elle ne pouvait plus les prendre.

— Vous les vouliez pour l'hôtel ? avait-il demandé.

— Non, pour ma salle à manger, mais maintenant qu'on nous empêche de travailler, nous ne pouvons plus nous le permettre.

— Tant que ça n'est pas pour les Allemands, prenez-les, avait soupiré mon oncle. Que voulez-vous que j'en fasse, maintenant ?

Je montai tout d'abord deux rouleaux de la laine des Allemands sur le toit. Je fis le tour de la terrasse pour trouver le coin le plus ensoleillé et le plus chaud, puis je déroulai l'épais tissu pour nous en faire un matelas. Ensuite, je redescendis chercher le velours. Je l'étendis sur la couche de laine en bordant bien pour que le marron ne dépasse pas du bleu, et que rien de ce qui pouvait rappeler les nazis ne risque d'entrer en contact direct avec notre peau. Pour la même raison, je libérai mon cou de ma carte d'identité et la cachai dans mon panier. Quand tout fut prêt, je reculai de quelques pas pour admirer mon œuvre. Je fus enchantée par la couleur saphir que le soleil donnait au velours. Anneke m'avait recommandé de me faire confiance. Elle aurait trouvé cela beau, elle aussi.

Anneke... Des larmes me montèrent aux yeux. Elle me manquait tellement ! Je les séchai et m'approchai du bord du toit pour respirer à pleins poumons. Une odeur de pommes flottait dans l'air. Il y avait aussi des relents de fumée de locomotive, comme toujours, et, plus ténue, la senteur terreuse des briques chauffées par le soleil. Les rayons de midi scintillaient sur le canal, jetant des reflets dorés sur le paysage automnal. Tout semblait si serein, alors que dans moins de dix jours commencerait mon calvaire.

Je pris le recueil de poèmes dans le panier, et je m'installai pour lire, assise à côté du lit et non dessus. Je ne l'avais préparé que pour nous deux. Je cherchai un poème qui conviendrait à la situation ; j'en trouvai un de Boutens que je ne connaissais pas : « Le baiser ».

J'aurais pu écrire ce poème, mais uniquement après ce qu'il s'était passé la veille au soir, pas avant.

Mon envie de retrouver Isaak et de l'embrasser avait beau être intense, je commençais à avoir peur de ce qui allait arriver. Je ne me sentais pas prête. Je m'étais trompée. Mais le poème de Rilke, « Journée d'automne », me revint en tête et ne me quitta plus. « *Qui est encore seul, restera seul.* » Je m'étais sentie seule suffisamment longtemps. Il n'y avait rien de plus terrible que la solitude. Tant et si bien que, lorsque Isaak frappa, je me dis qu'après tout, j'étais bien assez prête pour ma première fois.

Je descendis lui ouvrir, et nous montâmes sur le toit. Nous échangeâmes un long regard, puis nos yeux s'évitèrent.

Je dis :

— Voilà.

— Oui, voilà.

Une profonde amitié nous unissait, et pourtant nous regardions les toits l'un à côté de l'autre sans rien dire, séparés par cette intimité qui justement nous embarrassait. La parole ne nous servait plus à rien pour communiquer. Je lui pris la main et le conduisis à notre lit de fortune, puis je m'y allongeai.

Mon cœur battait si fort que je crus qu'Isaak allait le voir cogner sous ma peau. Je me souvins de la tactique que j'utilisais pour me donner du courage. Il suffisait de faire le premier pas. Je posai les doigts sur mon col, et défis un bouton.

Isaak tomba à genoux à côté de moi.

Soigneusement, méthodiquement, comme il faisait toujours tout ce qu'il entreprenait, il finit d'ouvrir mon corsage. Je guidai sa main pour qu'il glisse les doigts sous ma combinaison, près de mon sein. Sentant mon frisson sur ma peau, il retira son bras comme s'il m'avait fait mal. Il s'allongea à côté de moi, tirant le velours sur nous, puis il me déshabilla sous ma jupe. Je ressentis la morsure du froid, mais je brûlais à son contact. Il écarta mes cuisses, et se coucha sur moi de tout son poids.

Anneke s'était trompée. Nos corps ne savaient pas quoi faire. Puis je me souvins mieux de ce qu'elle m'avait dit.

Je murmurai :

— Attends, attends…

Je me mis à l'embrasser. J'aurais pu continuer indéfiniment, mais il enfouit la tête dans mon cou et recommença à se presser contre moi.

Je l'arrêtai pour retirer ma combinaison et ouvrir sa chemise. Je caressai son torse, puis je l'attirai contre moi pour sentir son cœur battre contre le mien. Mais quand ma main s'aventura plus bas, il la repoussa avec un grognement. Tout de suite après il me pénétra, et je poussai un cri, surprise par le plaisir soudain de le sentir en moi.

Tout se passa, enfin, comme Anneke l'avait prédit. Nous nous jetions l'un contre l'autre parce que nous ne pouvions faire autrement. Le rythme de nos mouvements était dicté par un même besoin. Mais, d'un coup, Isaak frissonna avec un râle, et retomba à côté de moi.

Lorsqu'il s'éloigna pour récupérer sa chemise, je voulus le retenir.

— Reste…

À cet instant, il redressa la tête et se tendit.

— Chut, écoute !

Il me fallut un moment pour entendre ce qui l'avait alerté. Comme un nageur qui remonte à la surface après un long plongeon, je n'entendis d'abord que le sang battre dans mes tempes. Isaak se leva mais resta courbé en deux en avançant le long du muret. Je passai mon corsage et le suivis. Des voix allemandes furieuses montaient de la rue.

Je m'accroupis à côté de lui au bord du toit et regardai prudemment en bas. Je vis la tête et les épaules de deux soldats.

— Ça fait deux jours, entendis-je au milieu des vociférations.

Et puis :

— Enfonce la porte !

18

Je me précipitai sur mes vêtements.

— Reste calme, dit Isaak en se dépêchant lui aussi de se rhabiller. Ils ne monteront peut-être pas sur le toit.

Rien n'était moins sûr. Impossible de me souvenir si j'avais fermé la porte de l'escalier, et si j'avais laissé des traces de notre passage, qui auraient pu les conduire à nous.

Un vacarme de verre brisé monta du trottoir.

— Je descends, annonçai-je.

Il me retint par le bras.

— Non ! Il vaut mieux rester cachés ici en attendant qu'ils partent.

Il y eut encore des bris de verre, puis des bruits de bois éclaté. Je m'arrachai à lui.

— Toi, reste. Je vais les faire partir.

Je me précipitai dans l'escalier en boutonnant mon corsage. Ils étaient déjà dans la boutique. Je tâchai d'avoir l'air en colère.

— Que se passe-t-il ?

C'était des SS et non des soldats de la Wehrmacht. Un *Hauptsturmführer*, c'est-à-dire un capitaine, comme l'indiquaient les uniformes, et un soldat de

2e classe, un *Oberschütze*. Ils avaient cassé la fenêtre à côté de la porte et le soldat était passé derrière le comptoir et fouillait les tiroirs.

— Nous voulons voir Pieter Van der Berg. Est-il là ? demanda l'officier.

Il voulut entrer dans l'atelier, mais je m'interposai. C'était là que mon oncle cachait sa radio dans une boîte de machine à coudre vide.

— Il est absent. Il est en déplacement.

Je me rendis compte trop tard que je me montrais à eux dans une tenue fort peu correcte : le corsage encore à moitié ouvert, sans combinaison et sans bas. Je croisai les bras sur ma poitrine, mais l'*Oberschütze* me fixait avec une attention grossière. Il avait les épaules larges et une musculature puissante, des cheveux coupés en brosse si court qu'il avait l'air presque rasé, et son visage rouge et plat ressemblait à un bifteck. Il me donnait l'horrible impression d'être une prostituée assise derrière sa vitrine à Amsterdam. Je reculai d'un pas.

— Quand doit-il rentrer ? demanda le *Hauptsturmführer*.

— Demain.

Et puis une chose épouvantable se produisit : je sentis une sensation humide entre mes jambes. Chaude d'abord, puis froide quand le liquide glissa le long de ma cuisse nue. Comprenant ce qui arrivait, je sentis des larmes me monter aux yeux, que je me dépêchai de refouler.

— Nous avons commandé six cents couvertures. Sont-elles prêtes ?

— Revenez demain.

Le liquide descendait lentement. L'homme en laissait-il une grande quantité dans la femme ? Y en avait-il assez pour trahir la présence d'Isaak ?

— Il est allé chercher une pièce pour une de ses machines. Il en a besoin pour exécuter votre commande. Je lui dirai que vous êtes venus.

L'officier m'écarta pour passer, suivi par son subordonné. Cette fois, je ne fis rien pour l'arrêter. S'il soupçonnait mon oncle d'avoir revendu leur laine au marché noir, j'espérais qu'il repartirait quand il aurait vu le tissu.

L'officier reparut à la porte de l'atelier, un rouleau dans les bras.

— Mets le reste dans le camion, ordonna-t-il au soldat en se dirigeant vers la porte.

Redoutant qu'ils ne remarquent l'absence des deux rouleaux que j'avais empruntés, je me creusai la tête pour justifier leur disparition. J'étais trop occupée par mes pensées pour voir venir ce qui arriva ensuite.

L'*Oberschütze* s'était arrêté près de moi pour laisser passer son supérieur. Dès que l'officier fut sorti, il se débarrassa de la laine qu'il portait et m'immobilisa en me mettant une main dans le dos et en me poussant en avant contre la table de coupe. De l'autre main, il releva ma jupe et m'attrapa la cuisse. Il eut un rire en découvrant que je ne portais rien en dessous, et se colla sur moi.

Je me débattis pour me libérer, prise de la peur panique qu'il ne découvre le signe que je sortais des bras d'un homme. Je voulais grimper sur la table pour passer par-dessus. De l'autre côté, une paire de gros ciseaux pendait à un clou. L'homme me retenait par le cou, m'agrippant d'une main qui sentait l'huile de moteur. J'entendis un cliquetis de ceinturon et de boutons qui s'ouvrent.

Je ne voulais à aucun prix crier pour ne pas faire descendre Isaak. Dents serrées, je me tendis en avant, cherchant les ciseaux d'une main désespérée. Je les trouvai enfin, et parvins à les décrocher. Avec un sursaut de rage, je me tournai en lançant un coup de toutes mes forces vers la gorge du SS, pointe en avant.

— Garce !

Il avait dévié mon bras et fait sauter les ciseaux de ma main. Il leva le bras pour me frapper, mais fut arrêté par son supérieur qui revenait.

— Arrête ! hurla l'officier en le rejetant en arrière. Pas touche, espèce d'animal ! Celle-ci est enceinte. Elle doit aller dans un Lebensborn.

Le visage moite et rouge, le SS posa sur moi un regard haineux en rajustant son uniforme. Il récupéra les rouleaux qu'il avait laissés tomber.

Je me réfugiai derrière le comptoir, les jambes tremblant si fort que j'eus peur qu'elles ne se dérobent sous moi.

— Pas trop de mal ? demanda l'officier.

Je repoussai la main compatissante qu'il voulait poser sur mon épaule. Il avait l'air d'attendre que je le remercie alors qu'il n'avait empêché ce viol que par égard pour une femme qui portait un enfant allemand. Comme si c'était la seule raison de me respecter. J'étais outrée.

— Dis à ton père que nous reviendrons demain. Il a intérêt à avoir réparé sa machine.

Il fit signe au soldat de le suivre, mais celui-ci s'arrêta.

— Nous ferions mieux de vérifier son identité.

Il tendit la main vers mon cou. En voyant que je considérais ses doigts noirs de graisse avec dégoût, il ricana en les essuyant lentement à mon corsage, sur mon sein. Je le repoussai et lui crachai au visage. Il eut un mouvement de recul et voulut me frapper, mais l'officier l'en empêcha de nouveau, cette fois en posant la main sur son arme.

— Inutile, je la connais, j'ai vu sa photo. C'est bien la fille Van der Berg.

Ils partirent enfin, non sans un dernier regard d'aversion de l'*Oberschütze* qui semblait voir en moi la cause de tous ses maux.

Je me laissai glisser sur le plancher, et c'est là qu'Isaak me trouva quand il descendit – il avait vu partir les SS du haut de la terrasse. Il s'accroupit près de moi.

— Que s'est-il passé ?

Je ne le regardai pas pour mieux lui mentir.

— Ils ont emporté la laine.

Il considéra le désordre, les papiers jetés à terre, les ciseaux, tout ce qui était tombé pendant que je me débattais.

— Tu leur as résisté ? Pour quelques rouleaux de tissu ?

Ses yeux se posèrent sur la trace de graisse qui maculait ma poitrine, et j'eus du mal à ne pas pleurer.

— Tu es folle, Cyrla ! Tu n'as pas idée de leur violence. Ils sont en terrain conquis, ils font ce qu'ils veulent. Tu imagines ce qui aurait pu arriver ?

— Tout va bien. Ils sont partis. Ils voulaient leurs couvertures. C'était mon oncle qu'ils cherchaient.

Il prit le temps de réfléchir.

— Ils reviendront demain, et si ton oncle n'est pas là, ils iront le chercher chez vous. D'ailleurs, s'ils trouvent ton oncle… Il vaut mieux que je t'héberge. Nous passerons voir ta tante quand il fera nuit, ce sera mieux. Je lui parlerai.

J'approuvai, tranquillisée par sa calme logique, et soulagée qu'il ne me pose plus de questions. Il me passa son manteau sur les épaules et me fit remonter sur le toit où nous nous assîmes sur le lit de velours en attendant la nuit. Dès que le souvenir du SS me revenait, je le chassais, mais pas toujours assez vite. Que se serait-il passé s'il m'avait violée et que je sois tombée enceinte de lui ? Cette pensée m'arracha un gémissement. Isaak me demanda ce qui m'arrivait, et je répondis que ce n'était rien. Je m'en voulais de m'inquiéter à cause d'une simple supposition. Il fallait effacer cet incident des souvenirs que je garderais de cette journée. Aujourd'hui, Isaak et moi, nous avions fait l'amour pour la première fois. Rien d'autre ne comptait.

Plus tard, nous regardâmes le soleil se coucher sur la porte de Schiedam en mangeant les sandwichs que ma tante nous avait préparés. Je lus à Isaak le poème sur le baiser, et, tout en lisant, j'eus la certitude que cela n'avait pas été la première fois pour lui. Je ne sais comment, j'eus l'intuition qu'il avait déjà fait l'amour avec une femme. J'étais sa meilleure amie depuis ses seize ans, et je n'avais rien deviné. Je tâchai de finir ma lecture d'une voix ferme, mais ma gorge me faisait mal comme si elle avait été tailladée. Encore un souvenir de la journée qu'il allait falloir effacer.

Avant de partir, j'entamai de deux coups de dents un coin du velours sur lequel nous nous étions couchés, et j'en déchirai un carré pour le garder. En le mettant au fond du panier, j'en profitai pour sortir ma carte d'identité. Je la remis autour de mon cou en tournant le dos à Isaak. J'avais compris que le bonheur n'était pas un dû, qu'il ne fallait rien espérer. Les moments de plaisir se dérobaient au passage.

19

Dans la chambre d'Isaak, je me sentis plus détendue, plus rassurée. On n'était encore que le mercredi soir, et je ne devais partir que le vendredi matin de la semaine suivante. Il me semblait que, chez lui, le temps s'arrêterait et que ces neuf jours dureraient toujours.

Je me trompais.

Assise sur le lit, je regardais Isaak travailler. *Voilà comment nous vivrons quand nous serons mariés. Avec notre enfant endormi dans la chambre à côté.*

J'éprouvais un vif plaisir à penser que cette journée diviserait ma vie en deux parties nettement délimitées. Je me levai pour m'approcher d'Isaak et posai la main sur son cou, troublée d'avoir enfin le droit de faire ce geste.

— Comment allons-nous l'appeler ?

— Qui ça ?

— Notre enfant. Il faut trouver un prénom.

Il se tourna vers moi. Ma question ne lui avait pas plu.

— C'est un peu tôt... Il ne faut pas te faire trop d'illusions...

— Tu as raison, dis-je pour effacer son froncement de sourcils. D'abord, il faut me le faire, cet enfant...

Pendant que je déboutonnais sa chemise et que j'embrassais la peau ainsi découverte, il me considéra de son air sérieux, comme s'il ne savait pas où je voulais en venir. Cette fois, je voulus me concentrer sur la conception, sachant que c'était à cela que pensait Isaak. Mais mes bras sur lui semblaient ceux d'une autre, et je ne pouvais m'empêcher d'admirer les muscles puissants de ses épaules qui se tendaient alors qu'il entrait en moi. Je ne résistai pas à l'envie de les toucher et de faire descendre les mains jusqu'au bas de son dos. Bien qu'endolorie, j'appuyai sur ses reins pour le pousser plus profond et remplir cet endroit que je découvrais si insatiable. Quand son nom m'échappa, il me fit taire. Je dus me mordre les lèvres pour retenir mes cris. Et quand je l'entendis pousser le gémissement étouffé qui indiquait qu'il avait terminé, je restai insatisfaite alors que j'aurais dû être comblée.

Je l'enserrai entre mes jambes pour le garder, et je lui demandai de dire mon nom.

Il releva la tête pour me regarder dans les yeux.

— Non. Il faut que tu t'habitues à t'entendre appeler Anneke. Quand tu seras au foyer, il ne faudra pas que tu te trompes, ce sera une question de vie ou de mort. Je ne veux plus utiliser ton prénom.

J'avais oublié le foyer.

— Je t'en prie, Isaak, rien qu'une fois, la dernière.

— Non.

Il se détacha de moi et descendit sur le matelas d'appoint qu'il avait posé par terre. Son lit était trop étroit pour nous deux, c'était vrai, mais cela ne m'empêcha pas de me sentir rejetée. Quand j'entendis à sa respiration qu'il s'était endormi, je quittai le lit sans bruit et m'allongeai par terre à ses côtés.

Je soulevai son bras et me blottis contre lui, tête posée sur sa poitrine. Je réglai ma respiration à la sienne, puis, prenant garde de bouger le moins possible pour ne pas le réveiller, je défis mes cheveux. Je les étalai sur son épaule, et enroulai des mèches autour de ses boucles brunes. Enfin, je pris son autre bras pour le croiser en travers de sa poitrine, et lui saisis la main en enlaçant ses doigts. J'espérais qu'à son réveil, il comprendrait la signification de ce cercle qui hantait mes rêves. Je m'endormis, heureuse, emplie d'un sentiment de paix merveilleux.

20

Le jeudi, Isaak m'annonça qu'il devait sortir et qu'il ne rentrerait pas avant la fin de l'après-midi. Je lui demandai si je ne pourrais pas l'accompagner à ses réunions, puisqu'elles auraient toutes lieu à la synagogue.

Il refusa sans me regarder comme s'il était gêné par ma nudité, comme si nos corps étaient encore étrangers.

— Il ne faut pas qu'on te voie. Personne ne doit savoir que tu es ici, même les gens de confiance. Moins nous serons dans le secret, mieux cela vaudra. C'est toujours la règle.

Après son départ, je mis une des chemises d'Isaak, enfilai son pardessus, et emportai les vêtements dont j'étais habillée depuis la veille à la salle de bains pour les laver. Je frottai la tache de graisse que le SS avait laissée sur mon corsage, mais il resta comme une ombre que je ne parvins pas à effacer complètement.

Ce jour-là, je fus obsédée par les sensations nouvelles que j'éprouvais, comme une aveugle ayant recouvré la vue serait incapable de dormir tant son avidité de rattraper le temps perdu serait grande. J'essayai de lire allongée sur le lit, mais la caresse de la chemise d'Isaak, la douceur de l'air sur mon corps m'empêchaient de me concentrer. Je m'assis par terre pour travailler à un poème, mais je n'avais envie que de décrire la pression du mur de brique sur mon dos, et le jeu du soleil sur mes cuisses nues. J'avais soif de sentir la peau d'Isaak contre la mienne. Anneke avait oublié de me dire à quel point le sang pouvait s'échauffer quand deux corps se touchaient.

À son retour, j'étais allongée sur le lit. Cette fois, il me regarda.

— Ne bouge pas.

Il approcha du lit et défit mes cheveux que j'avais remontés en torsade pour les empêcher de tomber sur mon livre.

— On dirait du miel, dit-il en les faisant glisser entre ses doigts. Une coulée de miel.

Il les étala sur mes épaules, et, au passage, sa main frôla mon sein. Je l'attrapai pour le retenir, laissant tomber mon livre.

— Attends, j'ai envie de te dessiner, dit-il. Tu es belle.

— Anneke est plus belle que moi.

Ou plutôt, « était » plus belle…

— Non, Anneke était jolie. Ce qui est joli ne peut jamais être beau. Toi, tu es belle. Je vais te montrer. Lève-toi, que j'approche le lit de la lumière.

Il déplaça le bureau et poussa le lit sous la fenêtre.

— Voilà, couche-toi.

Ne le quittant pas des yeux, tremblante, j'ôtai ma chemise. Isaak approuva d'un signe de tête. Il me fit prendre la pose, reconstituant la position que j'avais à son arrivée : appuyée sur un coude, la main soutenant ma tête, l'autre bras plié à la taille pour tourner une page. Dès qu'il me touchait, j'avais la respiration coupée. Il fit tomber mes cheveux de part et d'autre de mon cou, sur mes épaules. Je frissonnai quand il repositionna ma hanche pour mieux l'orienter dans le soleil. *Regarde-moi, Isaak. Désire-moi.*

Il prit un carnet et un crayon, et s'assit après avoir approché la chaise du lit. Il resta immobile un long moment, se contentant de m'observer tout en passant deux doigts doucement sur ses lèvres. Moi, je faisais semblant de lire, non sans lui jeter des regards subreptices. J'aimais le voir étudier mon corps de son regard d'artiste. Quand il se mit à dessiner, je me transportai dans ses yeux pour me voir à travers eux. Je voulais qu'il m'admire.

Mes cheveux tombaient en avant, se divisant en deux sur ma poitrine. Sa main forma le renflement du sein, puis l'ombre en demi-lune qui le soulignait. Il traça la courbe de mon ventre à longs traits déliés, et je compris la grâce qu'il y voyait. Sa main, en formant l'arrondi de ma hanche, sembla caresser un melon.

Visiblement, il me trouvait à son goût – je n'avais jamais eu cette impression. Je me sentais désirable pour la première fois de ma vie.

Mais il avait assez dessiné.

Je me tournai sur le dos et glissai la main sur mon ventre et mes hanches, partout où j'avais envie de le sentir. Je fermai les yeux pour qu'il s'autorise à regarder. Quand il posa son carnet, j'eus l'impression d'avoir gagné. Mais si j'avais gagné, lui, qu'avait-il perdu ?

Plus tard, il se rhabilla et décrocha son manteau. Je soulevai la tête de l'oreiller pour lui demander où il allait.

— Chez toi, répondit-il en attachant ses lacets. Je vais chercher tes affaires. Il fait assez sombre.

Une fois de plus, je restais sur ma faim, contrairement à Isaak qui semblait repu d'amour. Moi, j'étais même encore plus affamée. Arriverais-je jamais à me satisfaire ? Je craignais de n'être pas normale. Je tendis la main vers lui, voulant le faire revenir au lit.

— Tu iras un autre soir. Je n'ai besoin de rien.

— Non. Ta tante part demain matin pour Apeldoorn. Il faut que je récupère tes bagages pour vendredi. Les papiers d'Anneke, ses vêtements.

Vendredi… Je me levai et commençai à m'habiller.

— Non, tu ne peux pas venir, protesta Isaak. C'est trop dangereux, et ce n'est pas nécessaire. Je peux me débrouiller seul.

— Si. Je t'accompagne. Je veux voir ma tante.

Je me sentais soudain très coupable d'avoir éprouvé autant de plaisir depuis la veille alors qu'elle était restée seule dans la maison vide.

Isaak me dévisagea, puis il acquiesça.

J'avais mis des vêtements à lui, et j'empruntai le vélo de l'avocat. Une fois de plus, nous traversâmes la ville sombre. Dans mon déguisement, je me faisais l'effet d'être une voleuse. Au début, le bruissement des feuilles de platane sèches me sembla doux comme un froissement de papier, mais le vent se leva et le rendit inquiétant, comme du verre qui se brise. Une tempête s'annonçait. Je regrettais que nous ne soyons pas restés au chaud dans la chambre.

Je pouvais être enceinte, à présent.

21

— Cyrla !

Ma tante me saisit par le bras pour me faire entrer plus vite dans la cuisine, et, un instant, je fus heureuse d'entendre de nouveau mon nom parce que cela me donnait l'impression de me retrouver.

— Tu n'aurais pas dû venir.

Elle avait raison : je regrettais d'être retournée dans cette maison qui n'était plus la mienne, et puis cela me faisait mal de la voir tassée comme une petite vieille, le visage pâle et gonflé. Je la fuyais du regard, mais tout dans la cuisine évoquait des souvenirs qui me poignardaient le cœur. Mon tablier était accroché près de celui d'Anneke, me rappelant un temps où ma tâche la plus désagréable était de hacher les oignons. Il y avait les pots à sucre et à farine en faïence de Delft à décor bleu et blanc, représentant des scènes différentes sur chaque face dont Anneke et moi nous inspirions pour inventer des histoires. Il y avait le joli capuchon brodé de perles du pot à lait que nous empruntions pour mettre sur la tête d'une vieille poupée. Les stores du black-out avaient beau être tirés, ma tante eut peur qu'on nous voie. Quand elle éteignit le plafonnier pour allumer une bougie, je fus soulagée.

— Toutes mes condoléances…, commença Isaak.

Ma tante le fit taire d'un geste presque brutal, puis elle quitta la pièce. Elle revint au bout de quelques minutes, le visage froid, avec ma valise qu'elle tendit à Isaak.

— Partez, dit-elle. Emmène-la vite. J'ai vu Mme Bakker ce matin. Elle dit qu'elle a entendu des voix ici hier. Je lui ai dit que je parlais toute seule, mais… Et j'ai eu la visite de deux soldats cet après-midi. Je leur ai raconté que Pieter avait été retardé, mais qu'il serait de retour demain. Ils n'ont pas eu l'air de me croire. J'ai peur qu'ils ne surveillent la maison.

Je me sentis coupable. Je n'aimais pas obliger les gens à mentir pour moi.

— C'est peu probable, répondit Isaak, pas pour quelques couvertures. Mais il vaut mieux que nous ne restions pas trop longtemps. Vous avez les papiers ?

Ma tante tira de derrière le garde-manger un paquet qui pendait au bout d'une ficelle.

— J'ai mis de l'argent. Je ne savais pas de combien elle aurait besoin, mais ça lui permettra de tenir quelques semaines, ensuite…

Elle s'interrompit, brisée par l'émotion.

— Oh, *kleintje*, comment tout cela est-il arrivé ?

Je l'étreignis sans répondre. La guerre ne pouvait plus durer très longtemps. Tout le monde sauf Isaak le disait. Quand ce serait fini, je vivrais dans une maison à moi. Avec Isaak. Avec nos enfants. Je n'en chasserais jamais personne.

Ma tante se détacha de moi et croisa les bras, doigts enfoncés dans la chair comme pour les empêcher de se tendre vers moi.

— Emmène-la, dit-elle sans me regarder. Sauve-la. Allez, partez.

Isaak me prit par la main et m'entraîna vers la porte, mais ma tante s'écria soudain :

— Attendez !

Une seconde, je pensai : *Ah, je savais bien qu'elle n'aurait pas la force de m'obliger à partir !* Mais c'était autre chose.

Elle ralluma et prit des ciseaux sur l'étagère, qu'elle me tendit. Je la regardai sans comprendre.

Isaak posa ma valise près de la porte.

— Assieds-toi, dit-il. Il faut te couper les cheveux.

Je portai vivement la main à ma tête.

— Non ! Pas ça ! Je me ferai un chignon. Personne ne se rendra compte. C'est ma mère qui…

Mais à quoi bon ? Ils avaient raison. Je pris les ciseaux des mains de ma tante. Je me les couperais moi-même, et sans pleurer. Mais je leur tournai le dos malgré tout, au cas où la force me manquerait.

Je défis ma natte et en coupai une mèche très vite, pour ne pas me laisser le temps de changer d'avis. Ils étaient si épais que j'avais l'impression de cisailler une corde, et que je ne pouvais pas en prendre beaucoup à la fois. Il n'y avait pas un bruit dans la pièce, à part celui des lames d'acier et le soupir des cheveux qui tombaient sur le lino. Cela dura un temps infini.

Enfin je leur fis face, tête haute, libérée du poids de mes cheveux. Ma tante plaqua les mains sur sa bouche et s'enfuit de la cuisine, mais pas assez vite pour m'empêcher de voir sa détresse. Dans le regard d'Isaak, l'espace d'un instant, ce fut de la colère que je crus observer – peut-être parce qu'il regrettait le sacrifice que je venais de faire.

— Ça va, comme ça ? lui demandai-je.

Lèvres serrées, il prit les ciseaux et rectifia la coupe.

Qu'aurait-il pu répondre ? Non, ça n'allait pas. Ça n'allait pas du tout, au contraire. Nous restâmes un moment côte à côte en silence, ne sachant ni que faire, ni que dire. Ma tante reparut. Elle évitait de me regarder mais elle avait rapporté un miroir.

Je le lui fis sauter des mains quand elle le mit devant moi, et il alla se briser contre le mur carrelé. Ç'avait été plus fort que moi : je ne voulais pas voir que je volais la vie de ma cousine. Je me baissai pour ramasser les morceaux épars qui renvoyaient la lumière parmi mes cheveux coupés, mais dans chaque fragment, il y avait le visage d'Anneke qui me regardait.

22

Vendredi. Pour la première fois, Isaak s'était endormi à côté de moi dans le lit étroit, sa cuisse longue et ferme reposant entre les deux miennes. J'aurais pu rester ainsi la vie entière, peau contre peau, mon souffle soulevant doucement la toison de sa poitrine, la pluie battant contre les carreaux, dure comme des poignées de clous. Mais Isaak se réveilla et s'assit au bord du lit.

— Reste avec moi, lui dis-je. Ne va pas travailler. Nous avons tellement peu de temps.

Il se frotta le visage pour sortir de sa torpeur.

— Je reviendrai après l'office. Il nous reste une semaine.

Il partit donc, et la tempête qui faisait rage rendit l'attente encore plus insupportable.

Je m'assis à son bureau pour écrire à mon père. Je m'y repris à deux fois, mais déchirai chacun de mes essais. Je ne pouvais rien lui raconter. Je fis une troisième tentative en restant concise pour qu'il ne lise pas entre les lignes et ne devine pas mes mensonges.

« Mon très cher papa,

« Il y a du nouveau, mais promets-moi de ne pas être triste et de ne pas t'inquiéter. Je dois partir de Schiedam. Par précaution, simplement, et pas pour longtemps. Tu as peut-être entendu dire que de nouvelles interdictions étaient appliquées ici. Isaak et moi, nous pensons préférable que je m'éloigne, et nous avons trouvé un endroit où je serai en sécurité. Comme toujours, j'espère que vous vous rencontrerez bientôt. Je sais qu'il te plaira beaucoup et que maman l'aurait adoré !

« D'une certaine façon, ce départ me soulage parce que vous ne serez plus les seuls à devoir vous cacher et faire des sacrifices. J'ai mené une vie tellement agréable ces dernières années que je commençais à me sentir coupable.

« S'il te plaît, réponds-moi pour me dire comment vous allez. Je n'ai pas eu de vos nouvelles depuis très longtemps et c'est dur de ne pas savoir où vous êtes. Tu peux toujours m'écrire à la même adresse. Tante Mies saura comment me faire parvenir la lettre. Ici tout le monde va bien et t'embrasse. Embrasse mes frères pour moi, qui doivent être de beaux et grands garçons à présent. Levi doit avoir presque neuf ans. Je voudrais tellement le voir. Et c'est difficile de croire que le petit Benjamin a sept ans. La guerre est presque finie, et dès que je le pourrai, je vous rejoindrai.

« Je t'embrasse, ta fille qui t'aime,

« Cyrla »

Je lâchai mon stylo et mes mains se posèrent sur mon ventre plat, peut-être déjà plein de promesses. Et si je n'étais plus le dernier maillon de la chaîne familiale ? Si je portais la prochaine génération blottie en moi, en sécurité ? Je déchirai aussi cette lettre.

J'occupai l'après-midi à dormir, à marcher de long en large, à lire et à manger les provisions qu'Isaak m'avait laissées. Anneke me manquait terriblement. J'avais l'impression de comprendre seulement à cet instant qu'elle était partie. Je pleurai jusqu'à n'en plus pouvoir, puis je pleurai encore. Si seulement je ne l'avais pas laissée seule, ce jour-là ! J'avais cru que tout allait s'arranger, et elle avait commis l'irréparable.

Je tournai dans la pièce, désirant soudain y laisser ma marque. Que faire ? Changer la lampe de place ? Reclasser les livres ? Finalement, je décrochai les reproductions de Léonard de Vinci et les intervertis. Je me demandai quand il s'en apercevrait, et si je serais encore là, ou loin déjà. Une appréhension terrible me prit.

Quand Isaak rentra, je lui annonçai que je ne voulais plus partir.

— Je n'ai qu'à rester ici jusqu'à ce que tu organises mon départ pour l'Angleterre. Ou jusqu'à ce que tu m'obtiennes de faux papiers pour que je puisse me cacher en Hollande.

Isaak s'assit à son bureau. Il feuilleta des papiers, sortit ses lunettes de sa poche, les chaussa, puis les retira pour se frotter les yeux. Son regard s'arrêta sur les reproductions de Léonard de Vinci, et il eut l'air mécontent, mais il ne dit rien. Il semblait épuisé.

— Isaak, tu ne veux pas me répondre ?

— Tu ne peux pas rester ici. Ce serait trop facile de te retrouver.

— Mais personne ne va me chercher. Je suis morte, rappelle-toi.

— J'ai peur de ton oncle. On ne part pas comme ça de chez soi. Il va revenir. J'ai chargé quelqu'un de surveiller la boutique et la maison pour me prévenir. Les Allemands aussi surveillent la boutique. C'est chez moi qu'il pensera d'abord à venir te chercher.

Je m'assis sur le lit et me réfugiai dans le coin, dos appuyé aux deux murs pour mieux résister.

— Il ne me cherchera pas. Au contraire, il sera content d'être débarrassé de moi. Isaak, c'est de ma vie qu'il s'agit. C'est à moi de choisir.

— Nous avons déjà discuté longuement de tout ça. Tu n'as pas le choix. Si Anneke n'entre pas au foyer, il y aura une enquête.

Son ton ne me plut pas. Il me traitait en enfant capricieuse.

— Ça ne marchera jamais, Isaak. Ils verront tout de suite que je ne suis pas Anneke… Tiens, mes yeux ! Tante Mies disait toujours qu'ils étaient du bleu de la mer en hiver, alors que ceux d'Anneke étaient clairs comme la mer en été ! Tu as dit toi-même qu'ils avaient noté la couleur de ses yeux…

Isaak avisa la corbeille à papier, et se pencha pour en tirer mes lettres déchirées. Il eut l'air consterné.

— Tu as écrit à ton père !

— Non. Je me suis rendu compte que c'était trop risqué. Et puis je ne sais plus où envoyer mes lettres.

— Tu ne veux toujours pas comprendre…

— Tais-toi !

— Il faut que ce soit dit ! Tu crois vraiment que tu es libre de ne pas y aller ? Que tout va bien se passer si les nazis découvrent qu'Anneke est morte mais que sa cousine se sert de ses papiers parce qu'elle est juive ? Il y a eu des rafles à Enschede la semaine dernière ! Tu le sais, ça ?

— Isaak, non…

— Les prisonniers ont été emmenés au camp de transit de Westerbork, mais ils n'y resteront pas longtemps. Ils seront transférés à Auschwitz. Et tu sais ce qui arrivera là-bas ? Nous venons de recevoir un rapport : les gens sont gazés, tous tués.

— Ce n'est pas vrai, ce n'est pas possible !

— Ça n'a pas été confirmé, mais tu dois ouvrir les yeux. Nous savons très bien ce qui se passe dans les camps ! Est-ce que tu veux courir le risque d'être arrêtée ? Tu veux risquer la vie de ton enfant ? De mon enfant ?

Je lui lançai un regard noir qui le fit taire un instant.

— D'accord, d'accord, grommela-il. Mais il faut que tu comprennes que c'est trop risqué de ne pas te présenter là-bas. Tu n'es pas la seule personne impliquée dans cette histoire.

Je croisai les bras, et me rencognai contre le mur.

— C'est dur de ne pas avoir son mot à dire.

Nous nous tûmes un moment, puis Isaak prit le dossier que lui avait donné ma tante et qu'il avait caché sous une pile de livres. Il vint s'asseoir sur le lit pour l'examiner avec moi.

— Voyons ce qu'il y a là-dedans. Il est temps d'étudier ça de plus près.

Son ton s'étant radouci, je me sentis disposée à faire des concessions. Isaak ne savait montrer son amour que de cette façon : en imaginant le pire, et en veillant sur les autres.

Il sortit les documents, garda une enveloppe et mit le reste de côté. C'était le certificat d'admission d'Anneke au Lebensborn. Il le tint devant moi pour me le faire lire, comme s'il comprenait que je ne serais pas capable de le toucher.

— Tu vois, il n'y a ni mention de la couleur des yeux, ni description physique. Ces détails sont archivés ailleurs. Il faut que tu retiennes les noms en bas de la page, c'est important. Tu vois, celui-ci. Je suppose que c'est cette dame qui a rempli le dossier d'admission d'Anneke. Évite-la si tu peux. Et cet autre nom, là... Inge Viermetz. C'est la grande responsable de l'ensemble des Lebensborn des pays occupés. Mais c'est un tampon. Elle n'était pas présente.

— Tu as l'air de t'y connaître.

— J'ai demandé à un contact en Allemagne de m'expliquer comment fonctionnent les Lebensborn. J'ai reçu les informations hier. On m'a décrit Klosterheide, près de Berlin, mais je pense que tous les foyers doivent fonctionner de la même manière. Les nazis sont comme ça. Ils sont très méthodiques. De toute façon, nous devrons nous contenter de ce que nous savons. Écoute-moi bien, j'ai beaucoup de choses à te dire. Quand une fille fait une demande d'admission, on la soumet à une série d'examens. Anneke les a réussis, nous le savons déjà. Il y a le nom du médecin dans le dossier. Il faudra l'éviter, lui aussi. Mais ne t'en fais pas. Dans le foyer de Klosterheide, les filles ne passent plus d'autre visite avant le sixième mois. Tu seras partie depuis longtemps.

— Mais que se passera-t-il s'ils s'aperçoivent que je ne suis pas la fille qui a été admise la semaine dernière ?

— Les gens voient ce qu'ils veulent voir. Le personnel s'attend à recevoir Anneke vendredi, et tu n'auras qu'à jouer le jeu.

— Mais, mon accent…

— J'y ai pensé. Le personnel est allemand, donc on parle allemand dans le foyer. Tu as appris l'allemand ici, non ? Ça devrait bien se passer.

— Et comment vas-tu me faire sortir ?

— Je t'enverrai une lettre. Elle sera signée du nom de la mère d'Anneke, et annoncera que le vent a fait tomber le pommier. Je préciserai le jour et l'heure où c'est arrivé, lundi à midi, par exemple, et ce sera le jour et l'heure de ton départ. La direction du vent t'indiquera vers où te diriger. Tu sortiras, et quelqu'un t'attendra. Tu as compris ?

Je pris les papiers et les rassemblai.

— C'est très dur de tout quitter une fois de plus.

— Je te donnerais le même conseil si tu étais ma propre sœur. Et je te jure que je viendrai te chercher d'ici quelques semaines… Un mois au plus tard. Je peux presque t'assurer que ça ne sera pas plus d'un mois. Mais au cas où… Est-ce que nous avons… ? Tu crois que tu es enceinte ?

J'avais été choquée qu'il me traite comme si j'étais sa sœur.

— Comment veux-tu que je sache ? C'est trop tôt. Mais, Isaak…

J'essayai d'emprisonner son regard tout en glissant la main vers lui, mais il ferma les yeux.

— Attends, dit-il. Nous n'avons pas fini. Je veux tout mettre au point d'abord.

— Isaak, je ne suis pas ta sœur.

23

Le lundi et le mardi, Isaak partit pour deux jours de réunions à Amsterdam. La solitude faillit me rendre folle et je l'attendis avec une impatience extrême. Pourtant, quand il rentra, j'eus l'impression qu'il n'était pas totalement là. Il me parlait uniquement quand je lui posais des questions, jamais de lui-même. La nuit, nous nous retrouvâmes dans le lit étroit, mais ce que nous y fîmes, nous le fîmes en silence. Je dus me mordre les lèvres pour contenir mon envie de pleurer.

Puis ce fut le mercredi, la veille de notre dernier jour. Je m'éveillai avec une envie frénétique de lui, une avidité insensée. Je compris alors que j'étais enceinte. Mon axe avait changé de centre, comme si un deuxième cœur avait poussé en moi, plus profond que le premier. Ce jour-là, Isaak devait encore assister à des réunions. D'ici à quarante-huit heures, je serais dans le train pour Nimègue, et je ne le reverrais pas avant plusieurs semaines. Cette idée me désespérait. Je descendis sur le matelas, soulevai les draps, et le pris dans ma bouche.

Isaak se réveilla et me repoussa en me regardant comme s'il ne me connaissait pas. Je le comprenais : je ne me reconnaissais pas moi-même. Ou plutôt non, l'étrangère, c'était la jeune fille que j'avais été avant de passer cette semaine avec lui. Une innocente qui ne savait rien de la vie. Qui n'attendait pas d'enfant.

Je posai la tête sur sa poitrine et tirai la couverture sur nous, toujours dévorée par un désir obsédant.

— Isaak…

À présent, sûrement, il allait devoir dire mon prénom. Il n'en fit rien et je le sentis se crisper.

— Tout va bien, dis-je en soulevant la tête pour lui montrer mon sourire. Je suis enceinte.

Il me dévisagea longuement.

— Comment le sais-tu ?

— Je le sais, c'est tout.

— Eh bien… tant mieux. Tant mieux.

Cela ne semblait pas le réjouir autant que moi. Il se dégagea de mon étreinte et se redressa pour s'asseoir sur son lit, coudes sur les genoux, front dans les mains, dans sa position d'inquiétude.

— Mais que veux-tu à la fin ? demanda-t-il. Que veux-tu ?

Je me levai à mon tour, mais résistai à l'envie de m'asseoir à côté de lui car je me rendais compte que je le poursuivais sans cesse alors que lui me fuyait. Je me drapai dans sa couverture et allai à la fenêtre.

— Toi. C'est toi que je veux.

De toutes mes forces, je fis le souhait qu'il se lève et me rejoigne. Mais il ne me regarda même pas. Un bourgeon de peur glacé commençait à éclore dans ma poitrine.

— Il n'a jamais été question de ça ! lança-t-il.

Je devins écarlate. Je courus à lui et m'agenouillai à ses pieds.

— Isaak, je t'aime. Est-ce que c'est si difficile à accepter ? Toi aussi, tu m'aimes.

J'eus beau prendre son visage dans mes mains, rien n'y fit. Il eut un air de regret.

— Non, répondit-il en se libérant avec un soupir. Je t'en prie, Cyrla, ne complique pas tout… Si je pouvais aimer quelqu'un ce serait toi. Ce ne pourrait être que toi. Mais c'est impossible. Ça n'est pas le moment.

La peur enflait en moi, emplissait ma poitrine, pressait derrière mes côtes au point que j'avais du mal à respirer. Dans mon enfance, j'avais été invitée par une amie à une sortie dans le bateau de pêche de son père. Une tempête s'était levée, et nous avions toutes les deux passé l'après-midi terrorisées dans la cale, terrassées par un terrible mal de mer, secouées, ballottées dans l'obscurité. Je ressentais la même chose, heurtée par des coups que je ne voyais pas venir, incapable de trouver un point solide auquel me raccrocher.

Isaak eut la bonne grâce de m'offrir une explication.

— C'est à cause de la guerre. En temps de guerre, on ne peut pas s'attacher aux gens, c'est trop dangereux. Ça crée des complications.

— Quel genre de complications ? Moi je ne pense pas. Au contraire, c'est beaucoup plus dangereux de n'aimer personne en ce moment.

Je lui pris la main et m'assis à côté de lui.

— Aimer, ça donne une raison de vivre. Si ce n'était par amour, pourquoi ferais-tu le travail dont tu te charges ? Pourquoi aider des gens à s'échapper si tu ne trouvais pas important qu'ils vivent leur vie ? Et vivre, c'est aimer les autres.

— Je ne me suis rapproché de toi que pour te permettre de prendre la place d'Anneke.

Mon regard accusateur sembla le gêner.

— Oui… Oui, je l'admets. J'avais envie d'avoir un enfant. Au cas où…

— Mais qui élèvera cet enfant, Isaak ? Quand la guerre sera finie, tu viendras nous chercher en Angleterre, j'espère.

La peur avait tellement grossi qu'elle m'étouffait, mais ces questions, il fallait que je les pose.

— Nous reviendrons en Hollande, n'est-ce pas ? Nous vivrons ensemble. C'était bien ce que tu voulais ?

— Mais réveille-toi ! Tu ne peux pas ouvrir les yeux ?

Il se leva brusquement, me tançant d'une voix dure.

— Par les temps qui courent, c'est beaucoup trop dangereux de faire des projets, trop risqué de compter sur un avenir meilleur. On se rend vulnérable. Moi, je ne veux pas tirer de plans sur la comète.

— Mais tu raisonnes à l'envers ! C'est l'espérance qui donne de la force. Quand la guerre sera finie…

Il enfilait ses vêtements à la hâte.

— Quand la guerre sera finie, coupa-t-il, tu seras en sécurité, et notre enfant sera en sécurité avec toi. C'est de cela que je me préoccupe. Si je suis encore là, je ferai tout pour m'occuper de vous. Mais tu n'imagines pas sérieusement que je vais survivre ? Je suis juif, et je suis un notable juif. Je serai le premier à partir.

— Tu fais partie du conseil.

— Ne rêve pas… À Dubasari, il y a deux semaines, des hommes qui refusaient de siéger au conseil ont été pendus en public. Et puis quelques jours plus tard, onze membres du conseil de Piotrków Trybunalski ont été exécutés parce qu'ils avaient aidé la résistance. Conseil, pas conseil, quoi qu'on fasse, ça ne change rien. Ce qui est dangereux, c'est d'être repérable, et c'est tout.

— Alors quitte le conseil. Tu ne pourras plus aider personne quand tu seras mort. Viens avec moi en Angleterre. Débrouille-toi pour partir tout de suite. J'ai besoin de toi !

— Tu n'as pas autant besoin de moi que ceux que j'aide. Ma place est ici.

— Ta place est avec nous.

Je m'étais levée en laissant tomber la couverture, et je pris la main d'Isaak pour la poser sur mon ventre. Il essaya de la retirer, mais je tins bon.

— Non… Nous avons besoin de toi. Le gouvernement est exilé en Angleterre. Tu pourrais te rendre utile là-bas aussi.

— Ma place est ici, répéta-t-il. C'est mon peuple. Je n'abandonnerai pas ces gens.

Mais moi, tu es prêt à m'abandonner ? Et notre enfant ? Sans exprimer directement cette pensée, je savais qu'Isaak m'entendait comme si j'avais parlé tout haut.

— Tu viens de dire que si tu pouvais aimer quelqu'un, ce serait moi. Anneke pensait qu'il fallait avoir du courage pour aimer. Tu te conduis en héros pour éviter d'être courageux. Isaak, sois courageux.

À cette minute, la main d'Isaak appuyée sur mon ventre, j'eus la sensation d'assister à la naissance de notre famille. Mais il retira sa main et se baissa pour mettre ses chaussures.

— Tu as raison, dit-il sans me regarder. Je ne suis pas courageux. Toi, tu es courageuse. Et c'est précisément pour cette raison que ça ne pourrait jamais marcher entre nous, même si la guerre devait finir demain. Tu n'arrives pas à comprendre ça ?

Tout se mit à tourner autour de moi, dans ce cataclysme qui détruisait ma vie.

— Comprendre quoi, Isaak ? *Comprendre quoi ?*

Il se dirigea vers la porte et se tourna vers moi une dernière fois avant de sortir.

— Moi, je dessine des oiseaux, mais toi, tu as des ailes.

Il revint, mais nous ne parvînmes pas à nous retrouver, ni dans la journée, ni dans la soirée. J'avais l'impression qu'un autre homme vivait en lui. Il ne me touchait plus, me parlait à peine. Il me regarda remettre les reproductions dans leur ordre d'origine sans rien dire.

L'après-midi, quand il partit à deux heures pour une réunion, il m'avertit comme d'habitude de ne pas sortir de la chambre, mais d'une voix dure et froide, jetant les mots comme des cailloux. Je ne répondis pas.

Il rapporta un bocal de soupe et une miche de pain noir. Nous mangeâmes en silence. À un moment, nos doigts se rencontrèrent par inadvertance alors que nous tendions tous les deux la main vers le pain. Nous eûmes un mouvement de recul brutal et réciproque, comme si nous nous étions brûlés. Anneke m'avait promis que, quand nous ferions l'amour, nos corps diraient : « Je te connais. » Elle s'était trompée.

Après le repas, il me raconta son après-midi comme si j'étais une vague connaissance. Des anecdotes sans importance. Mais juste avant de nous coucher, il dit soudain :

— Anneke…

Je lui souris, heureuse qu'il ait envie de me parler et que ce soit de ma cousine.

— Oui, je pense beaucoup à elle. Elle me manque tellement.

— Anneke ! répéta-t-il.

Comprenant ce qu'il cherchait à faire, je ne pus retenir mon bras et je le giflai. J'avais frappé Isaak que j'aimais plus que tout au monde.

— Ne m'appelle pas comme ça !

— Il va falloir t'y habituer. Tu ne devras pas te tromper.

— Je ne me tromperai pas. Là-bas, je répondrai, mais ici, je t'interdis de m'appeler comme ça.

Cet incident me libéra, me rendit indifférente à tout ce qui pouvait m'arriver. Non pas parce que cela m'avait donné du courage, mais parce que je n'en avais plus besoin, au contraire. Rien n'avait plus d'importance puisque, après la disparition de tous ceux que j'aimais, je venais aussi de perdre Isaak.

24

Le jeudi, mon dernier jour, Isaak me laissa seule. Il ne devait pas rentrer avant une heure tardive mais j'en fus soulagée. Je m'assis à son bureau, sa Bible ouverte devant moi. J'essayai de lire, mais je ne comprenais plus l'hébreu. Cela faisait trop longtemps. Je marchai de long en large. Je regardai par la fenêtre. Je voulus prier, mais ne me souvins d'aucune prière qui conviendrait. Dieu n'avait pas prévu ce genre de situation.

Le soir venu, j'enfilai le pardessus d'Isaak, pris le vélo de l'avocat, et pédalai dans la nuit sans lune. Cette dernière année, depuis le rationnement, les gens chassaient leurs chiens de chez eux. On les voyait rôder dans les rues, affamés, les flancs creux. Je fus poursuivie par trois d'entre eux qui se ruaient vers moi puis battaient en retraite. Sentaient-ils que moi aussi j'avais été abandonnée ?

Une obscurité épaisse et silencieuse couvrait la maison de ma tante comme un linceul. J'entrai par la cuisine et allumai une bougie. J'eus l'impression que le néant se pressait autour de la flamme pendant que je montais dans ma chambre. Ou plutôt dans la chambre d'Anneke.

Il faisait froid dans la maison, mais là plus qu'ailleurs. Cette pièce ne se réchaufferait jamais plus. Je restai un long moment sur le seuil, respirant l'air glacé. J'avais l'impression d'inspirer des couteaux. L'odeur de sang ne s'était pas dissipée, et la haine que je ressentais pour Karl reprit de la vigueur. Je ne lui pardonnais pas de nous l'avoir volée. Je le tenais pour responsable de tout.

Prenant garde de ne pas faire passer la lueur de la bougie sur le lit d'Anneke à présent dépourvu de matelas, je traversai la pièce. Les quelques livres que je possédais se trouvaient encore sur mon étagère. Je pris mon vieux *Lettres à un jeune poète* de Rilke et le fourrai dans la poche du pardessus d'Isaak. J'ouvris ensuite ma commode avant de me souvenir que ma tante avait déjà effacé toute trace de mon passage. Mais il restait quelque chose. Je soulevai mon matelas et sortis de sa cachette ma boîte à cigares. J'en retirai la photo de ma famille et le petit écrin qui contenait l'alliance de ma mère, ses boucles d'oreilles en rubis et sa barrette en ivoire. Elles rejoignirent le livre dans ma poche. Je serrai contre mon cœur les bougeoirs de shabbat en argent que mon père m'avait fait parvenir tant d'années plus tôt, malheureuse de ne pouvoir les emporter. Je les posai sur l'étagère, puis sortis mon dernier trésor : les lettres que mon père m'avait envoyées en Hollande.

Il y en avait onze en tout. Onze seulement. Tout en haut de la dernière, il avait noté la date de la fermeture du ghetto. Je la connaissais par cœur, mais je ne retrouvais souvent de paix qu'en tenant le papier dans mes mains et en lisant l'écriture de mon père : *Nous sommes tous les quatre en lieu sûr. Cela me réconforte infiniment de savoir que, toi aussi, tu es à l'abri du danger.* Il serait trop dangereux d'emporter ces lettres, je décidai donc de les laisser avec les bougeoirs. Ma tante saurait où les cacher.

Je me tournai ensuite vers la coiffeuse d'Anneke et ouvris la boîte en marqueterie où elle rangeait ses bijoux. Je touchai l'or et l'argent qui avaient perdu leur éclat, privés de la lumière de sa peau, et je choisis la paire de boucles d'oreilles en pierre de lune qu'elle portait encore si récemment.

— Pardon, murmurai-je en refermant le coffret.

Je pris aussi un mouchoir et son vernis à ongles rouge cerise. Il faudrait que je me contente de ces maigres souvenirs pour me soutenir.

À la porte, je me tournai une dernière fois pour regarder la pièce qui ne contenait plus rien de moi sauf quelques livres, les bougeoirs et… Je courus à l'étagère, me saisis de la dernière lettre de la pile, la plongeai dans ma poche et partis dans la nuit comme une voleuse.

Mais je n'avais pas envie de retourner dans la chambre d'Isaak. Je décidai d'aller à la boutique de mon oncle. Je mis pied à terre dans la ruelle et laissai mon vélo, me demandant si je verrais quelque chose à l'intérieur. Je me collai à la vitrine en mettant les mains autour de mes yeux. Rien ne bougeait. Il faisait très noir à l'intérieur ici aussi, comme si l'obscurité s'était accumulée pendant la semaine écoulée. Mon oncle n'était pas rentré. Alors que j'allais m'éloigner, je perçus un reflet dans la vitre noire, et l'instant suivant, une main gantée se plaqua sur ma bouche. Un bras me saisit par le cou alors qu'une odeur d'huile de moteur, reconnue trop tard, me suffoquait, mêlée à des relents de bière rance et de fumée de cigarette.

— Petite garce ! siffla l'*Oberschütze* à mon oreille.

Le temps n'avait fait qu'alimenter sa rancœur. Je hurlai en essayant de me libérer, mais il m'attrapa par les cheveux et me tourna violemment la tête pour me faire taire d'une gifle assenée du revers de la main. Je sentis ma lèvre se fendre.

Il me traîna dans l'étroit passage qui longeait la boutique, me jeta par terre et me maintint, un genou sur la poitrine, une main sur la gorge. Je fus paralysée de terreur en me souvenant de la lettre que j'avais dans la poche, puis je pensai à l'enfant que je portais peut-être, et je recommençai à me débattre. Mes cris et mes coups de poing ne l'empêchèrent pas d'arracher le gant de sa main droite avec les dents. Je tentai de lui griffer le visage, mais il réagit avec la vitesse d'une vipère, et plongea son gant dans ma bouche. Comme je redoublais d'efforts pour me libérer, il l'enfonça plus profondément, à m'étouffer. Il m'attrapa le bas du visage d'une main d'acier et me retint, tête en l'air, doigts enfonçant le gant, pouce enfoncé dans la chair de mon menton, tout en ouvrant son pantalon. En une seconde il fut sur moi, m'écrasant les cuisses avec le genou, s'appuyant de tout son poids sur la main qui me tenait à la gorge. Je m'arc-boutai en serrant les jambes, mais il appliqua une telle pression que je ne pus que les ouvrir, incapable de résister. C'était prendre une hache pour fendre une pêche. Il me pénétra avec une violence atroce, comme si l'objet de sa colère était logé au fond de moi.

J'eus cette pensée : *Il veut me tuer de l'intérieur.* Mais je me préoccupais surtout de survivre car je n'arrivais plus à respirer. Des sifflements s'échappaient de ma gorge, des râles qui ne me permettaient que d'inspirer un filet d'air. Les secondes passant, je perdis peu à peu conscience de ce qui m'entourait. La sauvagerie du SS s'estompait alors que les battements de mon cœur prenaient le dessus, frappant de plus en plus fort, comme un poing. Les bruits de l'agression et même ceux de ma suffocation furent couverts par le rugissement furieux de mon sang qui fouettait mes tempes. Envahie par la panique, je ne vis plus que du rouge, comme si mes yeux avaient explosé. Puis le rouge vira au noir, et je perdis connaissance avec soulagement.

Tout d'abord, je ne sentis que le bienfait miraculeux de l'air frais qui pénétrait dans ma gorge meurtrie et dans mes poumons en feu. Je pris de grandes inspirations, avide d'oxygène. Un goût de sang et de cuir détestable m'emplissait la bouche. Je crachai, puis, la mémoire me revenant, je me figeai. Un bruit de bottes monta dans l'obscurité. Il partait. C'était fini.

Mais je me trompais. Il revenait au contraire, et se pencha sur moi avec une rage qui brûlait comme une flamme. Il récupéra son gant qui était tombé près de mon cou, l'essuya contre sa cuisse, puis le remit, le faisant claquer contre son poignet en me toisant avec une dureté terrifiante. Je n'avais jamais été l'objet d'une telle haine. Il se pencha de nouveau sur moi et me cracha au visage.

Il partit enfin. Arrivé au coin de la ruelle, il s'arrêta pour allumer une cigarette, puis il traversa et disparut. J'entendis une porte s'ouvrir et se refermer, mais je n'arrivais toujours pas à bouger. J'attendis de ne plus entendre le moindre bruit avant d'essuyer le crachat sur ma joue et de me redresser.

Je plongeai la main dans ma poche. L'écrin qui contenait l'alliance et la barrette de ma mère y était encore, ainsi que la photo. Je trouvai une boucle d'oreille d'Anneke… mais pas l'autre. La lettre de mon père aussi avait disparu. Je tâtonnai autour de moi, et avançai lentement à quatre pattes en explorant le sol de mes mains tremblantes. Je retrouvai d'abord la boucle d'oreille, puis la lettre au pied du mur.

Cela me réconforte infiniment de savoir que, toi aussi, tu es à l'abri du danger.

25

— Où étais-tu passée ? Quelqu'un aurait pu te reconnaître ! Tu te rends compte de ton imprudence... ?

Isaak se tut en apercevant mon visage et sa colère se teinta d'inquiétude, mais à peine. Il voulut me toucher la bouche, mais je le devançai en couvrant ma lèvre ouverte. Quand il enleva ma main pour m'examiner, je vis qu'un petit cœur sanglant s'était imprimé sur ma paume.

La chaleur et la lumière me donnaient le tournis. Je me laissai tomber sur le lit, contemplant cette trace rouge sans bien comprendre. J'avais l'impression qu'Anneke était assise à côté de moi, et qu'elle venait d'embrasser ma paume après avoir appliqué du rouge sur ses lèvres. Que m'avait-elle prédit ? Que nous aurions chacune dix enfants et que nous vivrions jusqu'à cent ans et serions très heureuses. Je me la représentai soudain enfouie au fond de sa fosse – de la terre dans ses jolis cheveux, de la terre dans ses jolies dents, régulières et blanches comme des morceaux de sucre, de la terre plein les narines qui l'empêchait de respirer. Anneke avait cessé de se battre elle aussi. Je levai les yeux vers Isaak, et j'eus l'impression qu'il tremblait, mais seulement parce que des larmes remplissaient mes yeux.

— Qu'est-ce qui t'est arrivé ?

— Je ne pouvais plus respirer...

J'avais répondu sans réfléchir. Je détournai la tête.

— Comment ? Quand ça ?

Il me souleva le menton pour m'obliger à le regarder. J'eus un geste de douleur.

— Que s'est-il passé ? répéta-t-il en me faisant tourner la tête pour voir le côté de ma mâchoire. Tu as une marque, là. Et sur ton cou aussi.

Il se pencha pour examiner mes genoux et brossa les gravillons qui y étaient incrustés.

— Tu es tombée de vélo ?

Je voulus tendre la main vers lui, mais voyant à quel point elle était instable, je la laissai retomber.

— Je voudrais me laver.

Je n'arrivais pas à lui raconter ce que j'avais subi. J'avais peur… j'avais peur qu'il veuille retrouver le SS pour me venger. Non, j'avais surtout peur qu'il ne le fasse pas.

— Je vais me laver.

On frappa à la porte. Isaak amorça un geste pour aller ouvrir, mais le rabbin Geron apparut sur le seuil sans attendre d'y être invité. Il ne dit rien en me voyant, mais me considéra d'un air étrange, puis il dit à Isaak qu'on le demandait au téléphone.

Isaak le suivit. J'en profitai pour prendre des serviettes et pour aller à la salle de bains. J'ouvris le robinet d'eau chaude à fond. Pendant que la baignoire se remplissait, je mouillai un coin de serviette et me frottai pour chasser le SS de mon corps, l'éloigner de mon enfant, l'extirper de notre intimité.

J'entrai dans l'eau et me laissai couler sous la surface. Je fus submergée, le poids de l'eau aussi implacable qu'une main gantée sur mon visage. Je jaillis à l'air libre en respirant à pleins poumons.

Je me frottai ensuite avec le gant rêche et le savon grumeleux au point que mes coupures me brûlèrent, jusqu'à sentir le sang battre dans mes meurtrissures, en insistant sur tous les endroits que le SS avait touchés jusqu'à les écorcher.

Mais peine perdue.

Quand je retournai dans la chambre, je compris à son expression qu'Isaak savait ce qui était arrivé.

— Je viens d'avoir l'homme à qui j'ai demandé de surveiller la boutique au téléphone.

Je refermai derrière moi et m'appuyai à la porte.

— Il a vu ce qui s'est passé ?

— Oui. Tout.

— Et il n'est pas intervenu ?

— Que voulais-tu qu'il fasse ? Tu n'aurais jamais dû…

— Tais-toi ! Tu n'as pas honte de me faire des reproches ?

Isaak resta un long moment les yeux fixés sur moi, ravalant, à n'en pas douter, une avalanche de paroles trop dures.

— Tu veux voir un médecin ? demanda-t-il enfin.

— Non.

Je comprenais que l'événement qui diviserait ma vie en deux ne serait pas la première fois qu'il m'avait tenue dans ses bras, mais la journée qui venait de s'écouler. Heureusement, dès le lendemain j'allais quitter mon existence. Ce que j'avais enduré ce soir ne serait pas arrivé à la personne dont je m'apprêtais à voler l'identité.

— Donne-moi plutôt une aiguille, lui dis-je.

— Pour quoi faire ?

— Fais ce que je te demande.

Il quitta la chambre, intrigué, et revint avec une aiguille et du fil noir. Je me débarrassai du fil sur le lit et lui rendis l'aiguille, puis sortis de ma poche les boucles d'oreilles d'Anneke que je lui tendis également.

— Ça va te faire mal, avertit-il.

— Justement, c'est ce que je veux.

Il alluma une allumette et désinfecta l'aiguille en la rougissant dans la flamme, puis le crochet des boucles d'oreilles.

— Celle-ci est cassée, remarqua-t-il.

Je lui pris la petite boucle d'oreille des mains. La pierre était tombée et le filigrane en or écrasé.

— Non, elle n'est pas cassée. Elle est abîmée, mais pas irréparable, dis-je en la lui rendant.

Quand il enfonça l'aiguille chaude dans le lobe de mon oreille, je ne ressentis aucune douleur.

Je dormis à peine. Je tentais de me rassurer en me répétant que j'étais déjà enceinte, que j'en avais eu la certitude. Dès les premières lueurs de l'aube, je descendis du lit sans bruit et allai m'asseoir sur le bord de la fenêtre, m'étant munie du morceau de velours que j'avais emporté en descendant du toit. Comme ce jour me semblait lointain ! Profitant de ce que j'avais du fil et une aiguille, je cousis une sorte de pochette, fermée par un cordon fabriqué avec la ficelle qui avait entouré les papiers d'Anneke. Je vidai ensuite la poche du pardessus de son contenu : le vernis à ongles d'Anneke et son mouchoir, les bijoux de ma mère et sa barrette. L'enveloppe de la lettre de mon père étant à présent froissée et souillée par l'empreinte d'une botte, je la déchirai et la jetai. Quant à la lettre, je la pliai en quatre et la rangeai dans la pochette avec le reste. J'y ajoutai un petit bout de crayon noir trouvé sur le bureau d'Isaak, puis j'accrochai ce trésor autour de mon cou et m'habillai. À presque vingt ans, je ne possédais rien d'autre au monde.

Isaak se réveilla.

— Ça va ?

Je lui jetai un regard de reproche, incapable de répondre.

— Je voulais dire… Te sens-tu capable de faire le voyage ?

J'appuyai les mains sur mes yeux, puis fis signe que oui. Ensuite, j'allai m'asperger le visage avec l'eau du broc et rafraîchir mes lobes brûlants. Il ne me restait plus qu'à ranger ma chemise de nuit dans la valise que ma tante avait préparée pour moi. Isaak voulut me rappeler les petits détails que je ne devais pas oublier, me remettre en mémoire le déroulement de la journée. Je le fis taire. Il arriverait ce qui arriverait. Nous n'y pouvions plus rien, ni lui ni moi.

— Je ne te demande qu'une chose, Isaak, viens me chercher.

Je partis seule et sans bagages avant qu'il ne fasse tout à fait jour. Je pris le tram jusqu'à Scheveningen avec des soldats dont la vue fit remonter des souvenirs suffocants d'odeurs d'huile de moteur. Je finis le trajet yeux fermés, agrippant d'une main la pochette de velours que je portais autour du cou.

Isaak m'attendait à la gare où il m'avait apporté ma valise. Nous fîmes semblant de ne pas nous connaître, et, juste avant le départ pour Nimègue, il approcha d'un pas nonchalant et posa la valise entre nous.

— Dieu soit avec toi, dit-il. Je viendrai te chercher dès que ce sera possible. N'oublie pas : tu recevras une lettre qui te dira où me rejoindre.

Je ne répondis rien parce que l'envie de l'embrasser était trop forte, et je ne fis pas un geste de peur que mes bras ne me désobéissent et ne veuillent le retenir.

— Je viendrai très vite, je te le promets, répéta-t-il.

Je pris la valise et montai dans le train. Je choisis une place tout au bout du compartiment, pour ne pas être tentée de regarder sur le quai s'il attendait le départ. Je m'appuyai contre la vitre et regardai devant moi. Des nuages de pluie assombrissaient l'horizon.

26

Il plut toute la journée. Le long de la voie ferrée, les fossés et les cratères de bombes remplis d'eau brune défilaient derrière la vitre grise, traits et points se succédant tel un boueux message en morse. Une fois arrivée, j'attendis sur un banc, contemplant les champs inondés et songeant qu'il n'y avait rien de plus triste qu'une gare sous la pluie. J'avais les yeux secs. À quoi bon pleurer ?

En voyant arriver deux SS, j'eus un sursaut de terreur et je portai la main à ma lèvre tuméfiée. Mais ça ne pouvait pas être l'*Oberschütze*. Lui, je ne le reverrais jamais. C'étaient deux sergents. Ils m'aperçurent et se dirigèrent vers moi. J'avais donc passé ce premier test.

— Anneke Van der Berg ?

— Oui, répondis-je, soulagée par ce mensonge.

Le soldat qui avait parlé jeta un regard dubitatif à mon ventre plat, mais il prit mes papiers tandis que l'autre, un homme plus grand au visage long et étroit, se chargeait de ma valise. Je les suivis à leur voiture et pris place à l'arrière avec ma valise. À l'avant, les deux SS parlaient d'un arrivage de pneus neufs. Ou plutôt, c'était le conducteur qui parlait. L'autre, le plus grand, se contentait de hocher la tête et d'approuver, comme s'il était son subordonné alors qu'ils avaient le même grade. Je les écoutai, sur mes gardes, essayant de me convaincre que j'étais Anneke et que, placée sous la protection de son charme, aucun danger ne pouvait plus me menacer.

J'étais loin d'y croire.

Les arbres défilaient, masses de feuilles bruissantes trempées par une pluie de plomb. L'hiver arrivait. Mais quand il serait là, je serais certainement en lieu sûr. Je ne devais pas rester plus de quelques semaines dans le foyer. Cette certitude ne m'empêchait pas de me sentir très oppressée. Au bout d'environ un quart d'heure, je vis un panneau annonçant la frontière.

— Excusez-moi, dis-je aux soldats.

Ils me jetèrent un coup d'œil, surpris par l'interruption.

— Nous avons quitté Nimègue…

Le conducteur me jeta un coup d'œil dans le rétroviseur, n'ayant pas l'air de comprendre.

— Nous avons quitté Nimègue, où allons-nous ?

— Mais à Steinhöring, près de Munich, dit-il comme s'il s'attendait à ce que je le sache.

— Non, vous vous trompez ! Je dois aller au foyer de Nimègue.

L'autre se tourna vers moi.

— Le foyer de Nimègue n'est pas encore ouvert. Qui vous a raconté ça ?

— Mon… Mon père. Faites demi-tour, s'il vous plaît. C'est une erreur.

Le soldat prit des papiers qui se trouvaient à côté de lui et les consulta.

— Non, c'est bien ça, Steinhöring, c'est ce qui est écrit.

Mon cœur se mit à battre si fort qu'il me sembla qu'on aurait pu l'entendre s'il n'y avait pas eu le bruit du moteur.

— C'est trop loin. Je ne peux pas quitter la Hollande.

Même à moi, ce raisonnement sembla puéril.

— Je serai loin de ma famille, insistai-je. Personne ne saura où je suis…

— Vous n'aurez qu'à écrire.

Mais la consigne était claire : pas de lettres. L'adresse d'Isaak n'était pas sûre, et je ne savais pas combien de temps ma tante serait partie, ni quand mon oncle rentrerait.

— Attendez ! Ramenez-moi ! J'ai changé d'avis.

Le grand soldat se tourna de nouveau vers moi. Il étendit le bras le long de la portière arrière, si près de mes yeux que je voyais les poils sur le dos de sa main, et une fine cicatrice blanche en travers du pouce. J'eus un mouvement de recul.

— Nous avons ordre de vous emmener à Steinhöring. Et c'est ce que nous allons faire.

Sa voix était ferme, presque menaçante. Il échangea un regard avec l'autre.

— Nous devons vous y conduire directement ajouta le conducteur en accélérant. Il y a un panier de pique-nique pour vous à l'arrière. Vous êtes plus gâtée que nous.

J'eus envie d'ouvrir la portière et de prendre le risque de me jeter dehors, mais nous étions sur une route principale à présent.

Pourquoi mon oncle avait-il dit à Anneke qu'elle irait à Nimègue ? Les Allemands lui avaient-ils menti ? Ou… un père pouvait-il en vouloir à sa fille au point de la bannir de son propre pays ?

Les questions affluaient aussi vite que défilait le paysage.

Nous atteignîmes trop vite la frontière. Nous ne nous arrêtâmes que le temps d'une brève formalité. Un garde frontière en uniforme brun se pencha à la fenêtre, dit quelques mots et vérifia nos papiers. Je me désespérais de n'avoir pas pensé à ramasser quelque chose à Schiedam, une pierre, une brindille, n'importe quelle amulette. Je l'aurais serrée si fort qu'elle se serait incrustée dans ma main.

J'étais en Allemagne, et Isaak l'ignorait.

Nous repartîmes vers le sud à un train d'enfer. La route montait, laissant derrière nous les champs détrempés de Hollande, mais nous avions beau prendre de l'altitude, mon cœur, lui, tombait au fond d'un puits. Nous croisions des convois de camions et de Kübelwagen, de lentes processions de chars. Il n'y avait aucun civil, pas même à vélo ou à pied.

On ne voyait que des militaires. C'était un pays de soldats. La voiture m'enfonçait, impuissante et glacée, dans la gueule de la nation ennemie.

Non, je devais réagir. Je touchai la petite boucle d'oreille en pierre de lune accrochée à mon lobe endolori, puis me penchai entre les deux SS, un sourire contraint aux lèvres.

— Vous aviez raison, dis-je d'une voix penaude, je vais écrire à ma famille. Avez-vous un papier et un stylo ? Je voudrais le faire tout de suite pour la poster le plus vite possible.

Le conducteur me passa son stylo. L'autre glissa la main sous son siège et en ressortit un calepin dont il arracha une feuille.

— Vous n'avez qu'à écrire des deux côtés.

Je le remerciai, puis tirai ma valise vers moi pour m'y appuyer. *Chère maman et cher papa*, écrivis-je en lettres assez grosses pour être lues s'ils regardaient vers l'arrière. *On ne m'emmène pas dans le foyer où je devais aller.* Puis, en toutes petites lettres en dessous, je notai : *Poste frontière de Beek. E, S.-E, puis E en passant par Essen. Rives du Rhin.*

Je mangeai une partie du pique-nique qui m'était destiné, enveloppai le reste et le mis dans ma poche. Nous nous arrêtâmes une fois sur une petite route pour que les soldats puissent satisfaire un besoin naturel.

— Vous pouvez sortir si vous voulez, proposèrent-ils. Allez derrière la haie.

J'aurais bien tenté de fuir, mais en dehors de la haie des bas-côtés, nous étions en rase campagne, et j'avais vu briller l'acier d'un revolver à la ceinture du conducteur. Et puis, même si j'arrivais à leur fausser compagnie, où irais-je avec dix florins en poche ? Je fis signe que c'était inutile, et nous reprîmes notre route.

Nous suivions le Rhin. Les contreforts des montagnes devenaient de plus en plus abrupts de part et d'autre du fleuve. En sortant de derrière les nuages, le soleil illumina des sommets enneigés au loin. Le paysage était grandiose, beaucoup plus beau que ne le laissaient supposer mes livres de géographie, mais plus dur, aussi, que celui de ma douce Hollande. Le fleuve lui-même était romantique, enveloppé d'une brume vaporeuse qui estompait les formes et rendait mystérieux les vignobles en terrasse et les villages accrochés à flanc de coteau. Le Rhin traversait aussi les Pays-Bas, si bien que sa présence me réconfortait un peu chaque fois que ses méandres nous le laissaient entrevoir en contrebas, tel un fil d'argent qui me reliait à mon pays. Ce repère familier ne me trahit qu'une seule fois, quand, son cours s'étant élargi, une île apparut dans le courant. En son milieu, se dressait un château de pierre sorti tout droit d'un pays de légende. Je le contemplai au passage, gagnée par une terrible appréhension. Les châteaux de contes de fées renfermaient bien des terreurs, bien des dangers.

Bonn, vers l'est, Coblence. J'étais Gretel semant ses miettes de pain.

Au milieu de l'après-midi, les SS décidèrent de faire une halte à Wiesbaden. Ils connaissaient la ville pour avoir participé à la mise en place d'un nouveau foyer qui devait ouvrir ses portes prochainement. Ils avaient leurs habitudes dans une certaine auberge.

Nous nous garâmes devant la porte, mais avant d'entrer, ils voulurent aller acheter des cigarettes chez un marchand de tabac au bout de la rue. Je dus les accompagner, et j'avançai entre mes deux gardes quand je vis quelque chose qui me terrorisa.

Des taches jaunes s'étalaient sur le côté gauche des manteaux comme des jonquilles. Ce fut d'ailleurs ce que je crus d'abord : je pensai que les gens se promenaient avec des jonquilles au revers en signe d'espoir pour se donner du courage contre les rigueurs de la guerre. Mais alors que nous approchions d'un couple de personnes âgées, je vis qu'il s'agissait d'un morceau de tissu de mauvaise qualité, dont la couleur, d'ailleurs, était trop crue pour être naturelle. Puis en grosse écriture gothique, le mot *JUDE* au centre me sauta aux yeux. Isaak m'avait parlé des étoiles jaunes, et m'avait dit que les Juifs devraient aussi les porter à Schiedam bientôt. Le couple se blottit sous un porche à notre passage, tête baissée. Je sentis une brûlure au côté gauche.

— Que se passe-t-il ? demanda le plus grand des deux SS.

Il s'était arrêté, alarmé, et je me rendis compte que j'avais la main crispée sur le cœur.

— Rien, tout va bien.

Je me forçai à laisser retomber ma main, m'étonnant presque que mon manteau ne soit pas entré en combustion.

Dans le restaurant, je m'excusai et me rendis aux toilettes. Je bus de l'eau froide au robinet, puis m'agrippai au rebord du lavabo, fascinée par le reflet de mon visage dans le miroir. Mon visage à moitié juif. « Personne ne sait. Non, personne ne sait. »

Je restai ainsi un moment, tremblante, jusqu'à ce que des coups frappés à la porte ne me fassent sortir de ma transe.

C'était le conducteur.

— Ça va ? Le repas est servi.

Ils avaient commandé des saucisses, de la soupe et du pain, mais je ne pus rien avaler. Je ne pouvais même pas soulever ma tasse de thé tant mes mains tremblaient.

27

Il avait recommencé à pleuvoir. Front appuyé contre la vitre, je repensais à une scène de mon enfance : ma mère était venue me consoler parce que, malheureuse de ne pas pouvoir sortir, je regardais tristement tomber la pluie. « Pluie qui tombe aujourd'hui ne tombera pas demain », avait-elle dit en me posant la main sur l'épaule. Plus tard, j'avais appris la signification de ce proverbe, mais ce jour-là je l'avais repoussée en protestant que c'était tout de suite que je voulais me promener.

Les soldats n'eurent pas besoin de m'avertir de notre arrivée. Je le compris en voyant le mur de granit couvert de lierre qui entourait la propriété. On ne distinguait pas le bâtiment, mais les deux lettres S stylisées en fer forgé qui ornaient les grilles ne me laissèrent aucun doute. La première fois que je les avais vus, ces doubles S m'avaient semblé être des traces de morsure, comme des marques laissées par les dents d'un loup dans la gorge de sa victime. Un mirador blanc s'élevait sur le côté de la grille ; dans un conte de fées, on en aurait fait un donjon dans lequel on enfermait les jeunes filles. Dans le crépuscule pluvieux, je vis des champs s'étendre tout autour de nous, jusqu'aux montagnes qui se dressaient à l'est et au nord. Ici, il ne serait pas question de s'éloigner discrètement dans la forêt.

Le conducteur s'arrêta devant une guérite et fit un appel de phares. Un garde en sortit en boutonnant son imperméable et s'approcha de la portière avant. Ses bottes boueuses, luisantes de pluie dans la lumière blafarde, semblaient couvertes de sang comme les bottes du boucher polonais de mon enfance. Il se baissa pour parler au conducteur qui descendit sa vitre, confirmant que j'étais attendue. Ensuite, il tira un registre à couverture de cuir noir de sous son manteau, l'ouvrit, et le consulta. Dans la lueur du tableau de bord, ses yeux brillaient comme ceux d'un loup, bleu de glace.

Il se tourna vers moi.

— Anneke Van der Berg ?

— *Ja.*

J'avais beaucoup de mal à mentir, maintenant.

— Date de naissance ?

— 8 juillet 1919.

J'espérais ne pas avoir hésité.

Il hocha la tête, nous fit signe d'avancer dans l'allée et nous suivit à pied.

Quand je descendis de voiture, je vacillai sur mes jambes.

— Ça ne va pas ? demanda le garde en me rattrapant par le bras.

Je me dégageai brutalement tellement son uniforme m'horrifiait. Plus un seul SS ne me toucherait jamais.

Dès la porte franchie, on tombait sur un bureau en bois massif, aussi imposant qu'un deuxième mur, derrière lequel était accrochée une photo de Hitler. En dessous était assise une dame au chignon gris acier formé de tresses aussi serrées que les amarres d'une péniche sur un quai. Elle se leva et fit un salut au conducteur et au garde ; elle était aussi grande qu'eux. L'aigle nazi brillait à son revers. Je reculai d'un pas.

— Bonjour, *Frau* Klaus. *Heil Hitler*, dit le conducteur en lui tendant mon dossier.

Elle le compara à des papiers qui se trouvaient devant elle. Je leur tournai le dos pour leur cacher mon visage de menteuse.

Le long d'un mur s'alignaient d'autres photos de Hitler. Il recevait un bouquet des mains d'une fillette vêtue d'une robe blanche ; bras tendu, il saluait une mer de soldats ; il passait en voiture découverte devant des foules d'Allemands qui agitaient leurs mouchoirs. Il y en avait plusieurs autres de Heinrich Himmler qui, comme Isaak me l'avait appris, était le commandant en chef des Lebensborn. En face, je vis des affiches représentant des mères avec leurs enfants. LES MÈRES DE SANG PUR SONT SACRÉES ! disait l'une. LE BERCEAU EST PLUS FORT QUE LES CHARS ! disait une autre. Je n'arrivai pas à les regarder longtemps.

Le sol à losanges noirs et blancs brillait sous la lumière d'un lustre. Je n'avais plus l'habitude d'avoir autant de lumière le soir. À côté de moi, un guéridon en acajou sentait l'encaustique citronnée, odeur familière chez nous, par-dessus laquelle flottait un riche arôme de rôti de porc, que je n'avais pas senti depuis longtemps. À cela se mêlaient des effluves de pain qui cuisait dans un four, additionnés d'une note sucrée, vanillée. Le parfum d'Anneke. Mais Anneke, maintenant, c'était moi. Sur le guéridon était posé un énorme bouquet de chrysanthèmes roses et blancs, et, devant, une coupe de fruits : reinettes, poires rouges et brillantes, gros raisins si foncés qu'ils semblaient tout à fait noirs. Et tout cela n'était qu'une décoration pour le hall d'accueil... Depuis quand n'avais-je pas vu un tel luxe ?

— Suivez-moi, ordonna *Frau* Klaus d'un ton autoritaire.

Des femmes qui s'exprimaient comme des hommes. À cela aussi il faudrait s'habituer. Elle sortit de derrière son bureau et traversa le hall. Je refrénai un désir subit de crier *Attendez ! Attendez !* À quoi bon ? Je suivis sa haute silhouette dont les talons claquaient sur les dalles de marbre. Nous montâmes un escalier, puis prîmes un long couloir qui tournait plusieurs fois. Elle frappa à une porte ouverte marquée du numéro 12B. Notre arrivée avait dérangé une fille qui était allongée sur un lit, les jambes remontées par des oreillers. Elle fit mine de se lever, mais elle y renonça, écrasée par le poids de son ventre énorme.

— Leona, je te présente Anneke, ta nouvelle camarade de chambre. Explique-lui les habitudes de la maison.

Ces brèves présentations faites, *Frau* Klaus nous laissa.

— Je te demande pardon, mais je ne peux pas me lever, dit Leona en faisant la grimace. J'ai l'impression que je ne pourrai plus jamais m'asseoir de ma vie. Installe-toi, fais comme chez toi. Ton lit est là, comme tu peux le voir, ajouta-t-elle en montrant le mur du côté de la fenêtre. Et ta commode est dans le coin. Celle qui est vide évidemment. J'espère que tu as apporté des magazines.

J'étais aussi paralysée que je l'avais été cinq ans auparavant sur le seuil de la chambre de Schiedam, la main crispée sur la poignée de ma valise, redoutant de m'effondrer si j'entrais.

Leona fit un effort surhumain pour se lever et vint me prendre la valise des mains pour la poser par terre.

— Je vis ici depuis tellement longtemps que j'ai tendance à oublier à quel point ça peut être intimidant. Entre, assieds-toi.

Elle prit place sur mon lit et tapota le matelas à côté d'elle pour me faire signe de l'imiter.

— Je suis seule dans cette chambre depuis plusieurs semaines.

En m'asseyant, je recouvrai l'usage de la parole.

— Il n'y a pas beaucoup de pensionnaires ?

Cette question était surtout destinée à la faire continuer parce que cela me réconfortait d'entendre une voix jeune et féminine parler le hollandais… Il me semblait que ça ne m'était plus arrivé depuis des siècles. Depuis qu'Anneke nous avait quittés.

— Il n'y a pas beaucoup de Hollandaises. Ils tiennent à regrouper les filles de même nationalité, mais en fait, nous sommes presque au complet. D'où viens-tu ? Tu as un accent.

J'eus un accès de panique qui heureusement passa.

— Je suis née en Pologne. Combien y a-t-il de filles, ici ?

— Environ cent vingt, cent trente.

Je dus paraître effarée car elle me rassura.

— Ce n'est pas autant qu'on pense. D'abord, beaucoup sont dans l'aile des jeunes mères. On ne les voit quasiment jamais sauf dans le jardin avec leurs landaus qu'elles poussent d'un petit air fiérot comme si c'était une sorte de prodige de donner naissance à un bébé allemand. Pourtant elles se sont juste fait mettre en cloque, ça n'était pas bien compliqué. Nous sommes toutes logées à la même enseigne.

Elle se rallongea, puis se tourna lourdement sur le côté pour m'examiner.

— D'où viens-tu ?

— De Schiedam, et toi ?

— D'Amsterdam.

J'avais de la chance. Les filles de la campagne étaient moins ouvertes. Leona me parlerait plus volontiers et me donnerait plus d'informations. Elle semblait d'ailleurs franche et généreuse. Elle avait un visage rond creusé de fossettes qui semblait constamment réprimer un rire. Sa coiffure, cheveux ondulés et tenus par des barrettes sur les côtés, ressemblait à celle des vedettes de cinéma américaines.

— Combien sommes-nous à ne pas avoir encore accouché ?

— Environ soixante-dix pour l'instant. Mais certaines sont mariées, ce qui veut dire qu'elles ne se mélangent pas aux autres parce qu'elles s'estiment infiniment supérieures et… Tu n'es pas mariée au moins ? Non, c'est plutôt rare pour des filles comme nous... Enfin bref, certaines Allemandes, elles, ont des maris. Sauf qu'en général, les maris sont partis sur le front de l'Est et ne sont pas les pères. C'est pour cette raison qu'elles viennent se cacher ici, et que personne ne doit donner son nom de famille... Secret d'État.

— Combien sommes-nous des Pays-Bas ?

— Six en plus de nous. En nous comptant toutes les deux, ça fait huit. Mais Resi doit bientôt partir. Elle aurait déjà dû accoucher. Et il y a aussi trois Belges et deux Françaises. Ici, tout le monde doit parler allemand sauf dans les chambres. Tu parles bien allemand ?

— Je me débrouille.

— Moi, j'ai eu du mal. J'ai fait des progrès.

Elle se redressa sur un coude et désigna mon ventre.

— On ne voit encore rien du tout !

Isaak m'avait préparée à ce genre de réflexion.

— Non, je sais, mais j'ai préféré venir quand même. Chez moi, la situation n'était pas très gaie.

Le regard de Leona s'attarda sur ma lèvre tuméfiée et je vis qu'elle renonçait à me demander des détails.

— Pourquoi leur as-tu parlé si tôt ?

— J'avais cru...

J'eus un coup au cœur en me rappelant la joie d'Anneke quand elle m'avait annoncé la nouvelle.

— Je croyais qu'on allait se marier.

— Ah ! Alors c'était ton premier ! Moi, j'ai de l'expérience maintenant. Et pourtant, on ne peut pas dire qu'ils soient très bons amants. Les Allemands sont les pires. Pas très fantaisistes, tu ne trouves pas ? Tu es enceinte de combien ?

— Deux mois.

Je bombai le ventre et me frottai les reins… comme si elle pouvait être dupe !

— Certaines Allemandes viennent aussi dès le début de leur grossesse. En général, elles commencent par faire partie du personnel. Je n'avais jamais vu d'autres filles comme nous devancer l'appel. Méfie-toi des Allemandes, à propos. Elles nous en veulent parce que leurs hommes se sont abaissés à coucher avec nous. Bon, tu devrais ranger tes affaires. Ça va être l'heure du dîner.

Je me levai et ouvris ma valise. Je mis les chemises de nuit et les sous-vêtements d'Anneke dans la commode, puis ses pulls. Ensuite, j'accrochai ses robes et ses jupes dans la penderie.

— Tu n'as pas apporté grand-chose, remarqua Leona. Tu n'as rien pour plus tard ? Remarque, ce n'est pas grave. Les filles qui partent laissent toujours beaucoup de vêtements de grossesse. Je te donnerai les miens quand je m'en irai, si tu veux. Je ne peux plus les voir en peinture.

— Il te reste combien de temps ?

— Cinq semaines, tu te rends compte ? Je ne tiendrai jamais. Je suis sûre que ce sont des jumeaux, mais le médecin assure qu'il n'y en a qu'un.

J'avais presque fini de vider ma valise. Dos tourné à Leona, j'ôtai la pochette en velours que je portais autour du cou et la cachai au fond dans une brassière jaune qui avait appartenu à Anneke quand elle était bébé.

— Cyrla…, commenta Leona. C'est un prénom intéressant.

Je me figeai, rabaissai lentement le couvercle et me redressai.

Elle feuilletait mes *Lettres à un jeune poète.*

— Je ne connaissais pas.

— C'est polonais. Le livre est à ma cousine. Elle me l'a prêté.

— Moi, j'aime les romans sentimentaux, ajouta Leona en montrant sa table de nuit. J'ai lu tous ceux-là. Tu peux me les emprunter si tu t'ennuies. Il n'y a pas grand-chose à faire ici.

Je rouvris ma valise, et demandai, tâchant de ne pas montrer l'importance que la question revêtait pour moi :

— Est-ce qu'il y a une clé de la penderie pour moi ?

— On n'a plus le droit de la fermer. Il paraît que c'était possible avant, mais au printemps dernier, le *Reichsführer* a fait une visite surprise au foyer de Klosterheide, et il paraît qu'il a été scandalisé par le désordre. Il a ordonné que toutes les clés soient confisquées pour que le personnel puisse vérifier la propreté à tout moment. Himmler est très tatillon… Il fourre son nez partout.

— Et les chambres sont souvent inspectées ?

— Je ne sais pas. Sans doute. Je ne suis ici que depuis deux mois. Je n'ai jamais remarqué qu'on avait dérangé quelque chose.

Je transférai la pochette au fond de la penderie, sous mon manteau.

— Et ce qu'on nous sert à table, tu n'as pas idée ! continuait Leona. Himmler est un ancien éleveur de poulets, tu le savais ? Il nous prend pour des poules pondeuses. On dirait qu'il teste différentes sortes de régimes alimentaires pour voir s'il peut obtenir de plus gros œufs. Tu vas voir. C'est presque l'heure… descendons faire la queue pour le premier service. Aide-moi à me lever, s'il te plaît.

Je lui tendis la main, et elle poussa un gémissement en se hissant sur ses jambes. Je jetai un coup d'œil à la penderie en sortant. Je trouverais une meilleure cachette plus tard, quand je serais seule.

28

De petits groupes bavardaient à voix basse devant les portes vitrées qui menaient à la salle à manger. Les mains posées sur les ventres ronds s'envolaient comme des colombes, puis se reposaient pour veiller sur la couvée.

— Je vous présente Anneke, annonça Leona à la cantonade. Elle en a pour un moment, alors soyons gentilles avec elle et ne lui faisons pas trop peur pour sa première soirée.

Comme Leona me l'avait expliqué, les Françaises et les Belges se regroupaient avec les Hollandaises, alors que les Allemandes nous ignoraient superbement. Dans le réfectoire, nous nous assîmes ensemble au bout d'une table alors que les Allemandes se regroupèrent à l'autre, laissant plusieurs places vides entre nous, et nous battant froid.

Je demandai à Leona :

— Où sont les plus âgées, les femmes mariées ?

— Ah, les *Frauen*... Elles ne viennent qu'au second service... Nous descendons en premier pour les éviter. Elles passent à la crèche, ensuite elles viennent dîner avec leurs autres enfants et puis elles vont les coucher, et après ça, elles se retrouvent pour parler de leurs maris comme de vieilles vaches qui ruminent. Tu me passes le pain ?

Je lui tendis la corbeille.

— Tu vois ce qu'on nous fait avaler ? dit-elle en désignant son contenu. C'est encore un coup de Himmler, un ordre de la semaine dernière. Avant, on nous donnait de délicieux petits pains blancs, et maintenant, nous n'avons plus que des tranches de pain noir.

Les femmes de service ayant apporté le dîner, des gémissements montèrent quand les filles découvrirent des saladiers de chou cru en lamelles.

— Tout le monde déteste ça, expliqua Leona. Nous devons manger les deux tiers de nos légumes crus. La choucroute aussi. Tu imagines ? Personne n'en prend, évidemment.

Je n'avais pas vu une telle abondance depuis un an. Les plats débordaient de légumes, de pommes de terre au four, de tartes à l'oignon. Il y avait des cruches de lait crémeux à verser dans de grands verres, du vrai beurre pour le pain. Nous n'eûmes droit qu'à une seule tranche de rôti de porc par personne, mais on pouvait reprendre de tout le reste. J'avais beau être près d'éclater, je me servis tout de même une part de tarte aux fruits, et j'aurais rempli mes bras et mes poches de nourriture si je l'avais osé. Ce festin me rendit imprudente.

Une autre Hollandaise, Resi, celle qui aurait déjà dû accoucher, me posait des questions sur Schiedam. Elle était allée à l'université avec une fille de chez nous, Juul Kuyper, et voulait savoir si je la connaissais. Je répondis que non.

— Elle était peut-être dans une autre classe. Quel âge as-tu ?

— Dix-neuf ans, répondis-je sans réfléchir.

— Alors c'est normal, elle doit avoir vingt et un ans, comme moi.

Resi continua à parler de son amie, mais je n'arrivais plus à l'écouter, me maudissant d'avoir oublié de mentir.

Je tremblais encore de mon erreur quand on annonça qu'il y aurait une projection de film dans la salle commune après le second service. Leona déclara qu'elle préférait monter se coucher, et je dis que j'allais l'imiter, étant fatiguée par mon long voyage.

Dans notre chambre, Leona se déshabilla. Je n'avais jamais vu de femme enceinte nue, et je ne pus m'empêcher de la regarder, fascinée par son gros ventre parcouru de vergetures violettes sur lequel reposaient ses seins lourds. J'essayai de m'imaginer dans cet état, grosse de l'enfant d'Isaak. D'Isaak, sûrement…

— C'est terrible, hein ? dit-elle avec un rire en tapotant l'énorme ballon. Victime de mes passions !

— Tu l'aimais ?

Avant de répondre, Leona finit de tirer sa chemise de nuit sur son ventre. Quand ce fut fait, elle se laissa tomber sur son lit avec un gémissement de vieille dame exténuée.

— Ce soir-là, oui, je l'ai aimé. Il embrassait très bien, il faut lui reconnaître cette qualité. C'est fou ce que ça me manque d'embrasser. Pas toi ? Il prenait tout son temps. Il m'a donné du chocolat et m'a emmenée au cinéma avec sa carte. J'ai trop bu de bière. Oui, ce soir-là, je l'ai aimé.

Elle eut un soupir nostalgique puis se reprit.

— Regarde où ça m'a menée !

— Tu es presque au bout de tes peines.

— C'est vrai. Je rentrerai chez moi le plus tôt possible. À la seconde où le cordon sera coupé.

Elle dut deviner ma réprobation.

— Si je me laisse aller à le prendre dans mes bras et à le nourrir, ce sera pire.

— Tu as peur de t'attacher ?

— Pour l'instant, je considère ça comme une sorte de maladie dont je vais guérir. Ne fais pas cette tête… Tu ne peux pas encore comprendre.

— Tu as raison, je te demande pardon.

— Je sais que ça peut sembler dur, mais ma première camarade de chambre m'a donné ce bon conseil : n'y pense pas comme à un bébé, autrement, tu deviendras folle de chagrin. Ça arrive, tu sais.

— Il y en a qui deviennent folles ?

— On les entend hurler quand on leur enlève leur enfant. Pourtant, pas un son ne sort des salles d'accouchement alors que les femmes crient très fort, c'est connu. C'est après qu'on les entend… quand elles ont commis l'erreur de les prendre dans leurs bras. On dirait qu'on leur arrache une partie du corps. Bref, passons. À toi, maintenant. Parle-moi de ton soldat.

L'*Oberschütze* me revint en mémoire une fraction de seconde, le SS aux cheveux en brosse et au visage d'assassin. Mon cœur se mit à battre à tout rompre.

— Mon soldat…

J'évoquai le petit ami d'Anneke aux yeux bleus fuyants qui n'avait pas osé me regarder à la boulangerie, pris d'une étrange inquiétude m'avait-il semblé. Ou d'une sorte de désespoir.

— Il s'appelle Karl. Il est parti. Il a été muté.

— Est-ce qu'il va garder l'enfant ?

— Comment ça ? Il va être adopté, non ?

— Oui, bien sûr, il va être adopté. On ne te le laissera pas à toi, en tout cas. Mais les Allemands feront pression sur le père pour que ce soit lui qui prenne l'enfant et pour que sa femme s'en occupe. Tu imagines, ces bonnes épouses qui élèvent les petits souvenirs que leur rapportent leurs maris ? C'est la solution que les Allemands préfèrent. S'il est marié, bien sûr. Il est marié ?

— Non.

J'avais des sueurs froides… Elle entrait trop dans les détails.

— Alors dans ce cas, ils donneront ton enfant à une bonne famille nazie. Une bonne famille nazie ! répéta-t-elle avec un rire acerbe. C'est ça qui m'ennuie le plus. Enfin bref. Qu'as-tu pensé de ta première soirée ?

— Ça n'était pas trop mal. J'ai bien aimé les filles avec qui nous avons dîné, en tout cas.

— Sois prudente. Les relations peuvent très vite dégénérer. Une centaine de femmes enfermées ensemble… aucune sainte et pas un seul homme… ce n'est pas facile. Ajoute à cela un groupe d'Allemandes patriotes – les putains de Hitler. Fais attention, surtout.

Dès qu'elle éteignit, l'obscurité me ramena dans la ruelle. Je sentis une main m'étouffer.

— J'aime bien dormir avec les *rolladen* ouverts, dit la voix de Leona dans le noir. Ce n'est pas permis, mais si la lumière est éteinte, personne ne s'en aperçoit et on peut regarder les étoiles. Mais laisse-les fermés, si tu préfères.

— Non, je les ouvre, je les ouvre !

Je remontai les lattes de bois dans leur coffrage, puis je regardai dehors. Le ciel, au moins, était le même ici qu'ailleurs. Les étoiles qui brillaient aussi sur la Hollande étaient les miennes. Le visage levé vers elles, j'avais l'impression d'être tout près de chez moi. Je me rallongeai et fermai les yeux. Aussitôt, d'autres étoiles m'apparurent… des étoiles jaunes. Ces étoiles-là aussi étaient les miennes, mais elles me rappelaient que j'étais loin, très loin de chez moi.

29

Je me réveillai d'un cauchemar en criant. Leona était à côté de moi et tenait mes mains dans les siennes.

— Tu as fait un mauvais rêve, dit-elle. Ça va ?

Je grelottais. Ma chemise de nuit, trempée de sueur, me collait à la peau. Leona tira les couvertures jusqu'à mon cou.

— Essaie de te rendormir.

Ce que je fis, mais en vain. Dès que je fermais les yeux, une suffocante odeur d'huile de moteur me prenait à la gorge. Quand je les rouvrais, c'étaient les montagnes derrière les carreaux qui m'oppressaient avec leurs pics immenses, dents blanches acérées scintillant sous la lune.

Isaak me manquait. J'aurais voulu qu'il soit près de moi. Je revoyais son visage, si triste. « Je ne suis plus capable d'aimer. » Un sanglot monta dans ma poitrine. J'avais tellement besoin de lui parler. J'essayai de me raisonner en pensant qu'il allait venir me chercher, mais il faudrait attendre au moins une ou deux semaines. Jusque-là, je devrais endurer les nuits tant bien que mal. Les journées seraient moins pénibles : il me suffirait de ne pas attirer l'attention du personnel, de parler le moins possible aux autres, et de profiter de tous les avantages dont on nous faisait bénéficier.

Et puis il y avait les bébés. Cette pensée me calma. Il y avait tout près de moi des dizaines d'enfants, une richesse, un plaisir. Dès que possible, je demanderais à aller à la pouponnière. Je pourrais peut-être même en prendre un dans mes bras.

Le soleil se leva comme si tout était normal, comme s'il n'éprouvait aucune horreur à briller sur l'Allemagne. Une cloche sonna qui tira Leona de sa torpeur. Elle ouvrit les yeux, eut l'air étonnée de me voir, puis elle sourit semblant trouver la surprise agréable. Elle prit sa montre sur sa table de nuit.

— C'est l'heure de descendre.

Elle mit une robe de grossesse, et moi la jupe que j'avais portée la veille. La ceinture me sembla plus serrée. Était-ce seulement possible ? Ne fallait-il pas plutôt en rendre responsable mon dîner pantagruélique ?

En bas, les pensionnaires faisaient la queue dans le couloir. La file était beaucoup plus longue que la veille au soir.

— À quelle heure la salle à manger ouvre-t-elle ? demandai-je.

— Elle est déjà ouverte, répondit Leona qui finissait de boutonner son cardigan. C'est jour de pesée.

— Jour de pesée ?

— On nous pèse tous les samedis matin. La balance est installée à la porte de la salle à manger. Il y a de quoi vous couper l'appétit, je te jure.

Les filles avançaient régulièrement tout en bavardant. Moi, j'avais un goût bizarre dans la bouche et les mains moites.

— C'est *Frau* Klaus, aujourd'hui. Essaie de ne pas la regarder dans les yeux, conseilla Leona à voix basse alors que nous approchions. Ne lui souris même pas. Une fois, j'ai... Si par malheur elle te remarque...

Sur la balance, Leona eut un gémissement en entendant son poids.

Puis ce fut mon tour.

— Nom ?

Je le donnai.

— Enlève tes chaussures. Vite, tu fais attendre les autres.

Elle annonça en notant mon poids que je pesais cinquante-neuf kilos. Je descendis de la balance et rejoignis Leona qui m'attendait.

— Cinquante-neuf kilos, c'est ce que pèse mon ventre à lui tout seul ! soupira-t-elle.

Par pitié, faites qu'elle passe à la suivante ! songeai-je.

— Attendez !

Je me tournai lentement vers *Frau* Klaus comme si je n'étais pas sûre qu'elle s'adressait à moi.

Elle fronçait les sourcils en montrant un papier d'un air accusateur.

— Cinquante-trois kilos et demi à votre dernière pesée. C'était il y a onze jours, ajouta-t-elle en consultant de nouveau la fiche.

Je tâchai de prendre l'air abasourdi.

— J'ai mangé comme un ogre, expliquai-je d'un ton conciliant.

Toutes les filles s'étaient tues.

— Cinq kilos et demi, ce n'est pas possible.

J'eus une inspiration soudaine.

— Attendez. Êtes-vous sûre que c'est bien cinquante-trois ? Parce que l'infirmière qui m'a pesée a dit cinquante-huit et demi. Je m'en souviens parce que c'était plus que je croyais.

Frau Klaus s'était levée, ma courbe de poids à la main.

— Ça ne pourrait pas être un huit ? demandai-je.

Elle branla du chef d'un air réprobateur, bouche pincée.

— Où as-tu été pesée ?

Je ne savais pas où Anneke était allée le jour de son examen de passage.

— Aux Pays-Bas.

Voyant qu'elle ne me lâchait pas de son regard scrutateur, j'ajoutai :

— Ils n'avaient pas l'air d'être aussi organisés que vous, là-bas. Ça n'était pas très rigoureux.

Cette fois, elle eut l'air convaincue.

— Totale incompétence !

Elle se rassit et prit son stylo pour transformer le trois en huit.

— Suivante ! Nom ?

Dans la salle à manger, Leona me tendit une assiette que je saisis à deux mains pour contenir mes tremblements. L'abondance me surprit encore – en un an et demi, j'avais perdu l'habitude de pouvoir choisir. Il y avait des compotiers de fruits, des œufs frais, du muesli, plusieurs sortes de fromages. Trois confitures différentes. J'étais poussée par un violent désir de prendre de tout, de me gaver. Aux deux bouts de la longue table du buffet, trônaient de grandes marmites de porridge.

— Du porridge tous les matins, maugréa Leona. Et si nous n'en prenons pas, nous nous faisons attraper.

— On surveille ce que nous mangeons ?

— Seulement leur infâme porridge… Himmler est un obsédé du porridge. D'après ce que j'ai entendu dire, il est obligé d'en manger pour soulager ses maux d'estomac – j'espère qu'il souffre beaucoup ! J'imagine que c'est pour se venger qu'il nous oblige à en manger aussi.

— Moi, ça ne me dérange pas, intervint Aimée qui attendait derrière nous.

C'était une Belge, aussi douce que son prénom le laissait présager.

— Chez moi, au village, les gens seraient bien contents d'en avoir.

Une de ses compatriotes se joignit à la conversation.

— J'aime ça aussi. Je trouve tout très bien, ici. Les conditions étaient bien pires au foyer de Liège.

Je pris place à table avec elles, m'asseyant entre Leona et Aimée.

— Racontez comment c'était là-bas, demandai-je, assez bas pour que les femmes de service qui versaient le thé à l'autre bout de la table ne puissent pas entendre.

— Pour commencer, nous n'avions qu'un dentiste pour nous soigner ! Ça vous a l'air d'une dent, ça ? s'indigna Aimée en montrant son ventre.

— Le personnel n'était pas du tout qualifié, reprit son amie. Et c'était d'une saleté repoussante. Un jour on a trouvé des morceaux de ficelle dans le bouillon des enfants, et j'ai entendu dire que les pots de chambre des dortoirs des petits n'étaient vidés qu'une fois pleins à déborder.

— Et on ne pouvait garder aucun objet de valeur, ajouta Aimée. Tout était volé. Les infirmières faisaient main basse sur ce qui leur plaisait. Nous manquions de savon et de linge. Elles s'appropriaient aussi la moitié de la nourriture. On dira ce qu'on voudra des Allemands, au moins leurs foyers sont biens gérés.

— Des vols, il y en a ici aussi, intervint Leona. Ma dernière camarade de chambre était venue avec un manteau de fourrure. Dieu sait pourquoi, d'ailleurs : c'était l'été. En tout cas, il a disparu de notre chambre. Elle n'avait même plus confiance en moi, après ça… Elle dormait avec ses objets précieux sous son oreiller.

Je pensai à la lettre de mon père et à la photo que j'avais cachées au fond de la penderie. Il serait peut-être plus prudent de les enterrer dans le parc.

Soudain, Greetje, qui était assise en face de nous, se leva en renversant son bol de porridge.

— Je n'en peux plus ! Je n'avalerai plus une bouchée de cette saleté ! On n'a qu'à boycotter le porridge et envoyer une lettre à Himmler.

Il y eut un silence atterré, comme si les autres filles avaient aussi peur que moi, mais Greetje nous toisait l'air de dire : *Ils ne feront rien.* Elle avait raison. Nous étions des poules aux œufs d'or. Nous ne risquions rien jusqu'à la naissance. Des rires éclatèrent, et quelques-unes renversèrent aussi leur porridge sur la table. Des grumeaux grisâtres aspergèrent le tissu blanc et les sucriers en argent.

— Tu pourras lui donner ta lettre en main propre dans deux semaines, remarqua Aimée.

Le silence retomba.

— J'avais presque oublié, soupira Leona. Le 7.

Ma politique était de me taire et de me contenter d'écouter, mais cette fois, il me fallait vraiment une explication.

— Que doit-il se passer, le 7 ?

— C'est l'anniversaire du *Reichsführer*. L'amateur de porridge nous fait l'honneur de venir en personne présider un baptême collectif. J'ai l'intention d'avoir la migraine ce jour-là. Et si je perds les eaux pendant sa visite, qu'on me ligote les jambes !

Resi entra à cet instant et prit la place que Greetje avait quittée.

— Si seulement je pouvais tenir jusqu'au 7…

Son ventre était si énorme et si haut qu'elle parvenait à peine à attraper sa cuillère.

— Pourquoi ? demandai-je, ne comprenant plus.

— Les bébés qui naîtront le 7 recevront des cadeaux spéciaux, en plus du livret d'épargne.

J'allais continuer à poser des questions quand je sentis Leona me pincer la cuisse sous la table. Elle se dépêcha de changer de sujet.

Plus tard, dans notre chambre, elle s'expliqua :

— Le fiancé de Resi appartient au corps néerlandais de l'armée allemande. Ce sont les pires. Des traîtres. Elle va l'épouser, et ils vont garder le bébé. Nous aurons donc bientôt un petit collabo de plus aux Pays-Bas. J'ai préféré t'avertir. Avec elle, il faut surveiller tout ce qu'on dit.

Je me souvins alors d'une photo que j'avais vue dans un manuel scolaire. C'était celle d'un apiculteur dont le visage, la tête et le cou étaient entièrement couverts d'abeilles. Il ne portait pas de chemise, affirmait la légende, mais on ne pouvait pas le deviner tant son torse et ses bras étaient noirs d'insectes. « Les abeilles ne sont dangereuses que si on les dérange », expliquait-on. L'image m'avait poursuivie durant des semaines.

Il me semblait que ces mêmes abeilles vibraient sur ma peau.

— Leona, peux-tu m'expliquer pourquoi on ne mélange pas les nationalités dans les chambres ?

— Diviser pour mieux régner. À mon avis, ils veulent limiter les risques que les filles des différents pays occupés fraternisent. Je ne vois pas bien ce qu'ils redoutent, d'ailleurs. Nous ne sommes qu'une quinzaine et complètement impuissantes. Mais évidemment, avant tout, ils veulent éviter que nous partagions les chambres des Allemandes.

— Ils ont peur des disputes ?

— Des disputes, oui, mais pas seulement. Je n'étais pas encore là quand c'est arrivé, mais ma première camarade de chambre me l'a raconté : il y a trois ou quatre mois, un énorme scandale a éclaté. Tout le monde s'en est mêlé. Une femme un peu plus âgée se vantait d'avoir travaillé pour la Gestapo, à Smolensk, je crois. Elle racontait que là-bas on tuait les Juifs. Une fois elle a même dit que les bébés étaient abattus eux aussi. D'une balle dans la nuque… Tu imagines ?

— Les bébés aussi ?

— On l'a fait taire, bien sûr. On a dit qu'elle était folle. Je pense effectivement qu'il fallait qu'elle soit dérangée pour inventer une histoire pareille. Tu te rends compte, tenir ce genre de propos devant des filles enceintes ? Il y a beaucoup de prisonniers du camp qui travaillent ici. Les femmes de ménage, les jardiniers. À propos, il ne faut jamais leur adresser la parole.

— Mais, Leona, tu ne l'as pas crue ?

— Quand elle disait que les Allemands tuent les bébés ? Non, bien sûr que non. Remarque… Non, elle voulait seulement nous faire peur. Elle a réussi son coup. Certaines Hollandaises et certaines Belges ont voulu partir. C'est depuis cette époque qu'ils mettent les Allemandes dans des chambres à part et qu'ils séparent les nationalités le plus possible. Je ne trouve pas ça si mal…

— Moi non plus. Mais…

— Mais… ?

— Est-ce qu'elle est partie ?

— Qui ça ?

— La femme qui travaillait pour la Gestapo. Elle est encore là ?

— Je ne sais pas trop. Je pense que non. Les plus âgées rentrent chez elles tout de suite après l'accouchement en général. Mais je ne suis pas sûre. Pourquoi ?

Je ne répondis pas.

Tués d'une balle dans la nuque…

30

Je ne trouvais pas facile de rester sur mes gardes en permanence quand j'étais avec les autres, mais la solitude me pesait encore plus car le souvenir du SS me guettait en permanence. Je profitai de mon temps libre pour étudier le plan des lieux et les horaires. Il me faudrait connaître parfaitement mon environnement quand viendrait le moment de fuir. Ce que je découvris n'avait rien de réjouissant.

Le bâtiment avait appartenu autrefois à l'Église catholique et avait servi de maison de retraite à des prêtres. Le parc était entièrement fermé. Moellons de granit et briques à l'avant, grillage sur les côtés et au fond, à l'endroit où, du temps de la maison de retraite, il n'y avait eu que des haies. Les Allemands avaient dressé des clôtures métalliques sous éclairage constant, et le périmètre était surveillé par des hommes armés accompagnés de chiens. La première fois que j'avais vu la patrouille, j'avais commencé par ne pas comprendre : les soldats se trouvaient à l'extérieur et non à l'intérieur. Et puis j'avais compris que j'étais sans doute la seule pensionnaire qui avait envie de s'enfuir. Toutes ces précautions n'avaient pour but que d'éloigner les intrus.

L'année précédente, m'avait appris Leona, les gens du village avaient voulu envahir le foyer à Noël quand ils avaient su que des oranges et des chocolats étaient arrivés pour les filles. Ils avaient faim. Maintenant, personne n'osait plus approcher, les chiens et les fusils étant dissuasifs. Isaak, ou la personne qu'il m'enverrait, devrait passer par la grille d'entrée gardée par des hommes en armes et des molosses. Pour me délivrer, il faudrait obtenir une autorisation de pénétrer dans la propriété.

Moi, je ne pouvais pas sortir. Cette interdiction étant récente, je me demandais comment transmettre l'information à Isaak. Quelques mois plus tôt, des filles du foyer de Baden, qui travaillaient hors les murs, avaient attrapé la tuberculose et déclenché une épidémie. Après cela, il avait été décidé que plus une fille de là-bas ne sortirait sans être munie d'une autorisation officielle, et qu'elles devraient subir deux semaines de quarantaine au retour. En août, dans le foyer autrichien, des futures mères avaient été agressées par des gens du lieu qui voyaient d'un très mauvais œil leur collaboration avec le Troisième Reich. On les avait battues et on leur avait jeté des pierres, ce qui avait provoqué une fausse couche. Ainsi donc, trois semaines seulement avant mon arrivée, Himmler avait envoyé de nouvelles directives : aucune fille ne pouvait plus quitter un foyer Lebensborn pour quelque raison que ce soit, sauf accompagnée par un garde de la SS ou par le père de l'enfant. Seules les Allemandes se plaignaient de cette mesure.

La première semaine, je me tins à l'écart, ne me mêlant aux autres que dans les incontournables files d'attente, à table et lors des conférences, en évitant de participer aux conversations. Leona m'avait dressé un tableau fidèle des Allemandes. D'une certaine façon, nous avions l'impression d'être leurs prisonnières de guerre. Le personnel n'autorisait aucune marque d'hostilité ouverte à notre égard, ayant pour mission de nous faire mettre au monde des enfants en bonne santé, mais une animosité larvée était perceptible dans tous nos rapports.

J'évitais également les contacts avec l'équipe d'encadrement, et en particulier avec *Frau* Klaus. J'expliquais sa hargne par le fait que, n'ayant pas d'enfants elle-même, elle était jalouse de notre fécondité.

— Si tu as besoin de quelque chose, me dit un jour Leona, devant son miroir, demande à la petite infirmière aux cheveux noirs bouclés, la responsable de la salle d'accouchement. Tu crois que je devrais me faire refaire une indéfrisable ? Quand j'aurai… Il y a une nouvelle ondulation à la mode à Amsterdam, je crois.

J'avais pris l'habitude des brusques changements de direction de ses pensées qui virevoltaient comme des feux follets.

— Ilse ? Je vois qui c'est. Mais elle est allemande.

— Allemande, oui, mais pas nazie comme les autres. Elle nous préfère aux Allemandes, ça se voit. Moi, j'ai confiance en elle.

Je notai cette information dans un coin de ma tête, tout en me rappelant que ma situation était différente de la sienne et que je ne pouvais pas me permettre de me fier à qui que ce soit. Je m'inquiétais surtout terriblement pour la lettre et la photographie que j'avais imprudemment emportées. J'aurais dû les brûler, mais dès que cette pensée m'effleurait, j'étais si oppressée que je ne pouvais plus respirer.

À la fin de la première semaine, je trouvai une cachette à peu près sûre.

Les jours de lessive de mon étage étaient les mardis et les vendredis. J'aimais beaucoup la lingerie. Les grandes machines à laver tournaient trop bruyamment pour permettre de se parler, si bien que les autres partaient dès qu'elles les avaient mises en marche. Moi, j'aimais rester seule dans cette chaude et tranquille atmosphère où l'on n'entendait plus un mot d'allemand. J'éprouvais aussi un certain réconfort à repasser et à plier les vêtements d'Anneke. Pourtant je détestais les porter, à l'exception, je ne sais pourquoi, d'un pantalon gris perle. Anneke avait adoré les pantalons. Elle disait qu'en pantalon, elle se sentait différente, plus moderne, plus forte, plus libre. Cela m'avait fait rire, mais maintenant je comprenais.

À ma deuxième visite à la lingerie, j'avais remarqué trois gros rouleaux de ruban adhésif sur une étagère. Dès que je m'étais retrouvée seule, j'en avais récupéré un que j'avais caché au fond de mon panier à linge.

De retour dans ma chambre, j'avais sorti la pochette de velours qui contenait mes dangereux souvenirs, et je m'étais agenouillée pour choisir sous quel meuble j'allais la cacher. Le bas de l'armoire, trop lourde pour être déplacée par accident, se trouvait à quinze centimètres au-dessus du sol… la hauteur idéale. Juste au moment où je finissais de la coller sous le fond, j'entendis la porte s'ouvrir. Je roulai sur le côté pour m'éloigner de l'armoire, prête à raconter à Leona que j'avais fait tomber une boucle d'oreille.

Mais ce n'était pas elle.

J'eus un choc. La femme qui était entrée dans ma chambre aurait pu être une commerçante de la ville où j'étais née en Pologne, ou la grand-mère d'une de mes amies. La seule différence était son extrême maigreur et la couleur gris terne de sa robe et de son foulard, alors que je me souvenais des joues rondes des Polonaises et de leurs vêtements colorés de poupées folkloriques.

— Pardon, pardon ! s'exclama-t-elle en montrant son seau et sa serpillière pour expliquer son intrusion. Je reviendrai plus tard.

Nous faisions le ménage de nos chambres nous-mêmes, mais, le vendredi, on lavait les sols pour nous. J'avais oublié quel jour nous étions.

— Vous ne me dérangez pas, allez-y, j'allais sortir.

Ce rappel à l'ordre ne fit que confirmer à quel point ma sécurité dépendait d'une parfaite connaissance des habitudes du foyer. Le lundi n'était pas arrivé que j'avais appris comment le soleil éclairait les chambres, quels jours on servait du hareng, les dates des conférences sur la nutrition. J'avais retenu l'heure de la distribution du courrier et le jour de l'arrivée du ravitaillement. J'appris combien de temps il fallait aux femmes de service pour préparer la salle à manger avant les repas et combien de temps pour débarrasser. Je me familiarisai avec la hiérarchie : le Dr Ebers était le chef du personnel médical, mais comme les autres médecins, on ne le voyait que rarement. *Frau* Klaus était la surveillante chef des infirmières. On les appelait toutes « mademoiselle », de la plus expérimentée à la moins qualifiée. Il y avait tout un contingent d'élèves infirmières qui semblaient beaucoup trop jeunes pour avoir encore suivi la moindre formation. En plus de la surveillance des salles d'accouchement, Ilse était responsable de la pouponnière. Elle accepta que j'aille regarder les nourrissons couchés en rangs dans leurs berceaux blancs.

Une semaine s'écoula encore ainsi. Je pouvais commencer à guetter Isaak.

31

Je pris l'habitude de répondre au prénom d'Anneke beaucoup plus vite que je ne le redoutais. Il arrivait pourtant que, sans crier gare, son nom m'évoquât des souvenirs si pénibles que j'en perdais mes moyens. J'avais alors l'impression d'être une marionnette dont on aurait coupé les fils, et cela pouvait se produire à n'importe quel moment.

— Tu faisais des études de quoi, Anneke, avant de tomber enceinte ? demanda Leona un beau matin alors que nous sortions du petit-déjeuner.

Image soudaine : Anneke penchée sur ses livres à côté de moi, tapotant ses ongles rouges sur la table. Impatiente, elle repoussait son travail. « Allez, viens, Cyrla, nous finirons plus tard. J'ai envie d'aller au cinéma ! »

Le souvenir était si réaliste, l'envie de la voir si vive, qu'un gémissement m'échappa.

— Qu'est-ce que tu as ?

— Rien.

Je fis un effort pour me reprendre, mais j'avais les larmes aux yeux. Je posai la main sur mon ventre et désignai d'un signe de tête les toilettes au bout du couloir.

— Je ne me sens pas bien. Ne m'attends pas.

Il n'y avait personne dans les sanitaires, mais je m'enfermai malgré tout dans une cabine avant de m'autoriser à m'appuyer, tremblante, au mur carrelé de vert. Je me sentais si seule. Je pris le temps de retrouver mon calme. Au bout de cinq ou dix minutes, alors que je m'apprêtais à sortir, j'entendis une porte s'ouvrir. Il y eut le choc d'un seau posé par terre, puis un bruit de serpillière. Cela me rappela le nettoyage auquel ma tante s'était livrée pour effacer le sang d'Anneke. Je retombai contre le mur, pressant la main sur ma bouche pour étouffer mes sanglots.

La porte se rouvrit puis se referma. Le bruit de serpillière cessa. J'entendis alors des voix, celle d'une jeune femme et d'une autre plus âgée, qui murmuraient si bas que je ne distinguais que quelques mots ici et là. La jeune femme demandait des nouvelles d'enfants et de petits-enfants.

— Je ne sais pas, je ne sais pas, soupira la voix âgée.

Ne voulant pas paraître indiscrète, je tirai la chasse et sortis de la cabine.

Je vis qu'Ilse cachait quelque chose derrière son dos, et que la femme de ménage, celle-là même qui m'avait fait peur en entrant dans ma chambre, fourrait la main dans sa poche. Elle semblait terrorisée. J'aurais voulu la rassurer, mais à cet instant la porte s'ouvrit brutalement, et *Frau* Klaus entra.

Ilse et la femme de ménage se figèrent, pétrifiées. Une pomme s'échappa de la jupe de la pauvre dame, et roula sous les lavabos. Dans le silence, le bruit de sa chute retentit dans toute la pièce.

Frau Klaus se pencha pour ramasser le fruit tombé. Elle le brandit sous le nez d'Ilse avec un air méchant.

— Je vous ai déjà donné un avertissement. Cette fois, je vais devoir vous dénoncer.

Le rouge monta aux joues de la jeune infirmière.

— C'est un scandale de…, commença-t-elle.

Une peur panique s'était peinte sur les traits de la femme de ménage.

Je m'interposai.

— Excusez-moi, c'est ma faute ! J'ai pris une pomme au petit-déjeuner, et puis je me suis rendu compte que je ne la mangerais pas. Mademoiselle m'expliquait justement que je n'aurais pas dû la donner à une femme de service.

Frau Klaus me soumit à son regard d'épervier, cherchant la faille dans ce mensonge, puis elle dévisagea de même l'infirmière et la femme de ménage. Personne ne pipait mot. Personne ne respirait plus. Enfin, elle jeta la pomme dans le seau d'eau sale. De la mousse grise aspergea le bas du tablier de la vieille dame.

— Que ça ne se reproduise plus, dit-elle sans qu'on sache trop à qui elle s'adressait. Remettez-vous au travail.

La femme de ménage se dépêcha de pousser sa serpillière vers le fond des sanitaires, et Ilse se dirigea vers la porte. En passant devant moi, elle me lança un regard reconnaissant. Je m'étais trouvé une alliée.

Mais je m'étais aussi fait une ennemie.

32

La troisième semaine commença. Isaak n'avait toujours pas donné signe de vie, mais je ne cédais pas à la panique. Je savais que mon sauvetage prendrait du retard vu les circonstances. Tous les matins, je faisais malgré tout le vœu que ce soit le dernier de mon calvaire au foyer, et celui de ma délivrance. Quand je pensais à mon départ, je n'imaginais jamais la traversée ni mon arrivée en Angleterre. Une seule chose me soutenait : la pensée qu'Isaak viendrait me chercher et me ramènerait en Hollande. Ce serait un nouveau départ. Notre dernière discussion ne pouvait pas être définitive. Tout restait à construire. Peut-être ne m'aimait-il pas, mais cela ne nous empêcherait pas de fonder une famille. Et si nous vivions ensemble, avec ce petit miracle qui allait venir au monde pour nous réunir, ne pourrait-il pas en venir à éprouver des sentiments pour moi ?

Un matin, alors que Leona me demandait de balayer son côté de la chambre quand j'aurais terminé le mien, je refusai sèchement. Ce n'était pas parce qu'elle était enceinte, m'écriai-je, qu'elle devait faire de moi son esclave. Ma réaction nous surprit autant l'une que l'autre, et je me rendis soudain compte que c'était la date de mes règles. Ce genre de mauvaise humeur en était toujours un signe avant-coureur. Anneke ne se privait pas de se moquer de moi : « Allez, on en reparlera d'ici quelques jours, quand tu seras redevenue fréquentable », raillait-elle.

Je n'avais pas envisagé une seconde que je pourrais ne pas être enceinte. J'en avais été tellement persuadée ce dernier jour avant le soir terrible… Avant ce soir-là…

Au cours de la journée, je traquai le moindre signe d'irritabilité, m'appliquant à me montrer particulièrement douce et patiente. Il était impensable que j'aie mes règles ici. Le lendemain, je m'excusai dix fois au cours de la matinée pour aller aux toilettes voir si je saignais. Et, voyant que tout allait bien, j'éprouvais un moment de soulagement, qui ne durait pas plus d'une demi-heure. Au moindre tiraillement, je n'avais de cesse que de retourner vérifier.

Le soir venu, je me sentis un peu rassurée car je n'avais toujours ni sang ni mal de ventre, mais il fallut encore plusieurs jours avant que je ne me tranquillise vraiment. Je compris alors que j'attendais un enfant pour de bon.

Cette révélation me saisissait de temps en temps, fulgurante. Elle me réchauffait et éclairait tout ce qui m'entourait d'une lumière éclatante. Mais comme celle du soleil, la clarté était trop vive pour que je puisse la contempler plus d'une seconde. Je me disais : *Je porte la vie en moi !* Puis ce bonheur fondait avant que je puisse en profiter. *Un enfant va sortir de mon ventre !* me traversait l'esprit, pour disparaître l'instant suivant, parce que cette idée était trop incroyable pour durer. Une seule image persistait : celle de l'instant où je tendrais son enfant à Isaak.

Cela m'amusait parce que c'était tellement naïf. Je me dotais d'un air béat, celui de la Vierge Marie. Mais le plus beau, c'était l'expression d'Isaak.

Comme le soleil, ce bonheur pouvait disparaître derrière les nuages. Derrière le souvenir d'un uniforme, ou d'une odeur d'huile de moteur.

À la fin de la troisième semaine, Isaak ne s'était toujours pas manifesté. Je l'attendais avec impatience, mais le 7 octobre, je priai de toutes mes forces pour qu'il ne vienne pas. C'était le jour de la visite de Himmler. Il était certainement au courant. Je voulais à tout prix m'en persuader.

Nous nous préparions à l'événement depuis des jours. Il y avait eu un grand ménage. Le bâtiment entier avait été frotté et astiqué. Quand je descendais dans le hall, les miroitements des bougeoirs, les meubles lustrés, le sol de marbre étincelant, me prenaient sans cesse par surprise. Des bruits de vaisselle et de casseroles résonnèrent toute la matinée. Des pots de chrysanthèmes décoraient le hall, enrubannés de vert, car le vert était la couleur préférée du chef de la Gestapo. Leur odeur épicée et inquiétante s'insinuait partout. *Frau* Klaus criait des ordres aux infirmières qui se passaient les nerfs sur leurs aides qui à leur tour nous malmenaient.

Nous avions nettoyé nos chambres tôt le matin au cas où Himmler aurait voulu procéder à une inspection, et, dès que Leona quittait la pièce, je vérifiais que le papier collant tenait bien sous l'armoire. Il devait arriver à l'heure du déjeuner, nous adresser un discours dans la salle à manger pour nous faire comprendre l'importance d'une bonne alimentation, puis il déjeunerait avec le Dr Ebers et *Frau* Klaus au salon, où une table avait été dressée avec la plus belle vaisselle et le plus beau linge. À treize heures trente précises, le baptême devait avoir lieu. Des instructions écrites avaient été distribuées aux mères, leur recommandant de régler l'heure de la sieste de leurs enfants de façon que le *Reichsführer* ne soit incommodé ni par des cris, ni par des assoupissements intempestifs. La lingerie était inaccessible depuis des jours, bloquée par les mères qui nettoyaient et repassaient les tenues de fête de leurs enfants.

À midi, nous étions toutes en place. Personne ne devait traîner dans les couloirs à son arrivée. Celles qui avaient déjà offert des enfants à l'Allemagne avaient la place d'honneur dans le hall pour l'accueillir, tandis que les autres attendaient debout à leur place à table. Mais comme le réfectoire donnait sur l'allée des voitures, nous étions évidemment toutes rassemblées devant les fenêtres.

Quelques minutes avant midi, trois Mercedes-Benz noires portant le drapeau à tête de mort de la SS vinrent se garer sur le gravier. Quatre officiers SS descendirent des deux premières, et se déployèrent le long de l'allée au garde-à-vous, leurs hautes bottes noires étincelantes. La troisième voiture était plus longue et portait la plaque d'immatriculation SS1. Deux autres officiers en descendirent pour ouvrir les portières arrière. Trois civils apparurent, deux femmes et un homme. Puis nous vîmes Himmler.

Il était très reconnaissable. C'était un homme de petite taille, encore rapetissé par l'uniforme et la haute stature des hommes qui l'entouraient pour l'escorter jusqu'à la porte.

La procession entra rapidement dans le bâtiment, et nous le perdîmes de vue. Nous courûmes reprendre nos places, mains derrière le dos comme de bonnes élèves. Des écolières enceintes jusqu'aux dents – je me sentais soudain très plate à côté de tous ces ventres énormes, et pas assez blonde. J'avais peur qu'au premier regard l'éleveur de poulets ne devine mon imposture.

Himmler entra dans la salle à manger. Nous ne le distinguâmes pas tout de suite, entouré qu'il était par la dizaine d'hommes en uniforme et les trois civils que nous avions vus descendre de voiture. C'était le plus petit du groupe, même en comptant les femmes. Rompu à l'exercice, l'escadron se divisa avec déférence pour le laisser passer, et il monta sur l'estrade qui avait été installée à un bout de la salle. Tous les yeux étaient tournés vers lui comme attirés par un aimant.

Je me fis la réflexion que sans son uniforme, sans son cortège, on aurait pu le prendre pour un fade employé de bureau. Maintenant qu'il était tête nue, car il tenait sa casquette contre sa poitrine, on voyait son front haut et dégarni parsemé de quelques cheveux noirs. Ses lunettes rondes lui donnaient l'air étonné, et sa moustache rase et peu fournie n'était qu'une maigre imitation de celle du *Führer*. Il avait un visage doux et enfantin avec un menton gras. C'était l'homme le plus puissant d'Allemagne après Hitler, et pourtant aucune force ne se dégageait de son visage, et quand il parla, aucune force ne se dégagea non plus de sa voix.

La puissance la plus redoutable est celle qui s'enracine dans la faiblesse, disait mon père.

— Mesdames, commença-t-il, vous portez en votre sein la plus grande richesse de notre patrie. La force de l'Allemagne réside dans la promesse des générations à venir. Vous pouvez vous asseoir.

Il attendit que s'interrompe le tumulte de cinquante femmes enceintes s'asseyant en même temps, puis il délivra une longue et flatteuse tirade.

— Les guerres sont meurtrières. C'est le plus noble devoir des femmes et des jeunes filles allemandes de sang pur de devenir mères, que ce soit ou non à travers les liens du mariage, non par irresponsabilité, mais au contraire, par amour de la nation. C'est une mission de la plus haute et de la plus estimable importance que de donner le jour aux enfants des soldats qui servent leur pays, et dont seul le destin sait s'ils reviendront un jour ou s'ils mourront pour l'Allemagne…

Il semblait oublier que certaines femmes de l'assistance n'étaient pas allemandes. Probablement s'en moquait-il. Je n'arrivais pas à l'écouter. Ni à le regarder. Il me faisait trop peur. Je gardais les yeux fixés sur sa casquette qu'il avait posée devant lui sur le pupitre : le ruban de velours noir avec le médaillon portant la tête de mort, surmonté de l'aigle d'or. Luxueux et terrible.

— Et ne vous arrêtez pas à un ou deux enfants ! martelait-il. Imaginez que la mère de Bach, après son cinquième, son sixième, ou même son douzième, ait décidé qu'elle en avait assez. Les œuvres de Bach n'auraient jamais été composées.

Puis il aborda le sujet du porridge. Il ne manquait plus que le porridge !…

— Vous devez vous débarrasser de l'idée trompeuse que le porridge est mauvais pour la ligne ! Il n'y a qu'à regarder les Anglais pour se rendre compte que les flocons d'avoine n'ont rien à voir avec la corpulence des personnes de qualité. Le meilleur exemple en est lord Halifax qui doit sa sveltesse justement à sa consommation quotidienne de bouillie d'avoine…

Je plaquai les mains sur ma bouche et sortis en courant de la salle à manger, traversai la cuisine déserte et me précipitai dans le jardin.

33

J'eus tout juste le temps de courir derrière un muret de brique avant de vomir. Ensuite je passai de l'autre côté, la main sur la bouche, tremblante.

— Moi aussi, il me fait le même effet, lança une voix.

Il y eut un rire, puis de la fumée de cigarette qui faillit me rendre de nouveau malade.

Ilse, la petite infirmière aux cheveux bruns bouclés surgit de derrière un rocher, souriant comme si nous étions de vieilles complices. Elle tira sur sa cigarette, puis, remarquant mon air écœuré, l'écrasa avec le talon.

— Pardon, vous voulez de l'eau ?

— Non, merci. Je ne sais pas ce qui m'est arrivé. Tout à coup, j'ai eu…

— Vous vous sentez mieux ?

— Oui, je vais y retourner.

Je fis un pas, mais m'aperçus que mes jambes me soutenaient à peine.

— Restez, dit-elle en me prenant le bras pour me faire asseoir sur le muret.

Elle prit place à côté de moi.

— Vous êtes très pâle. Vous voyez mon uniforme blanc ? Il me donne le droit de vous donner des conseils.

De la poche de son tablier, elle tira une poignée de bonbons enveloppés dans du papier et m'en offrit un. Je choisis de la réglisse pour me changer le goût de la bouche.

— Merci, mais je suis obligée d'y retourner, je suis sortie au milieu du discours…

— Ne vous inquiétez pas. Si jamais on nous demande des comptes, nous dirons que je me suis occupée de vous et que je vous ai interdit d'y retourner. Vous savez, les nausées sont parfaitement normales pour une femme enceinte, et tout ce qui se rapporte à la grossesse est traité avec le plus grand respect, ici.

J'eus un temps d'arrêt, puis je compris d'où venait mon mal au cœur.

— C'est votre première grossesse ?

Je répondis que oui. Elle me considéra d'un œil expert.

— Vous devez en être au tout début.

— Oui, c'est récent. J'ai cru que je n'avais pas digéré quelque chose au dîner d'hier.

— C'est possible, mais à mon avis, ce sont plutôt des nausées. Vous n'en aurez peut-être que pendant une semaine, mais il se peut que ça dure jusqu'à la fin. Mangez des crackers, c'est souvent efficace. Vous en voulez ?

— Surtout pas…

— Je sais que ce n'est pas très tentant, mais je vous assure que c'est efficace. Le principal, c'est d'apprendre à comprendre son corps. Essayez différentes stratégies et voyez celles qui marchent. Ne vous laissez rien imposer. Toutes les femmes réagissent différemment. Les médecins ont tendance à oublier que la mise au monde d'un enfant est un acte tout à fait naturel. Attendez-moi. Je vais vous préparer une infusion.

Je restai au soleil, me sentant trop faible pour bouger, soulagée d'échapper au discours. Des nausées… Cela me fit sourire : *Alors, tu signales déjà ta présence…*

Ilse revint, portant une tasse à deux mains, qu'elle me donna. Des fragments végétaux ressemblant à de l'écorce flottaient à la surface. Je lui jetai un regard inquiet.

— C'est de la racine de gingembre séchée. Essayez. Cela fait souvent du bien. J'en ai un paquet dans ma chambre. N'hésitez pas à m'en demander. La tisane de pelures de pomme peut soulager aussi.

Elle s'assit à côté de moi et me donna une poignée de main.

— Je m'appelle Ilse. J'espérais justement avoir l'occasion de vous remercier pour ce que vous avez fait la semaine dernière.

— Anneke…

Pour la première fois, je regrettais de devoir mentir.

— Ça doit être affreux pour vous qui êtes hollandaise d'écouter cet âne faire des discours sur la pureté du sang allemand. Les mères des pays occupés souffrent beaucoup d'abandonner leurs enfants. Il doit vous arriver de nous détester, toutes autant que nous sommes, les infirmières comme les pensionnaires allemandes.

Je me gardai bien de répondre et bus ma tisane. Elle avait un goût piquant et agréable qui dissipait la nausée.

Ilse comprit mes réticences.

— Ne vous inquiétez pas. Ils sont en train de déjeuner, maintenant. Ensuite nos visiteurs iront dans la salle commune avec les jeunes mères. Ils vont distribuer des cierges, offrir les livrets d'épargne en grande pompe, et faire semblant de n'avoir jamais vu d'aussi beaux bébés de leur vie. Ils ne sortiront pas avant au moins une heure, ajouta-t-elle en regardant sa montre. Ces cérémonies doivent être terribles pour vous. Je voulais juste que vous sachiez que moi non plus, je n'aime pas ça.

J'avais peur de lui poser des questions. Écouter ses propos me procurait un certain malaise. Je m'écartai un peu d'elle.

Elle me considéra, son regard vert me suppliant de la comprendre.

— Vous pouvez me faire confiance, Anneke. Je me doute que c'est difficile. Tout le monde se méfie de tout le monde de nos jours. Eh bien, c'est à moi de vous montrer que j'ai confiance en vous.

« Mon père a perdu son emploi parce qu'il a critiqué le parti national-socialiste. Il était professeur de langues à l'université de Munich. Il était invité partout en Europe et aux États-Unis pour faire des conférences. C'était un homme très respecté. Un jour, il y a environ deux ans, on a supprimé sa chaire. La semaine suivante, on a sans doute changé d'avis car la chaire a été rétablie… et attribuée à un bon nazi, bien entendu.

« Et donc mon père, un universitaire brillant, un homme très bon, titulaire de deux doctorats, est devenu manutentionnaire chez un marchand de tabac la nuit. Et encore, il n'a eu ce travail que parce que le propriétaire est un ami. Moi, j'ai dû quitter l'université. »

La similitude de nos histoires me frappa tristement. Cela me rappelait mon père, quelques mois avant qu'il ne m'envoie en Hollande, le soir où il avait été exclu de l'université. Il avait voulu nous rassurer – il pouvait encore enseigner dans une école juive – mais il n'avait pas pu nous cacher son angoisse. Même ce souvenir me paraissait dangereux à évoquer, comme si l'infirmière pouvait lire mes pensées dans mes yeux. Je regardai autour de moi pour m'assurer que personne ne pouvait nous entendre, puis je lui demandai quelles études elle avait faites.

— J'étais en médecine. Je me destinais à l'obstétrique. J'en étais à mi-parcours.

— Ilse, comment osez-vous me confier tout ça ? murmurai-je. Vous prenez beaucoup de risques.

— Non, parce que vous êtes hollandaise. Jamais je ne me confierais à une Allemande. Si vous aviez été une sympathisante du régime, je l'aurais deviné tout de suite. Les nazis des pays occupés sont les pires, les plus fanatiques, comme s'ils avaient besoin de faire leurs preuves. Je suis ici depuis deux ans, et je n'ai rencontré que très peu de Hollandaises pronazies. Et celles-là, pour la plupart, ne sont que des gamines amoureuses qui adoptent les idées des garçons qu'elles aiment.

Nous nous tûmes un moment, profitant du silence et du soleil. Je terminai ma tisane, puis me levai.

— Vous vous sentez mieux ? me demanda-t-elle.

— Oui, beaucoup. La tisane m'a fait du bien, merci.

— Moi, je n'ai aucune intention de rentrer avant le départ de nos visiteurs. Tenez-moi compagnie, si vous voulez.

Quelque chose en elle me réconfortait. Je me rassis. Elle plongea la main dans sa poche, puis changea d'avis.

— Je me sens beaucoup mieux, intervins-je. Fumez, si vous voulez.

Elle eut l'air soulagée et alluma une cigarette, puis me tendit le paquet. Je fis signe que je n'en voulais pas. Je me sentais mieux, mais pas au point de fumer. Elle aspira une longue bouffée.

— Mon père…

Elle s'interrompit, secoua sa cendre, la regarda s'émietter dans l'herbe, puis reprit à voix plus basse :

— Mon père déteste ce type. Il a tout de suite deviné ce qui allait arriver.

J'attendis, comprenant qu'elle avait d'autres confidences à me faire. Le regard dans le lointain, elle poursuivit :

— En 1935, il disait déjà : « Attention, c'est un homme dangereux. » Au tout début, il le tournait en dérision. Himmler a été vendeur de fumier, vous le saviez ? Mon père plaisantait. « Voilà un type qui veut nous vendre de la merde. » Mais il a vite cessé de rire dès que Himmler n'a plus essayé de convaincre. On frémissait en entendant des discours tels que :

« Je sais qu'il y a des gens en Allemagne qui n'aiment pas nos chemises brunes, eh bien tant pis pour eux. Notre but n'est pas de nous faire aimer. » C'est bien le pire, je crois. Ils n'ont aucune pitié. Ils n'aiment qu'une seule chose, et cette chose, c'est le sang.

Nous gardâmes le silence pendant qu'elle terminait sa cigarette. Elle l'écrasa sous la semelle de sa chaussure blanche.

— Vous savez ce que je voudrais ?

— Non, quoi ?

— Je voudrais que nous perdions la guerre. Si nous la gagnons, nous sommes fichus.

Le bruit d'une fenêtre qui s'ouvrait à moins de cinq mètres de nous nous fit sursauter toutes les deux. Deux autres s'ouvrirent un peu plus loin.

— Ils doivent avoir chaud, là-dedans, ricana Ilse.

Mais cela n'avait rien de drôle.

Ce soir-là, Leona me demanda ce qui m'était arrivé. Je répondis avec une grimace :

— J'ai dû rester dehors à l'air frais tout l'après-midi. J'avais des nausées.

— C'est comme moi, j'en ai eu pendant les deux premiers mois. Ça passera, tu verras. J'aurais bien aimé pouvoir passer l'après-midi dehors, moi aussi. J'ai assisté au baptême. On t'a raconté ?

— Pas encore.

— Je ne veux plus jamais voir ça de ma vie. Ils couchent les bébés sur des coussins devant une énorme croix gammée, avec l'hymne allemand à plein volume, et puis ils posent une épée en travers de leurs petits ventres... L'épée est beaucoup plus grande que les bébés ! C'était tellement barbare… Tu imagines une lame d'épée sur un nourrisson. Quelle idée monstrueuse !

34

Isaak ne donnait toujours pas signe de vie. Il avait promis que je n'attendrais pas plus d'un mois, mais personne n'était venu me chercher. Je me convainquis que le trente et unième jour serait celui de ma délivrance.

Ce matin-là, je me réveillai avec la nausée, ce qui devenait une habitude. Je descendis prendre mon petit-déjeuner avec Leona, mais ne pris que du thé et des biscottes. C'était une journée magnifique et douce après deux jours de pluie glacée ; je décidai d'en profiter pour passer le plus de temps possible dehors. Je voulais guetter l'arrivée d'Isaak, bien sûr, mais j'avais aussi besoin de grand air. Dans le parc, j'arrivais à imaginer que j'étais encore chez moi. Les grands conifères, les haies de buis, les pelouses bien tondues et les chemins de gravier me rappelaient la Hollande. Des asters et des chrysanthèmes, maigres et abîmés par le froid, fleurissaient encore au pied de certains murs. Quand j'allais au bout du domaine, que je posais les yeux sur le lac au loin avec les montagnes pour toile de fond, je parvenais à oublier presque complètement où je me trouvais. La campagne restait indifférente à la tragédie de la guerre, même si elle en portait les blessures.

Ce jour-là, le trente et unième, donc, je fus attirée par des cris d'enfants provenant de la partie du jardin où se réunissaient les mères. J'approchai d'un des bancs de pierre qui entouraient la pelouse où les bébés pouvaient ramper et s'essayer à leurs premiers pas. En face de moi, se dressait une statue grandeur nature d'une mère allaitant son enfant, coiffée d'un modeste chignon. Je passai les doigts dans mes cheveux coupés, rassurée de les sentir libres.

Je m'assis, jambes repliées sous moi, et sortis l'ouvrage que j'avais apporté : une couverture de bébé blanche que j'ornais d'un liséré bleu au crochet. On nous encourageait à pratiquer les arts domestiques, surtout à tricoter de la layette pour nos bébés ou pour ceux de la crèche. Le crochet m'évoquait des souvenirs agréables de ma tante.

Installée ainsi au soleil, pensant qu'Isaak serait bientôt près de moi, je me sentais presque paisible. J'eus un sourire en voyant un petit bonhomme marcher à pas de géant dans le bain à oiseaux vide, suivi par une fillette qui riait si fort qu'elle en tombait à la renverse. Une jeune mère vint s'asseoir près de moi, un bébé d'environ deux mois dans les bras.

—Je peux le regarder ? demandai-je en me penchant sur l'enfant qui était caché par sa couverture.

Les jeunes mères ne demandaient en général pas mieux que de montrer leurs enfants, mais il arrivait que certaines me fusillent du regard comme si je commettais un crime en posant les yeux sur eux. Celle-ci semblait s'en moquer. Elle écarta la couverture de la tête de son bébé et l'éleva dans ses bras pour me permettre de mieux le voir. Je souris en voyant sa bouche charnue se détendre et se refermer comme s'il tétait en rêve, et je touchai son duvet de cheveux soyeux du bout du doigt.

— Comment s'appelle-t-il ?

— On ne l'a pas baptisé cette fois. Il y aura une autre cérémonie la semaine prochaine.

Elle avait de longues nattes châtain clair, et une jupe d'écolière.

— Mais toi, tu l'appelles comment ?

— Il n'a pas été baptisé, répéta-t-elle comme si je n'avais pas compris.

— C'est un très beau bébé.

Elle le considéra comme si elle examinait un fruit avant de l'acheter.

— Oui… il est assez réussi. Tu veux le prendre dans tes bras ?

— Avec plaisir !

Dès qu'elle me l'eut donné, elle se leva et traversa la pelouse pour aller rejoindre un groupe d'amies sans même se retourner.

C'était la première fois que je tenais un bébé dans mes bras depuis que j'étais tombée enceinte. J'aspirai l'odeur de son cou, frôlai avec les lèvres ses joues veloutées, serrai avec une joie profonde son petit corps compact contre mon cœur. Je plaçai le bout de l'index dans sa main, et quand il referma le poing, je ressentis une profonde émotion au fond du ventre.

Ce moment fut trop court. La faim déclenchait des mouvements de succion, son visage se collait avec de plus en plus d'insistance contre ma poitrine. Son front se plissa quand, ouvrant les yeux, il découvrit un visage inconnu au-dessus de lui, et il se mit à hurler.

Sa mère revint en entendant ses cris, à regret me sembla-t-il, et me le reprit. Elle s'assit pour lui donner le sein sans essuyer les larmes qu'il avait sur les joues, ni même le regarder.

— Quel âge as-tu ? lui demandai-je, oubliant que cela pouvait sembler indiscret.

— Presque seize ans.

Voyant mon effarement, elle redressa fièrement la tête.

— Les mères jeunes donnent de plus beaux enfants. Plus on commence tôt, plus on peut porter de bébés.

Une réponse toute faite qui semblait avoir été apprise par cœur. Je ne pus m'empêcher de m'exclamer :

— Tu en veux d'autres ?

— Bien sûr ! C'est le plus beau devoir d'une femme de donner des enfants à la patrie. L'avenir du Troisième Reich sera grand et glorieux. Nous avons besoin de millions d'Allemands de sang pur.

Ce discours n'était que de la propagande ordinaire, mais je vis dans ses yeux une intention plus personnelle. *Il faudra bien confier le gouvernement de ton pays à quelqu'un quand nous aurons gagné la guerre*, me disaient-ils avec un plaisir pervers.

— Et ton petit ami, il est d'accord ?

Elle m'écrasa de son mépris.

— Mon petit ami ! C'est une notion tout à fait dépassée. Le père est très content parce que sa femme n'a pu lui donner que trois enfants.

J'avais beau connaître cette pratique, j'en restai éberluée.

— Alors ton petit ami est marié et sa femme est au courant ? Elle va élever le bébé ?

— Je te dis que ce n'est pas mon petit ami. C'est un officier qui était chargé des cours de sport aux Jeunesses hitlériennes. Je lui ai demandé de m'aider à offrir un enfant à la patrie. Il a accepté parce qu'il voulait d'autres enfants.

— Tu as fait l'amour avec lui rien que pour…

— Nous avons eu des relations, corrigea-t-elle.

Elle cherchait à paraître très adulte, mais n'en paraissait que plus jeune.

— Quel âge a-t-il ?

— Trente-deux ans. Il est encore jeune. C'est normal qu'il ait d'autres enfants. Ils me prennent celui-ci le mois prochain, et dès que je pourrai, j'en referai un.

— Mais enfin, tu n'as que quinze ans ! Ça te plaît vraiment d'avoir des relations avec un homme de trente-deux ans pour lui donner un enfant qu'il élèvera avec sa femme ?

Elle me toisa.

— Bien sûr. J'en aurai beaucoup d'autres. Autant que je peux. Mais je vais peut-être me marier l'année prochaine. J'aurai l'âge.

Ilse, qui s'était approchée de nous par-derrière et se penchait pour regarder le bébé, intervint.

— Un baiser sans moustache, c'est comme une soupe sans sel.

— C'est drôle, ma tante disait toujours ça, répondis-je, soulagée par cette interruption. Je croyais que c'était un dicton hollandais.

— Nous avons le même en allemand.

La jeune mère semblait prête à prendre la mouche.

— Qu'est-ce que ça veut dire ?

Ilse et moi, nous répondîmes en même temps :

— Ne te marie pas trop vite.

Elle leva les yeux au ciel et ricana en prenant l'air averti, mais on aurait dit une enfant capricieuse. Elle arracha son enfant de son sein, se reboutonna, puis le plaqua sur son épaule. Elle nous quitta sans dire au revoir.

— Une drôle de fille, soupira Ilse en s'asseyant à côté de moi.

— Vous la connaissez ?

— J'ai assisté à la naissance. C'est une pure et dure. Elle a refusé tout sédatif, et a gardé les yeux rivés sur le portrait du *Führer* pour se donner du courage. Même à la fin, même quand son bassin s'est fêlé. Elles considèrent ça comme l'honneur suprême. À mon avis, c'est plutôt la folie suprême. On les a conditionnées, et elles n'ont plus aucun bon sens.

— Son bassin ? Comment a-t-il pu se fêler ? m'écriai-je en lui posant la main sur le bras pour l'arrêter.

— Ne vous inquiétez pas, le vôtre est suffisamment large. Le sien était encore trop fermé. Et l'enfant pesait plus de quatre kilos. Je me souviens que…

— Mais on l'entend craquer ?

Ilse me tapota la main. C'était mon premier contact physique depuis trente et un jours. Non, trente-deux.

— Je n'aurais pas dû vous raconter ça. C'est une faute professionnelle. Son corps n'était pas encore assez développé. Pour vous, ça se passera très bien. Et puis vous, vous serez assez intelligente pour respirer de l'éther si vous en avez besoin. Promettez-moi de ne plus y penser.

Mais comment faire ? J'aurais voulu pouvoir oublier ce qu'elle m'avait dit, mais l'image évoquée m'obsédait. Les maigres jambes de fillette grandes ouvertes, les genoux noueux comme ceux d'un poulain. L'étroit bassin cédant sous la pression de plus en plus forte de la tête de l'enfant. Les médecins l'écartelant pour le sortir. Elle s'était mordu les lèvres jusqu'au sang, j'en étais absolument sûre. Et pendant ce temps, elle avait regardé le portrait d'Adolf Hitler pour se donner de la force ; son Dieu. Un frisson me parcourut.

— Anneke, que se passe-t-il ?

— Pardon. Mais elle est tellement jeune. Elle n'a que quinze ans.

— Les filles grandissent vite de nos jours. Ce sont les enfants qui souffrent le plus des guerres.

— Ça l'a rendue froide, insensible. Je trouve ça très triste.

— Oui, c'est triste. Quand j'avais son âge, nous avions hâte de grandir. Nous étions libres de choisir notre voie. Les femmes pouvaient tout oser, à l'époque. Ma mère était très moderne. Elle m'aurait autorisée à faire tout ce que je voulais, et elle me disait de ne pas avoir honte si je n'avais pas envie d'avoir d'enfants. La situation a bien changé maintenant.

— Qu'en pense-t-elle ?

— Elle aurait été… Elle est morte. Elle est morte en donnant naissance à ma sœur.

— Je suis désolée…

J'eus envie de lui confier que nous partagions cette triste expérience, que moi aussi j'avais perdu ma mère. Je n'en fis rien, bien sûr, et lui demandai si c'était pour cette raison qu'elle avait choisi l'obstétrique.

— Exactement, répondit-elle avec un sourire douloureux. Ma mère aurait eu beaucoup de peine si elle avait su ce qui nous attendait, ma sœur et moi. Ma sœur est devenue exactement comme cette jeune mère, mis à part qu'elle n'a pas encore été choisie pour donner un enfant au *Führer* : elle a les cheveux noirs et elle est petite comme moi, ce qui l'empêche d'être sélectionnée. Elle est nourrie de propagande. Je ne veux même pas discuter avec elle. Je n'ose pas. Je suis sûre qu'elle n'hésiterait pas à me dénoncer si cela pouvait lui permettre d'entrer à la Ligue des jeunes filles allemandes.

Ilse s'interrompit pour regarder autour d'elle. La jeune mère avait rejoint deux autres filles, et bavardait avec elles près de la statue. Elles tenaient leurs enfants sur la hanche comme des sacs de pommes de terre. Ilse leur fit un signe d'adieu et se leva.

— Allons faire un tour.

Il n'y avait personne dans le parc, mais Ilse ne parla plus de sa famille, ni des filles que nous venions de quitter. J'avais d'ailleurs d'autres sujets en tête. Nous longions la clôture du fond.

— Cette clôture est surveillée à toutes les heures du jour et de la nuit, je crois ?

Ilse me jeta un regard pénétrant.

— Vous avez l'intention de partir ?

— Non. Je me posais simplement la question. Pour savoir si nous étions en sécurité.

Elle s'arrêta.

— Anneke, pourquoi êtes-vous venue ici si tôt ? Vous n'êtes sûrement pas enceinte de plus de trois mois, et la Hollande n'est pas rationnée au point que vous étiez affamée.

J'y allai de mon refrain habituel : mes parents avaient été tellement fâchés en apprenant ma grossesse qu'ils m'avaient mise à la porte. Je vis bien qu'elle ne me croyait pas et qu'elle était blessée que je lui mente.

— Je peux vous poser une question ? demandai-je.

— Bien sûr.

— Est-ce qu'on souffre beaucoup…

Je m'interrompis, me sentant soudain mal, mais je me repris.

— Est-ce qu'on souffre quand on se vide de son sang ? Est-ce une mort très pénible ?

Elle me contempla avec surprise.

— Une de mes amies est morte d'une hémorragie. Dites-moi, je vous en prie. Est-ce qu'elle a eu mal ?

— Sans doute pas… Quand on a une hémorragie, on perd simplement ses forces. On est de plus en plus faible jusqu'à la fin.

— Elle n'a pas souffert, alors ?

— Non. Elle a peut-être eu froid, mais elle n'a pas souffert. Quelle était la cause du saignement ?

Je revis l'aiguille à tricoter, brune de sang, cachée sous l'oreiller blanc, puis le visage de mon oncle, celui de ma tante. Je lui avouai la vérité.

Elle eut l'air consternée.

— C'est terrible…

Je serrai les dents pour retenir mes larmes. Je surpris le regard qu'elle lançait à mon sac à couture, avec le crochet planté dans la pelote de laine sur le dessus.

— Anneke, dit-elle en me dévisageant. Vous me parlez vraiment d'un événement qui est arrivé à quelqu'un d'autre ?

— Oui, je vous assure. Je voulais simplement savoir si elle avait eu mal.

Ilse me contempla longuement, le regard triste.

— Oui, certainement. Dans ce cas, elle aura eu des douleurs pelviennes. Mais ça n'a sans doute pas duré longtemps. Elle a dû perdre connaissance. Anneke, vous êtes sûre que... ?

Je l'arrêtai d'un geste en reculant.

— Anneke, si vous avez besoin de vous confier à moi, surtout n'hésitez pas.

35

Jamais de ma vie je n'avais autant eu besoin de me confier. J'étouffais du besoin de parler à quelqu'un de la mort d'Anneke, de la terreur que m'inspirait le foyer, de ma grossesse, de ma relation difficile avec Isaak. De ce qui nous séparait, lui et moi, de ce que je devais arriver à lui faire comprendre.

Comme je devais me taire, je me tournai vers l'écriture. Bien entendu, je n'abordais pas directement ces sujets non plus. J'écrivais des poèmes. Ou plutôt, ils s'écrivaient tout seuls.

Des vers surgissaient de ma tête, porteurs de significations cachées que je m'acharnais à comprendre. Je m'astreignais à ma tâche, essayant de les plier à ma volonté pour former une structure, des rythmes, un poème entier. Quand j'en terminais un, je ressentais un certain apaisement, et puis le besoin de recommencer me prenait.

La seule véritable difficulté était de trouver du papier. On nous distribuait des feuilles de papier à lettres, mais si j'en prenais, ne se demanderait-on pas pourquoi je n'envoyais jamais de courrier ? Et à qui aurais-je pu écrire ? Je me mis donc à voler le plus étrange des butins. Je cherchais dans le foyer tout ce qui pouvait être récupéré sans attirer l'attention : les papiers d'emballage, les feuilles qui protégeaient les fonds de tiroir, et, une fois, une aubaine, je trouvai un rouleau entier de papier cadeau que quelqu'un avait jeté. J'écrivais aussi petit que possible, d'une écriture minuscule et serrée, raturée et surchargée de corrections.

Je devins tout aussi experte dans l'art de cacher ces pages orphelines. J'en tapissais l'intérieur de mes tiroirs, je les mettais en sandwich entre mon matelas et le sommier, je glissai les plus petites à l'intérieur de mes livres.

Mais un jour, je commis une imprudence.

Leona avait jeté une enveloppe que j'avais récupérée dans la corbeille, et dont je me servais pour travailler à un poème depuis une semaine. Je venais de la glisser sous un livre sur ma table de chevet quand elle entra dans notre chambre.

Elle dut reconnaître l'écriture et l'adresse de l'expéditeur sur la partie qui dépassait, car elle la prit avant que je n'aie le temps de l'arrêter.

Elle lut le poème, tournant l'enveloppe pour suivre les lignes, s'efforçant de déchiffrer mes mots torturés, mes multiples repentirs. Elle le relut, puis elle me le tendit, l'air interrogateur.

— C'est juste…, bégayai-je. Ce n'est rien.

— Mais non, ce n'est pas rien, protesta-t-elle comme si j'avais proféré une énormité. Je ne savais pas que tu étais poète.

Je tendis la main pour reprendre l'enveloppe, mais elle l'éloigna pour m'en empêcher.

— Lis-le-moi. Lis-le-moi comme il faut, comme tu l'as écrit.

J'hésitai, puis, voyant que je lui cédais, Leona m'abandonna mon poème. Elle s'assit sur le lit, dos appuyé à la tête de lit, jambes soulevées par un oreiller, et ferma les yeux.

Le crépuscule ici est sans fin et tu aimerais
Ces longs vagabondages à l'intérieur de sa longue bouteille rouge.
Je chante seule
À travers les branches noires et les clôtures blanches
Vers le corral marqué Défense d'entrer.
Le cheval brun ayant entendu ma voix du bout du chemin
M'apporte l'éclair sur son front
Qu'il vient placer sous ma main.
Je sais parfois pourquoi je ne suis pas encore morte.
Je dois encore faire venir un homme à la barrière.

Leona rouvrit les yeux et me contempla d'un air pensif.

— Explique-moi ce que tu veux dire.

J'avais confiance en elle, sans doute. Ou peut-être la poésie était-elle un sujet qui me paraissait moins dangereux qu'un autre. Ou bien j'avais atteint la limite de ma détermination. Après cent mensonges, ou mille, un besoin impérieux de dire la vérité me prenait. Pour la première fois depuis que j'étais arrivée au foyer, je dis la vérité toute nue.

— J'ai essayé de comprendre ce qui manque à la relation qu'il y a entre nous… entre le père et moi. Pour moi, c'était une bonne façon de l'expliquer… Finalement, je n'ai jamais réussi à le guider vers moi.

— Ce n'est pas seulement à nous d'amener les hommes à nous comprendre. Ils doivent faire une partie du chemin seuls.

— Je ne sais pas. J'aurais peut-être dû lui donner plus de raisons d'approcher.

Mais Isaak n'approchait jamais de personne. Il n'acceptait de se mettre en danger que pour un idéal. Un idéal ne vous abandonne pas, ne vous fait pas souffrir. Un idéal ne peut pas vous trahir.

— C'est pour comprendre ta vie que tu écris des poèmes ?

Cela me fit réfléchir.

— Oui, un peu. Mais parfois, j'ai l'impression au contraire que c'est pour me noyer dans les mots. Pour échapper à moi-même.

— Tu as de la chance, dit-elle, très sérieuse pour une fois. Moi, je m'échappe en prenant des amants, ajouta-t-elle en posant une main sur son énorme ventre. Ta solution est meilleure : personne ne doit payer le prix de tes erreurs.

L'enveloppe me brûla la main. Je la glissai dans le livre et me levai.

— Attends…

Leona me regardait avec ce drôle de sourire qu'elle avait parfois, qui lui faisait à peine bouger les lèvres mais creusait ses fossettes. D'un tiroir de sa commode, elle tira une boîte de papier à lettres qui contenait de grandes feuilles blanc crème aux bords dentelés, ornées d'un bouquet de tulipes lavande aux quatre coins.

— C'est ma mère qui me l'a offert avant mon départ pour que je lui écrive. J'ai essayé, mais je n'y arrive pas. Ça rend ce qui m'arrive trop réel. À mon retour, je veux faire comme si de rien n'était. Je te le donne. Accepte, je t'en prie. Recopie au moins ceux qui sont finis sur du papier correct.

J'écrivis chaque jour de la semaine suivante, la sixième de mon séjour au foyer. J'écrivais, mais Isaak ne me faisait parvenir aucun message, il ne venait pas me chercher.

Tous les matins, je me réveillais en pensant : *Aujourd'hui, il viendra.* Dès que je me levais, je scrutais l'horizon pour y déceler des signes de bon ou de mauvais temps, de bon ou de mauvais augure. Mes yeux se dirigeaient constamment vers la porte, quelle que soit la pièce dans laquelle je me trouvais. Cela devint une telle habitude qu'un après-midi, Leona me demanda ce que je regardais.

— Rien, répondis-je avec un rire.

Après cette alerte, j'appris à surveiller les portes du coin de l'œil.

Le ventre de Leona grossit encore cette semaine-là, semblant monter et se tendre. Et puis, un matin, alors qu'elle s'habillait, elle poussa un cri.

— Regarde, Anneke ! Il est descendu ! Je ne pensais pas qu'on s'en rendait aussi bien compte ! Mon ventre n'est plus du tout pareil. Il est plus lourd. Je me sens encore plus lourde qu'avant. Tu vois ?

Nous échangeâmes un regard. Elle gardait une brochure près de son lit : *Les Signes avant-coureurs de la naissance*, qu'elle me lisait tous les soirs. « Tu penses que mes chevilles ont gonflé ? demandait-elle avec inquiétude. Tu me trouves plus agitée, plus sensible ? » Le quatrième signe concernait la descente de l'enfant : « Quand le bébé se prépare à naître, il descend le plus souvent dans le bassin vers le col de l'utérus, et le ventre peut donner l'impression de s'être affaissé. »

— Oui, tu as raison, il est plus bas. Tu penses que c'est pour aujourd'hui ?

— Je ne sais pas. Anneke, j'ai peur de ne pas y arriver.

— Mais si, bien sûr que tu vas y arriver, tout va très bien se passer.

Au cours de la journée, je lui trouvai souvent un regard lointain, un air attentif. Ensuite, son expression s'adoucissait et elle avait le sourire rêveur d'une femme qui écoute une musique intérieure. Tout cela me faisait sentir encore plus seule, et puis elle m'inquiétait : elle n'avait plus l'air de considérer sa grossesse comme une maladie dont elle devait guérir.

Le lendemain, en ouvrant les yeux, je la trouvai déjà debout à la fenêtre en chemise de nuit, sa valise posée sur son lit. Elle se tourna vers moi dès qu'elle m'entendit bouger, comme si elle avait guetté mon réveil.

Elle m'adressa un demi-sourire, inquiet mais résigné.

— Les contractions ont commencé il y a quelques heures.

— Tu aurais dû me réveiller.

— Non, c'était trop tôt. Elles sont encore légères. Et puis j'avais envie de rester seule pour bien les sentir. C'est… je ne sais pas comment dire… mystérieux. C'était émouvant de les attendre dans le noir. Et puis nous avons regardé le soleil se lever ensemble. Tu dois me trouver bizarre, ajouta-t-elle avec un rire, mais je t'assure que c'est l'impression que j'ai eue. J'ai regardé naître cette nouvelle journée avec mon bébé, le jour de sa naissance.

Je me levai pour regarder dehors avec elle.

— Tu regrettes de le faire adopter ?

Sa réponse fut trop longue à venir.

— Non, non, bien sûr. Que veux-tu que je fasse d'un enfant ? Tu imagines la réaction de ma famille ? Et des voisins ? Seulement… Eh bien maintenant, je me dis que j'aurais aimé que la situation soit différente. J'aurais aimé qu'il n'y ait pas la guerre, qu'il ait un père et pouvoir le garder. Je vais avoir plus de mal à le laisser que je ne le croyais.

Je pris sa main dans les miennes.

— Descends sans moi, dit-elle quand la cloche sonna. Je ne pourrai rien avaler.

— Non, je reste avec toi.

— Ce n'est pas la peine. Il y en a encore pour un bon moment. Je serai encore là quand tu remonteras.

Mon absence se prolongea près d'une heure parce qu'il y eut des annonces pendant le petit-déjeuner et la lecture d'un nouveau règlement. Je trouvai la chambre vide à mon retour. Un silence profond m'accueillit, qui ne ressemblait pas à celui que laissait Leona quand elle ne quittait la pièce que pour quelques instants. La jeune femme que je connaissais était partie pour de bon. Quand je la reverrais, elle serait devenue une autre. Si je la revoyais… Elle me manquait déjà.

La journée traîna en longueur. J'interpellais toutes les infirmières que je croisais pour leur demander des nouvelles, mais elles n'en avaient aucune à me donner.

Après le dîner, je montai la garde devant les portes de la salle de travail. Finalement, Ilse, qui venait prendre son service, eut pitié de moi.

— Elle va bien. Le premier bébé prend toujours du temps à naître. Allez vous coucher, elle en a encore pour plusieurs heures.

J'obéis à son conseil, mais je dormis très mal. Dans mes rêves, j'entendis crier. À l'aube, n'y tenant plus, je descendis à la salle d'accouchement. Je rencontrai Ilse dans le couloir.

— L'enfant est né ?

— Oui. Vers minuit. C'est un garçon.

— Comment va-t-elle ? Tout s'est-il bien passé ? Je sais que c'est encore tôt, mais est-ce que je pourrais la voir ?

— Elle va bien, mais les visites sont interdites.

— Je suis sa camarade de chambre !

— Je vous assure qu'elle va bien. Malheureusement, il arrive que les filles soient un peu perturbées après la naissance. L'accouchement est un moment difficile à passer. Le règlement interdit toute communication entre les filles enceintes et les jeunes mères.

— Je vous en prie, laissez-moi la voir. Si elle se sent mal, je pourrais peut-être l'aider.

La devinant près de céder, j'insistai jusqu'à ce que, de guerre lasse, elle m'indique une porte à droite.

— Rien qu'une minute, avertit-elle.

On lui avait donné des sédatifs, sûrement plus forts que de l'éther. Elle avait les paupières lourdes, gonflées et rouges.

— Je regrette…

Elle n'arriva à dire que ces deux mots avant d'éclater en sanglots. Ses yeux qui avaient déjà trop pleuré me suppliaient comme si je pouvais y changer quelque chose.

— Mon bébé…

Elle avait du mal à parler, la langue engourdie, engluée dans du goudron.

— Il est à moi… Je regrette…

— Il ne faut rien regretter, répondis-je en lui prenant la main. Tu as été très courageuse, et tu as fait ce qu'il fallait.

— Non, je l'ai vu. Mon bébé. Je l'ai abandonné.

— Ne dis pas ça, Leona. Tu verras. C'est un moment difficile à passer, mais c'est mieux, tu verras.

En voyant apparaître Ilse dans l'encadrement de la porte, je fus soulagée.

— Je reviendrai plus tard, Leona, on reparlera de tout ça.

Elle secoua la tête.

— Je viendrai te voir quand la guerre sera finie, insistai-je. Donne-moi ton adresse.

Sans répondre, elle se tourna vers le mur et ferma les yeux.

36

— Je ne peux pas dormir près de la fenêtre.

Ce furent les premiers mots que la nouvelle m'adressa. J'avais pris le lit de Leona quand elle était partie pour m'éloigner du courant d'air, mais cela n'avait guère d'importance puisque je ne comptais pas rester longtemps.

— Nous n'avons qu'à échanger, dans ce cas. Ça m'est égal. Je m'appelle Anneke.

— Neve.

J'enlevai mes draps et nous refîmes les lits. Ensuite, je m'assis sur le mien pour la regarder défaire sa valise. Elle n'en avait qu'une seule, petite, mais il lui fallut du temps pour la vider parce qu'elle dépliait et repliait tous les vêtements jusqu'à ce qu'ils soient parfaitement carrés et plats, sans un faux pli. Neve avait un physique intéressant assez peu typique d'une Néerlandaise : elle était grande, anguleuse et gracile. Son ventre semblait avoir été rapporté, rondeur étonnante sur cette silhouette osseuse. Elle avait les cheveux blond clair, raides et courts, des sourcils et des cils presque blancs. Son visage était fragile sauf son menton, carré et volontaire, qui semblait vous mettre au défi de la sous-estimer.

Elle n'avait emporté que quelques vêtements et pratiquement rien d'autre, sauf une brosse à cheveux et des ciseaux à ongles qu'elle aligna méticuleusement sur le dessus de sa commode, et un briquet et trois paquets de cigarettes qui disparurent dans le premier tiroir. Elle n'avait aucun souvenir, aucune photo de famille. Aucun signe de liens avec l'extérieur.

Le dessus de ma propre commode était beaucoup moins spartiate. J'y exposais le crayon d'Isaak, les boucles d'oreilles de ma cousine, et toutes les babioles que ma tante avait mises dans ma valise : les peignes et la barrette d'Anneke, la photo de nous deux prise à mon arrivée en Hollande, portant des cardigans bleus identiques, la statuette en porcelaine d'un cheval en train de sauter que j'avais gagnée à la foire. Écran de fumée pour cacher que, moi non plus, je n'avais personne à l'extérieur.

Neve suivit mon regard et s'étonna de voir un foulard drapé sur mon miroir.

— Tu ne veux pas te regarder ?

Je me levai, et expliquai pour faire diversion :

— Pour le dîner, il vaut mieux descendre au premier service… C'est ce que font presque toutes les filles célibataires. Nous préférons éviter les femmes mariées, Les *Frauen* peuvent être un peu…

— D'accord, coupa Neve.

Elle avait la voix aussi tranchante que les clavicules qui saillaient sous sa robe de grossesse.

Puisque c'est comme ça, songeai-je, tu n'auras qu'à poser des questions à quelqu'un d'autre si tu as besoin d'aide. Mais elle se débrouillait très bien toute seule.

Du fond de sa valise, elle sortit deux livres qu'elle accota à sa lampe de chevet. *Cours d'ingénierie aéronautique*, et un autre plus petit dont je ne pus lire le titre tant la couverture avait été malmenée.

Neve m'étonnait. Je le pris : *Amelia Earhart, biographie.*

— Elle s'est écrasée, commentai-je.

— C'était une très grande aviatrice !

Elle m'avait reprise d'un ton acerbe et m'arracha le livre des mains. Elle le replaça près de l'autre en prenant soin d'aligner les reliures au millimètre.

Quand la première sonnerie retentit, elle ferma brutalement le couvercle de sa valise et sortit sans m'adresser la parole. Je me levai et repoussai le foulard qui couvrait mon miroir. La cicatrice sur ma lèvre se voyait toujours, mais à peine. Elle ne formait plus qu'un trait fin et blanc, irrégulier comme un éclair. Un S qui me narguait. Où était le deuxième ? L'*Oberschütze* en avait-il imprimé la marque plus profondément en moi ? Je masquai de nouveau le miroir et descendis dîner.

Elle s'assit à côté de moi pendant le repas, mais elle n'ouvrit la bouche que pour me demander de lui passer le sel ou le pain. Lèvres closes, elle observait les autres de son regard froid. J'eus l'idée que ce n'était peut-être pas la première fois qu'elle venait dans un foyer maternel car elle semblait parfaitement à son aise. Mais peut-être avait-elle simplement une grande force morale. Après le dîner, elle resta en bas pour regarder le film du soir. Elle monta vers vingt et une heures trente alors que j'étais déjà couchée et que je lisais au lit. Je lui adressai un mot ou deux, mais elle se contenta de répondre d'un signe de tête.

J'étais passée maîtresse dans l'art de deviner le degré d'avancement d'une grossesse. Neve semblait en être presque à son sixième mois. Je me félicitai de mon prochain départ : qui aurait pu supporter la compagnie d'une fille pareille pendant trois mois ?

— J'ai envie de dormir, dit-elle en se mettant au lit. On éteint.

— Si tu veux.

Je marquai ma page et éteignis ma lampe, puis je remontai les *rolladen*. Je n'avais aucune envie de me faire une ennemie pour une histoire de lumière. Il était évident que nous ne deviendrions pas amies, mais je pouvais au moins me montrer aimable.

— D'où es-tu ? demandai-je.

— Je ne peux pas dormir avec les stores ouverts.

Je redescendis donc les *rolladen* puis je me rallongeai pour dormir.

Au milieu de la nuit, je me réveillai avec l'impression d'étouffer tant l'obscurité était profonde. J'avais rêvé qu'on m'enterrait vivante, que la terre pesait sur moi et m'empêchait de me dégager. Je me redressai dans le lit, suffoquant, et soulevai le store le plus proche de moi pour regarder dehors. Je vis quelques étoiles, trous d'épingle percés dans le noir de la nuit. Puis j'en vis d'autres ; il suffisait de s'habituer à l'obscurité. J'aurais voulu connaître leurs noms, sachant qu'elles montaient aussi la garde sur les Pays-Bas. N'y tenant plus, je remontai les stores sans bruit jusqu'en haut, et me recouchai.

Tant pis, s'il fallait s'affronter, nous nous affronterions.

En novembre, le temps se dégrada. Le matin, au réveil, les sommets des montagnes étaient couronnés de gros nuages, comme si des lèvres froides et grises se refermaient sur des dents irrégulières. Elles étaient encore plus terribles ainsi entourées que découvertes. Je continuai de sortir autant que possible, mais je n'aimais pas le tapis de feuilles mortes qui s'amassait au bord des chemins, dont l'odeur me soulevait le cœur. Le mauvais temps dura des jours et des jours, coupé de rares éclaircies. Plusieurs fois, le ciel gris noircit et cracha de la neige, mais ces averses ne duraient pas. On avait l'impression que la tempête rassemblait ses forces, attendant le moment propice pour éclater. Moi aussi, j'attendais. Plus les jours passaient, plus la tension montait. Isaak ne s'annonçait toujours pas, et je trouvais de plus en plus difficile de me convaincre qu'il viendrait me sauver. Savait-il seulement où j'étais ?

Je décidai de me risquer à écrire. Pas à Isaak directement, mais en passant par une adresse qui ne nous mettrait pas en danger. Il fallait trouver quelqu'un en qui j'avais confiance, et qui ferait suivre ma lettre sans poser de questions. L'ennui, c'était que toutes mes connaissances devaient croire que j'étais morte. Je choisis finalement Jet Hagewout, une des plus vieilles amies d'Anneke ; il fallait espérer que ma tante avait prévenu tout le monde et que Jet ne s'étonnerait pas de recevoir des nouvelles de ma cousine d'un endroit pareil. J'imitai l'écriture ronde et ramassée d'Anneke tout en pensant : *Je suis une voleuse. Je lui prends vraiment tout.*

Je m'en tins à l'essentiel. Je dis que j'allais bien et que je lui écrirais plus longuement plus tard, mais que, pour l'instant, je lui demandais de me rendre un service. *S'il te plaît, poste ce petit mot*, écrivis-je. *C'est pour l'ami de ma cousine. Il a encore beaucoup de peine à cause de sa disparition, et je voudrais lui envoyer quelques lignes pour le soutenir*. Je ne précisai pas pourquoi je ne pouvais pas poster la lettre moi-même, elle trouverait bien une explication.

Ensuite, j'écrivis à Isaak.

Je m'y repris à trois fois. Dans les deux premières versions débordaient mes peurs et mes questions, la douleur d'avoir été abandonnée pendant si longtemps. Je les froissai et allai prendre sur le bureau du hall d'accueil une des cartes postales du foyer, qui donnaient l'impression que nous étions dans un palace. Au dos, je ne traçai que ces deux mots : *Dépêche-toi*. Je la mis dans une enveloppe fermée sur laquelle j'écrivis l'adresse de la synagogue, puis je la glissai dans la lettre que j'avais préparée pour Jet. Cette deuxième enveloppe fermée, je poussai un soupir de soulagement.

Restait à me débarrasser de mes brouillons.

Je décidai de prendre le briquet que Neve rangeait dans un de ses tiroirs. Je jetai un coup d'œil dans le couloir pour m'assurer qu'elle ne s'approchait pas, puis je fermai la porte et ouvris sa commode. J'eus la surprise de découvrir que le tiroir était rempli de nourriture : des pommes, des biscuits, quelques petits pains rassis, un morceau de fromage noirci sur les bords dans du papier. J'attrapai le briquet et me dépêchai de refermer.

Je brûlai les deux premières lettres inachevées au-dessus de la bassine en émail pour qu'elles ne me trahissent pas, puis j'éparpillai les cendres par la fenêtre et enfin traversai le couloir pour aller laver la bassine dans la salle d'eau. À mon retour, Neve m'attendait au milieu de la pièce. Elle me montra le briquet, attendant que je lui rende des comptes.

— Je te l'ai emprunté, excuse-moi. J'ai eu envie de fumer.

Elle eut un sourire sardonique : la fenêtre ouverte et l'odeur de papier brûlé trahissaient mon mensonge. Mais cela sembla l'intéresser car elle s'assit sur son lit et me regarda comme elle ne l'avait jamais fait auparavant.

— Pourquoi es-tu venue ici si tôt ? demanda-t-elle.

— Je ne savais pas où aller. Ma famille m'a mise à la porte.

— Moi aussi on m'aurait fichue dehors si je l'avais dit. Je suis allée vivre chez une amie jusqu'à ce que ça commence à se voir.

— Je n'en veux pas vraiment à mes parents. Ils détestent tellement les Allemands…

— Pas les miens. Les miens, c'est moi qu'ils détestent.

Mon air apitoyé lui fit hausser les épaules.

— Voilà longtemps que j'ai appris à ne compter sur personne. Ici, c'est une sinécure.

— Tu trouves ?

— Trois ou quatre mois avant la naissance de l'enfant, quatorze après. Cela fait un an et demi, nourrie, logée et respectée.

— Tu vas rester jusqu'au bout ? Tu as l'intention d'allaiter ton enfant ?

— Bien sûr. Je suis ravie de savoir que pendant quatorze mois je n'aurai à m'inquiéter de rien. En échange de tout ce confort, je devrai seulement m'occuper d'un enfant, c'est une bonne affaire.

Neve se leva, coupant court aux confidences. Elle prit la lettre sur ma coiffeuse et regarda l'adresse.

— Schiedam ? C'est de là que tu viens ?

— Oui, c'est ça.

— Nous étions pratiquement voisines.

Elle jeta la lettre sur mon lit et quitta la chambre.

Je repris l'enveloppe. *Surtout n'écris pas*, avait recommandé Isaak. *Une lettre pourrait tous nous faire prendre*. Encore une semaine, pensai-je. Si j'étais encore là le 1er décembre, je prendrais le risque de l'envoyer.

Le lendemain, le 24 novembre, un paquet arriva pour moi. Il était plat et rectangulaire. Je remerciai l'infirmière qui me le donnait en espérant qu'elle n'avait pas vu mes mains trembler. L'expéditeur était L. Koopmans, à Amsterdam. Un contact ? Ma nouvelle identité ?

Je me dépêchai de monter dans ma chambre avec le paquet, et refermai la porte en m'assurant que personne ne viendrait me déranger. Je me laissai glisser sur le sol et, assise par terre, je déchirai le papier, me moquant de le rendre inutilisable. C'est dire à quel point j'étais sûre de ce que j'allais trouver à l'intérieur. C'était le signe de mon prochain départ et je n'avais plus besoin de récupérer du papier.

Je découvris un cahier vierge, de ceux dont on se sert au lycée. Il n'y avait pas de mot d'accompagnement, rien qu'une ligne à l'intérieur de la couverture : *Pour tes poèmes. Garde-les*. Je jetai le cahier à travers la pièce et cachai le visage sur mes genoux, déçue à pleurer.

Et puis je compris que Leona m'avait envoyé plus qu'un cahier.

Je lui écrivis pour la remercier, lui promis d'aller la voir dès que je rentrerais en Hollande, puis la priai de bien vouloir faire suivre la lettre à Isaak. Elle le ferait sans poser la moindre question. J'ouvris l'enveloppe que j'avais préparée pour Jet, en sortis celle pour Isaak et l'ajoutai à la lettre pour Leona. Ensuite je courus au bureau du hall où on déposait le courrier. Elle partirait avec la levée de seize heures.

Je calculai mille fois combien de temps il faudrait pour que ma missive arrive à destination. Le service postal fonctionnait encore parfaitement en Allemagne, m'avait-on dit. Les rouages étaient bien huilés. Aux Pays-Bas, le service était beaucoup moins performant maintenant. Je comptai trois semaines, peut-être quatre. Au milieu du mois de décembre, et en tout cas à la fin de ce mois, Isaak saurait où me trouver. Je serais délivrée dans le courant du mois de janvier. Tous les soirs dans mon lit, quand la lumière était éteinte, je pensais au jour où je pourrais murmurer à Isaak : *Nous avons fait un enfant ensemble.* Ces mots avaient une force incroyable. Un événement extraordinaire le lierait à moi.

À moins que…

Non. Mon bébé ne pouvait pas avoir été conçu d'une façon aussi ignoble.

Le 6 décembre arriva, soir de la Saint-Nicolas, ou *Sinterklaas*. En Hollande, on mettait les cadeaux dans les chaussures la veille au soir. *Sinterklaas* était le saint patron des enfants, mais aussi des voleurs, des parfumeurs, des marins, des voyageurs et… des filles sans mari. Nous étions maintenant onze Néerlandaises au foyer. Le soir du 5, donc, je découpai onze petits sabots dans du papier d'emballage récupéré et, au dos de chacun, j'écrivis quelques vers sous forme de vœux, puis je les glissai sous les portes.

Moi, j'étais sûre que les miens seraient exaucés, puisque Isaak allait bientôt venir me chercher.

Mais le 9, le jour de mon anniversaire, le foyer se réveilla sous une tempête de neige qui avait déjà déposé un tapis de cinquante centimètres. Au petit-déjeuner, les Allemandes parlaient des hivers bavarois. Dès que je le pus, j'allai trouver Ilse à la pouponnière.

— Il paraît que la neige pourrait nous isoler pendant une semaine. Est-ce que c'est vrai ? demandai-je.

— C'est déjà arrivé.

Un bébé se mit à pleurer dans son berceau, et elle le prit dans ses bras.

— Celui-là, c'est un vrai petit goulu. Il réclame toutes les heures. Mais regarde-moi ces fossettes !

Elle me le tendit.

— Essaie de le faire tenir tranquille pendant que je chauffe son biberon. Mais avant je dois aller chercher du lait en poudre à l'orphelinat.

Je tirai sur le coin de sa couverture pour mieux voir son visage. Il fronça ses sourcils duveteux de nouveau-né. Déjà révolté. Je le berçai, humant l'odeur un peu aigre de lait maternisé, odeur d'abandon. Je resserrai mon étreinte, et il se calma. Cette faim, ce n'était pas une faim de lait.

À son retour, Ilse me le reprit et s'installa sur une chaise devant les fenêtres. J'allai m'en chercher une et je m'assis près d'elle pendant que l'enfant se jetait sur son biberon. Dehors, les flocons tombaient encore plus dru. J'eus l'impression d'étouffer.

— Combien de temps faudra-t-il pour que les routes soient déblayées ?

Ilse me lança un regard étonné.

— Si nous sommes bloqués par la neige, précisai-je.

— Ça peut aller très vite. Nous sommes dans une grande ville. Certains petits villages de montagne peuvent rester bloqués pendant un mois. Là-bas, les habitants font des provisions.

— Mais ici ?

— Nous ne sommes pas prioritaires, mais nous ne sommes pas non plus les derniers de la liste. Ne vous inquiétez pas. Il y a assez de ravitaillement pour nous permettre de tenir, et de quoi nous chauffer.

— Mais en cas d'urgence ? Si quelqu'un avait besoin de partir ?

Elle me fit les gros yeux.

— Qu'est-ce qui vous fait si peur ? J'ai déjà passé deux hivers ici, et tout s'est très bien passé. Il y a un médecin de garde en permanence. On ne peut pas être plus en sécurité qu'ici. D'ailleurs, vous ne devez pas accoucher avant mai.

— Je sais, seulement… Je n'aime pas me sentir enfermée. Il ne neige pas autant en Hollande.

Ilse sortit la tétine de la bouche du bébé et l'installa contre son épaule pour lui faire faire son rot. Elle prit le temps de lui masser le dos en décrivant de petits cercles avant de répondre.

— Enfermée…

Elle me dévisagea longuement.

— De toute façon, qu'il neige ou non, vous ne pouvez pas partir. Où iriez-vous ?

37

Un jour, vers le milieu du mois de décembre, on nous annonça que les horaires de repas allaient être modifiés provisoirement. Notre repas principal serait servi à midi, et nous pourrions descendre de cinq à six pour prendre un souper léger de viande froide et de salade. On avait besoin de la salle à manger pour organiser la fête de Noël du personnel. Et si Isaak l'avait appris ? Et si c'était justement l'occasion qu'il attendait pour venir ?

Comme d'habitude, j'allai voir Ilse pour obtenir des renseignements.

— Pas de naissances aujourd'hui, dit-elle automatiquement en levant la tête de ses papiers.

— Vous allez à la fête, ce soir ? Tout le monde y sera ?

Elle fit la grimace.

— Non, je n'y vais pas, et vous feriez mieux de vous tenir à l'écart.

— Pourquoi ?

Elle attendit, car une élève infirmière qui sortait de la salle de travail passait près de nous. Elle se leva de son bureau, prit une boîte de lait maternisé sur une pile qui se trouvait près de la porte et m'en tendit une autre.

— Venez m'aider à préparer les biberons, dit-elle à voix haute et claire.

Je la suivis dans la salle de service, mais au lieu de se diriger vers les rangées de biberons ou vers l'évier, elle se contenta de déposer les boîtes de lait sur une étagère à côté de celles qui s'y trouvaient déjà. Une porte vitrée donnait dans la pouponnière. Elle s'en approcha et appuya le front contre le carreau pour regarder les bébés emmaillotés dans leurs langes, qui les faisaient ressembler à des pains de quatre livres.

— Pauvres innocents…

Prise d'une inquiétude, elle alla vérifier que la porte du couloir était bien fermée avant de se tourner vers moi.

— Vous ne savez pas ce qui va se passer ce soir ?

— Eh bien c'est la fête de Noël, je crois. On a livré de la bière et du schnaps ce matin.

— Justement. Il y aura bien une fête, mais un groupe d'officiers SS va venir y participer. Toutes les filles qui travaillent ici et qui ne sont pas encore enceintes le seront probablement demain matin. Plus il y aura d'enfants, plus ils seront satisfaits. Ils ne s'intéressent qu'à ça. Moi, j'ai pris un congé pour rentrer passer le week-end avec mon père. Mon premier en un an.

— Je vois… Mais tout le reste du personnel sera de la fête, alors ? Toutes les infirmières, les élèves infirmières ? Et les gardes ? ajoutai-je en tâchant de ne montrer qu'une innocente curiosité.

— Tout le monde y va, sauf les gardes, bien sûr. Au contraire, les patrouilles seront doublées. Ils ne veulent surtout aucune interruption intempestive ce soir. Pas d'invités indésirables.

— Tiens ? De quoi ont-ils peur ?

— Nous sommes en Bavière, Anneke. Les gens de la région sont principalement catholiques, et extrêmement conservateurs. Ils ont vu d'un très mauvais œil l'installation d'un foyer de filles-mères près de chez eux. S'ils avaient vent de ce qui doit se passer ce soir, il pourrait y avoir des protestations.

— Mais enfin, il n'y aura pas de viols, au moins ?

— Non, tout le monde sait à quoi s'attendre. Les filles sont abreuvées de propagande depuis des années. Elles savent ce qui va se passer. La fête n'est qu'un prétexte aux rencontres. Ensuite, les couples s'égailleront dans les chambres du personnel.

Elle jeta un coup d'œil à la vitre de la pouponnière.

— Ce n'est pas leur faute, à ces pauvres bébés. Ça me brise le cœur de penser au sort qui les attend… Bientôt…

— Bientôt… ?

— Je vais vous dire quelque chose que vous devez me promettre de ne répéter à personne.

— Promis.

Je n'en étais plus à un secret près.

Ilse surveilla la porte tout le temps qu'elle me parla, à voix basse.

— L'Amérique est entrée en guerre. Les Japonais ont attaqué les Américains la semaine dernière, puis Hitler leur a déclaré la guerre.

J'ouvris de grands yeux.

— Je vous assure, insista-t-elle. Je ne sais pas si vous l'avez remarqué, mais on ne reçoit plus aucune nouvelle de l'extérieur. On n'a plus apporté de journal depuis les événements, même pas *Der Stürmer*. On nous a ordonné de ne pas parler de ça devant les pensionnaires. Mon père dit que c'est encore une preuve que Hitler est fou. Il ne pourra jamais résister aux Américains et aux Anglais, maintenant qu'ils ont uni leurs forces. Nous allons vite être à bout de ressources. La défaite est certaine.

— Vous êtes sûre ? Mais quand cela arrivera-t-il ? Quand ?

— Je ne sais pas. Bientôt, j'espère. Mon père pense que ça prendra encore au moins un an. Il craint que la population ne souffre beaucoup avant la fin. Les nazis vont intensifier l'effort de guerre. Tant pis, si c'est le prix à payer. Je préfère encore les Américains aux nazis. C'est pour les enfants que je m'inquiète le plus. Ils seront marqués à vie par leur naissance. Ils auront une croix gammée tatouée sur le front.

Dans la pouponnière, il y avait six bébés, quatre filles et deux garçons. Un seul était éveillé, une petite fille dans le berceau le plus proche de la vitre. On voyait bouger ses yeux sous ses paupières translucides entrouvertes. Par cette fente, elle jetait des regards hésitants sur le monde qui l'entourait. Je posai la main sur mon ventre qui s'arrondissait, maintenant.

— On ne peut rien leur reprocher, à eux ! Ce serait trop injuste.

— Vous êtes jeune, Anneke.

On entendit une porte s'ouvrir et des pas résonner dans le couloir. Ilse regarda sa montre.

— La relève. Je dois aller prendre mon train. Nous nous reverrons d'ici quelques jours.

— Oui, bon week-end.

J'avais compris que personne ne pourrait venir me délivrer ce soir, mais les nouvelles que je venais d'apprendre me redonnaient du courage. Quand je rentrai dans notre chambre avec Neve après le repas, j'eus toutes les peines du monde à garder le secret, mais je tins bon parce que Ilse me l'avait demandé.

Neve sortit de sa poche de la nourriture enveloppée dans une serviette, qu'elle rangea dans son tiroir. Depuis que je lui avais emprunté son briquet, elle ne se fatiguait plus à me cacher ses réserves, mais je ne lui avais encore jamais posé de questions.

Je désignai le tiroir.

— Neve… Pourquoi gardes-tu tout ça… ?

— *Carpe diem*, répondit-elle en haussant les épaules.

— C'est-à-dire ?

— C'est au cas où la guerre s'arrêterait. On pourrait nous mettre dehors du jour au lendemain. Au moins, j'aurais quelques jours de vivres devant moi avant de mourir de faim.

— Dans les mois qui viennent ? Tu penses que c'est possible ?

Je me demandai si elle avait appris la grande nouvelle et si elle avait plus d'informations que moi à ce sujet.

— Je n'en sais rien, justement. Je reste prudente. Tu essaies encore de prévoir l'avenir, toi ? Tu n'as pas remarqué que rien ne se passait jamais comme prévu ?

Sa remarque me sembla très juste. Je m'en effondrai de rire sur le lit. Mon hilarité me sembla bizarre. J'en avais perdu l'habitude.

— Tu as raison, Neve. Nous ne contrôlons pas vraiment ce qui nous arrive !

Excédée par notre impuissance, elle commença à se déshabiller.

Soudain, j'eus une idée.

— Qu'est-ce que tu fais de la nourriture ?

— Je la jette dans les toilettes tous les deux ou trois jours. Ça me fait assez plaisir de penser que je contribue à ôter le pain de la bouche des soldats allemands.

— Tu ne voudrais pas me donner ce qu'il y a dans ton tiroir le vendredi, au lieu de tout jeter ?

— Pourquoi le vendredi ?

Intriguée, elle interrompit son déshabillage, elle ne portait plus que sa vieille combinaison délavée, prêtée par le foyer. Avec ses jambes maigres, son gros ventre et son cou grêle, elle ressemblait à un petit roitelet. Je m'étais beaucoup attachée à elle, même si elle ne faisait aucun effort pour susciter l'affection.

— Ah, j'ai compris ! s'exclama-t-elle. C'est pour la femme de ménage ?

— Oui. Je vais faire comme toi, c'est une bonne idée.

— Je ne sais pas si…

— Elle sera prudente. Et si quelqu'un découvre notre trafic, j'en prendrai la responsabilité.

Neve hésita encore un peu, puis se décida.

— Bien… Disons que si tu prends ce qu'il y a dans mon tiroir le vendredi, je ne dirai rien. Ce n'est pas bien de gâcher la nourriture.

Elle m'adressa un sourire en coin, puis sortit sa seule robe présentable de la penderie et l'enfila. S'apercevant que je m'étais préparée pour me mettre au lit, elle s'étonna.

— Tu ne viens pas voir la fête ?

— Non. Je préfère me coucher.

Je montrai les livres sur les soins prénataux que j'avais empruntés à la bibliothèque.

— Je vais lire.

— Tu es folle, marmonna-t-elle en mettant ses chaussures. Il va y avoir de la musique ! On n'en a pas entendu depuis je ne sais combien de temps. Et puis ils vont danser. J'ai trop envie de revoir des gens danser.

— On ne te laissera pas entrer. Tu ne sais pas ce qui se prépare…

— Si, je suis au courant. C'est une sorte de lupanar. Je ne veux pas entrer. J'ai juste envie de regarder, et d'écouter.

— Ça ne te gêne pas ?

— Je les plains un peu, ces petites, mais elles méritent ce qui leur arrive. Pas d'amour. Même pas de désir. Les Allemands n'ont pas besoin de ça. Ce sont de vrais boucs.

— Très jolie comparaison, approuvai-je avec un rire. C'est intelligent ! Maintenant, je penserai à une chèvre chaque fois que je verrai *Frau* Klaus !

— Et encore, j'ai déjà vu des boucs et des chèvres s'accoupler. Les mâles, au moins, ont l'air d'apprécier. Tu imagines comme ça doit être atroce d'être avec un homme qui ne te désire pas et qui ne fait que son devoir ? Non merci, très peu pour moi. Je ne crois qu'à l'amour, ou au désir.

Une question me brûlait les lèvres, que je me risquai à poser tout en sachant que Neve détestait les confidences. Ce soir, elle semblait disposée à bavarder.

— Et entre toi et le père, c'était de l'amour ou du désir ?

Elle eut un sourire désenchanté, comme pour dire : « Oui, c'est bien là toute la question, non ? »

— Du désir pour l'un et de l'amour pour l'autre, c'était le problème.

Je fus soulagée qu'elle ne me retourne pas la question.

Quand elle descendit, je fermai la porte derrière elle. Cela ne m'empêcha pas d'entendre l'électrophone et les rires. Le grondement sombre et puissant des voix d'hommes apportait un élément de danger dans ce lieu doux et féminin. La soirée avançant et l'alcool aidant, la clameur monta, de plus en plus forte. Je sortis de mon lit pour cocher une nouvelle journée sur mon calendrier. Je me rappelai de faire un calcul. Oui, c'était bien le premier soir de Hanoukka.

Cinq ans déjà. C'était le soir ou jamais de prier qu'un miracle s'accomplisse pour les Juifs. Je pris une bougie dans le tiroir et l'allumai, murmurant la bénédiction.

Un bruit de verre cassé monta d'en bas, suivi par un silence, puis, la surprise passée, par des éclats de rire et le fracas d'autres verres.

Je soufflai ma bougie et la rangeai.

38

Ce fut ensuite le soir du nouvel an, puis le 1er janvier. Une semaine s'écoula encore, puis une autre. La nouvelle de l'entrée en guerre des Américains finit par circuler ; après quelques jours de murmures fébriles entre les filles des pays occupés, les espoirs retombèrent car rien ne changeait. À quoi nous étions-nous attendues ? Pensions-nous vraiment que les Américains allaient débarquer dans le foyer à bord de leurs grosses Cadillac pour nous ramener dans des villes miraculeusement reconstruites et dans les bras de familles qui nous souhaiteraient la bienvenue ? Le changement, s'il y en avait un, prendrait des mois, voire des années, or les femmes enceintes avaient une notion du temps à beaucoup plus court terme. Une semaine passa, une autre. Isaak devait avoir reçu mon mot à présent. Et pourtant, il n'était toujours pas là.

Les jours se suivaient et se ressemblaient, je faisais les mêmes promenades dans le parc. Le déjeuner suivait le petit-déjeuner, la nuit succédait au jour, le soleil à la neige. Je dormais de plus en plus, et quand je me réveillais de mes incessantes siestes, il me fallait quelques secondes pour savoir si nous étions le jour ou la nuit. Je me repérais au bruit de la pendule : la nuit, le tic-tac éclatait comme des coups de feu.

Un voile glauque d'ennui enveloppait le bâtiment, à l'exception de la salle d'accouchement. J'y allais le plus souvent possible. J'aimais ses parquets cirés et ses fenêtres étincelantes et surtout son atmosphère vibrante. J'allais aussi beaucoup à la pouponnière, mais un matin, je la trouvai vide, alors que quelques jours plus tôt, il y avait encore eu trois bébés.

— Le petit garçon a été pris, et les deux filles ont été emmenées à l'orphelinat. Elles sont assez grandes, expliqua Ilse.

Je me sentis désespérément seule en pensant aux journées vides qui m'attendaient.

— Je ne pourrais pas aller voir les enfants à l'orphelinat ?

Ilse haussa les épaules.

— Ce n'est pas interdit, mais les filles n'y vont jamais.

— J'aimerais m'occuper des bébés. Je n'ai rien d'autre à faire.

— Il y a du travail en effet. Personnellement, je suis contente que la pouponnière soit vide quelques jours pour prendre le temps de souffler. Allons voir si vous pouvez vous rendre utile. Pourquoi pas ?

Elle prit son manteau et me tendit un pull.

— C'est plus rapide de passer par l'extérieur.

Nous quittâmes l'aile est pour traverser le patio où le balai avait laissé des traces gelées en demi-lune sur les dalles. Ilse ouvrit l'épaisse porte d'entrée en chêne, qui était suivie par deux lourds battants formant un double sas. Même avant de passer cette deuxième barrière, j'entendis des pleurs. Mon ventre se tordit et je me demandai comment nous pouvions ne pas entendre ces hurlements de l'aile voisine.

— Personne ne s'occupe d'eux ? m'étonnai-je.

Ilse me montra la pièce des infirmières de l'autre côté du couloir. Près d'une lampe, une jeune femme assise se grattait le cou, penchée sur un registre.

— La surveillante est là.

— Elle ne va pas regarder pourquoi les bébés pleurent ?

Ilse posa un regard étonné sur les berceaux, comme si elle n'avait pas entendu les cris avant que j'en parle.

— Oui, quelques-uns pleurent. Mais c'est sans doute normal, autrement elle s'inquiéterait.

— On les laisse pleurer seuls ?

— Ce n'est pas très grave. La nuit, je sais qu'on les sépare. Ceux qui pleurent sont isolés dans une autre pièce. C'est peut-être l'heure du biberon. Nous n'arrivons sans doute pas au bon moment. La surveillante chef est très gentille. Elle s'appelle Solvig. Ce serait sans doute mieux de revenir quand elle sera de service.

Ilse voulait repartir, mais moi je ne pouvais plus bouger, fascinée par la dizaine de berceaux blancs, plus grands que ceux de la pouponnière, alignés en deux rangées devant les fenêtres. Déjà en formation, comme de bons petits soldats, mais leurs pleurs étaient moins militaires. Ils me paraissaient même particulièrement déchirants dans cette pièce froide où le soleil tombait sur un carrelage étincelant et de longues armoires métalliques. La seule douceur de cet environnement, c'était eux, ces neuf bébés dans leurs cages d'acier.

— Anneke, nous sommes dans un Lebensborn, ne vous inquiétez pas. C'est l'endroit du pays où on s'occupe le mieux des bébés.

— Vous êtes sûre ?

— Mais évidemment. C'est le but de l'opération. On les nourrit toutes les quatre heures, ils sont propres, on leur donne des vitamines, des médicaments… les meilleurs soins possibles.

— Mais entre-temps ?

— Entre-temps, eh bien ?

— Que se passe-t-il entre les biberons ?

— Je ne sais pas. Ce n'est pas mon secteur. Ils dorment, sûrement. Comme tous les bébés.

Je pensai à Benjamin qui avait tant aimé que je le prenne dans mes bras. Il pleurait quand on le laissait seul et qu'il ne dormait pas. Ma belle-mère me reprochait de le gâter parce que je l'emmenais partout avec moi dans l'appartement, mais elle disait cela avec un sourire et en me caressant les cheveux. Et Benjamin aussi me souriait. Il m'enveloppait d'un regard d'amour qu'il me réservait et qui m'attendrissait follement.

Je ne laisserais jamais mon enfant pleurer seul dans son berceau, cette petite boule blottie au fond de moi. Je le prendrais dans mes bras dès qu'il aurait besoin de réconfort. Ou son père le prendrait… du moins quand je lui aurais appris comment faire. J'eus un moment de panique car, en évoquant Isaak, je ne parvenais pas à me souvenir de son visage. Puis je retrouvai une image de lui, allongé à côté de moi dans son lit étroit, de profil, yeux clos. Je me souvins que sa peau avait semblé se contracter sous mes caresses, comme si le contact de mes doigts le glaçait. Oui, il faudrait lui montrer.

Je me penchai sur la petite fille la plus proche de moi et caressai sa main à la peau si douce. Elle ne bougea pas, et me dévisagea avec méfiance. Quand je lui chatouillai l'intérieur de la main du bout du doigt, elle le serra, mais en gardant son expression prudente.

Dans le berceau voisin, une autre petite fille se mit à geindre, ajoutant sa voix frêle au concert général. Cet appel résonna encore une fois dans le creux de mon ventre, comme si un fil tirait sur mes entrailles.

— Certains de ces bébés doivent avoir au moins six mois, dis-je. Est-ce que personne ne les câline ? On ne joue pas avec eux ? Pourquoi sont-ils encore là ? Je pensais qu'ils devaient tous être adoptés.

— Ils le seront. Certaines familles ne veulent pas de nourrissons. Ils partiront tous très bientôt. Rentrons, maintenant. C'est mauvais pour vous de vous inquiéter, dans votre état.

— J'attends un bébé, un bébé comme ceux-là. Ce n'est pas une maladie !

C'était ce qu'avait voulu croire Leona, et cela ne lui avait pas servi à grand-chose.

— Ilse, où est l'enfant de Leona ? A-t-il été adopté, ou est-il encore ici ?

— Je n'en sais rien.

— Vous ne pourriez pas vérifier ?

— Je ne vois pas comment. Venez, Anneke.

— Ça ne doit pas être si difficile à savoir, pourtant.

Ilse jeta un coup d'œil à la porte de la surveillante, puis se pencha pour poser les mains sur le ventre d'un petit garçon très agité et me répondit en baissant la voix.

— D'abord, les dossiers ne sont pas ici. Ils sont transférés à Munich. Les numéros et les noms qui sont sur les berceaux n'indiquent rien sur l'identité de la mère biologique.

— Je vous en prie. Je veux absolument savoir s'il est là.

Ilse se redressa, les mains sur les hanches. J'imitai son geste et soutins son regard jusqu'à ce qu'elle cède avec un soupir.

— Quand est-il né ?

39

Le dernier jour de janvier, au milieu de la matinée, alors que j'étais allongée sur mon lit à faire des mots croisés en espérant m'endormir, je sentis bouger quelque chose dans mon ventre en me tournant sur le côté. C'était un frémissement, presque rien, mais le mouvement ne venait pas de moi. Une vie séparée. Je me tournai de nouveau, dans un sens, dans l'autre, essayant de provoquer la même réaction, mais mon bébé se cachait, jouait avec moi à un jeu secret. Quand je descendis pour le déjeuner, me réjouissant d'apprendre la nouvelle à Neve, j'eus une nouvelle surprise, mais moins agréable : une petite carte bleue dans mon casier me convoquait à la visite médicale des six mois le lendemain après-midi. Je restai paralysée de terreur dans le hall, les yeux rivés sur le carton. J'avais oublié le danger, et j'allais payer mes mensonges.

D'après mes calculs, Anneke avait eu six ou dix semaines d'avance sur moi. J'avais maintenant la confirmation que ce n'était que six, ce qui valait mieux que dix, mais un médecin se rendrait quand même compte de l'erreur. Je me rendis aussitôt à la pouponnière.

— J'ai besoin de votre aide.

Ilse leva les yeux du rapport qu'elle rédigeait, et posa son stylo en voyant mon air défait.

— Vous ne vous sentez pas bien ?

Je lui fis signe de me suivre et je l'entraînai le plus loin possible de la porte du couloir, sous la fenêtre. Je regardai dehors sans oser rencontrer son regard.

— J'ai besoin de mon dossier. Ne me demandez pas pourquoi, je ne peux pas vous le dire.

Elle resta songeuse, regardant fixement les montagnes enneigées au loin.

— Les dossiers sont mis sous clé, Anneke. Ils contiennent de nombreuses informations confidentielles.

— Dites-moi simplement comment faire pour y accéder. Je ne vous demande pas de prendre un risque pour moi.

— Ce n'est pas si facile. Le bureau est fermé à clé. Nous ne sommes que très peu à y avoir accès.

— Je ne vous demanderais pas ce service si je n'y étais pas obligée. Je vous en prie, aidez-moi.

Ilse posa les mains sur mes épaules pour me faire tourner vers elle. Elle m'interrogea du regard, et je répondis sans flancher en mettant la main sur mon ventre, signifiant que c'était pour le bien de mon enfant que je voulais le dossier. Un mensonge que je n'aurais pas eu le courage de proférer à voix haute.

Elle soupira.

— Très bien. Il y a une réunion du personnel ce soir. Je m'échapperai à huit heures moins le quart. Attendez-moi à l'accueil dans le hall. S'il n'y a pas de danger, je vous ouvrirai le bureau.

J'arrivai au rendez-vous à l'heure dite, baignée de sueur. Je vis venir Ilse dont l'air grave me donna l'impression qu'elle regrettait sa promesse.

— Vous avez cinq minutes, dit-elle. La clé du meuble de classement est dans le troisième tiroir du secrétaire sous la fenêtre. La réunion est presque terminée. Si quelqu'un vient, je tâcherai de frapper à la porte si je le peux, et il faudra vous cacher. C'est le mieux que je puisse faire.

Je trouvai le dossier d'Anneke et feuilletai les différents documents. C'était terrible de la voir réduite à une série de chiffres. Mais je n'avais pas le temps de lire : je cherchais simplement une date. Je la trouvai en haut du compte rendu de l'examen gynécologique. 1er mai. Je sortis de ma poche le stylo dont je m'étais munie, et j'en posai la pointe sur la feuille pour rayer la date quand je vis le parti que je pouvais tirer de ce chiffre isolé. La chance me souriait. Je traçai un trois devant le un.

Je venais de gagner trente jours.

Quand je sortis du bureau, Ilse posa un doigt sur ses lèvres et se dépêcha de m'entraîner dans le couloir. Soudain, elle passa un bras sur mes épaules.

— Ne vous inquiétez pas. C'est tout à fait normal. Prévenez-moi s'il y a une éruption.

Je vis alors le Dr Ebers qui venait de surgir au bout du couloir. C'était le médecin chef de tous les foyers. Il avait les cheveux pommadés et une bouche étroite qui lui fendait le bas du visage comme s'il avait reçu un coup de hache.

— Ce n'est rien, lui confia Ilse. Ce ne sont que des anxiétés de jeune future mère.

Il hocha la tête avec un sourire indulgent qui amincissait encore ses lèvres.

— N'hésitez pas à nous confier tous vos petits soucis. Mieux vaut s'inquiéter pour rien que de passer à côté d'un vrai bobo *Fraülein*, n'est-ce pas ?

Mes doigts se crispèrent dans ma poche autour du stylo que je venais d'utiliser, et je me débrouillai pour lui adresser un faible sourire.

— Merci beaucoup, dis-je à Ilse. Je me sens beaucoup mieux maintenant.

Nous nous séparâmes dans le hall. Pour prendre congé de moi, Ilse me serra la main, et je sentis qu'elle me glissait un papier plié dans la paume. J'attendis d'être rentrée dans ma chambre pour l'ouvrir. Il contenait un nom : Adolf K, suivi d'un numéro.

Ainsi, l'enfant de Leona était encore là. Je me fis la promesse d'aller le voir le lendemain. La journée avait été fructueuse. Mais mon soulagement fut aussitôt suivi d'un violent sentiment de colère. Pourquoi Isaak m'avait-il abandonnée ? Et ma tante ? Ils m'avaient promis sur l'honneur de venir me chercher, et affirmé que je ne pouvais pas aller dans un endroit plus sûr en attendant de fuir. S'inquiétaient-ils pour moi aujourd'hui ? Se souvenaient-ils seulement de mon existence ? Je n'en pouvais plus de me cacher, de mentir, de m'inquiéter ! Mon panier à linge me narguait au bout du lit, rempli des vieux vêtements qui m'avaient été prêtés, car je ne pouvais plus rien porter d'autre. Je le renversai par terre et me jetai sur mon lit.

— Qu'est-ce qui t'arrive ? demanda Neve que je n'avais pas entendue entrer.

J'ouvris un œil.

— Je suis de mauvaise humeur. Je me défoule.

— Comme je te comprends. Ça me donne envie de t'imiter.

Je l'invitai du geste à s'attaquer à son panier à linge, et elle le renversa d'un coup de pied comme je l'avais fait. Des vêtements jonchaient le sol d'un mur à l'autre. Elle eut un sourire satisfait.

— Moi aussi j'ai ces frusques en horreur, dit-elle en s'asseyant lourdement sur son lit.

Elle se baissa pour ramasser un corsage entre deux doigts, comme si c'était un rat mort.

— Regarde-moi ça, il ressemble à ceux que porte ma grand-mère. Moi, j'ai envie de jolies affaires. De mettre des ceintures, d'aller flâner dans les magasins !

Elle lâcha le corsage avec un geste frivole qui me fit rire.

— Tu me rappelles ma cousine. Elle disait ce genre de chose elle aussi, mais elle le pensait vraiment !

— Tu parles d'elle au passé…

J'eus la sensation d'étouffer, comme si la mort d'Anneke, en pénétrant dans la pièce, en avait chassé l'oxygène.

— Elle est morte ? demanda Neve. La guerre ?

— Oui, la guerre, répondis-je quand je pus respirer, surprise qu'il y ait tant de vérité dans ce raccourci.

— Ma pauvre, je suis désolée. Évidemment, c'est ça qui nous bouffe.

— Ça va bien s'arrêter un jour.

Neve se tourna sur le côté pour se soulager du poids de son ventre, menton appuyé sur la main.

— C'est bizarre. Je n'arrive pas à me souvenir de la vie d'avant la guerre. Cela ne fait que deux ans, pourtant. Et je ne peux pas non plus imaginer comment sera la vie après.

— Moi non plus. Nous vivons avec la guerre en tête en permanence. Cela influence tellement tout ce que je fais, tout ce que je dis…

— Tu sais ce qui me ferait le plus plaisir ?

Elle s'adossa à sa tête de lit et se massa le ventre en décrivant de petits cercles.

— Je voudrais pouvoir au moins une fois prendre une décision qui me concerne, poursuivit-elle. J'ai envie de dire ce que j'ai envie de dire, de manger ce que j'ai envie de manger, d'aller où j'ai envie d'aller. Je te jure que quand la guerre sera finie, je ne laisserai plus jamais personne me donner des ordres.

— Moi c'est pareil, répondis-je en me demandant pourquoi nous n'étions pas devenues amies plus tôt. Mais ce qui me manque le plus, c'est de pouvoir me laisser aller. J'en ai assez d'être une souris dans une maison pleine de chats. J'ai besoin de me reposer.

— Le repos, remarque, c'est bien la seule chose qu'on nous offre ici. C'est drôle que nos ennemis se donnent autant de mal pour nous protéger. Et tout ça à cause d'un coup de malchance.

— De malchance…

— Oui, à part les Allemandes, je ne crois vraiment pas qu'une seule d'entre nous soit tombée enceinte exprès. Il faudrait vraiment être idiote.

— Oui, complètement idiote…, répondis-je, résignée.

Idiote, ou beaucoup trop confiante.

Le lendemain matin, j'arrivai à mon rendez-vous en avance.

— Excusez-moi, dis-je à l'infirmière qui nous recevait, mais je crois qu'il y a une erreur. Je ne dois pas accoucher avant la fin mai, alors je ne m'attendais pas à passer la visite des six mois aussi tôt.

— C'est moi qui envoie les cartes, rétorqua-t-elle comme si cela excluait toute possibilité d'erreur.

Elle vérifia sa liste, fit une croix devant mon nom puis me fit signe d'aller m'asseoir. Voyant que je restais devant elle, elle feuilleta avec irritation les comptes rendus d'examens gynécologiques empilés sur le bureau. Elle trouva le mien et je vis son expression changer quand elle lut la date. Sourcils froncés, elle me dévisagea d'un air soupçonneux.

— Mon premier examen a été fait aux Pays-Bas, expliquai-je. Vous savez comme c'est mal organisé, là-bas.

— Une incompétence pareille, c'est inimaginable, commenta-t-elle en reposant la feuille. Vous pouvez partir. On vous convoquera le mois prochain.

Ce coup de semonce me tira de ma léthargie. Ce soir-là, je dressai un plan de bataille. Je ne pouvais plus attendre qu'Isaak vienne me sauver. La plus grande difficulté serait de franchir la grille malgré les gardes, bien sûr, mais je ne voulais pas m'arrêter sur ce point, comptant trouver une idée plus tard. Une quantité d'autres difficultés devaient être réglées auparavant.

D'abord, il me faudrait de l'argent. Je n'avais pas touché aux billets que ma tante avait mis dans ma valise, c'est-à-dire dix florins. J'en aurais besoin si je retournais en Hollande. Quand je quitterais Steinhöring, il me faudrait de l'argent allemand pour prendre le train jusqu'à la frontière. Il me faudrait le voler.

Dès que je serais sortie du foyer, je comptais aller dans une poste pour téléphoner à Isaak ou à ma tante. L'idée que j'allais enfin entendre une voix amie me redonna du courage.

À quel moment serait-il le plus judicieux de tenter ma chance ? Je revins cent fois sur cette question. La température extérieure était le facteur clé. J'avais beau mourir d'envie de me sauver tout de suite, il n'en était pas question : si je devais passer la nuit dehors par ce froid glacial, avec toute cette neige, je mettrais ma santé en danger. Plus j'attendrais, moins mon voyage serait risqué. Mais si j'attendais trop, je ne serais plus capable de marcher. Je voyais bien qu'après huit mois, les filles arrivaient à peine à se déplacer. Elles avançaient lentement, pesamment, et tout les épuisait.

À la mi-avril, je serais enceinte de sept mois et les rigueurs de l'hiver seraient passées. Je fis une petite marque sur mon calendrier. Le 15 avril.

Me poursuivrait-on ? Oui, simplement peut-être parce que ma disparition les inquiéterait. Vaudrait-il mieux que je me cache quelque temps près de la frontière ? Que je me déguise ?

Une fois de retour aux Pays-Bas, je me sentirais beaucoup plus en sécurité. Il y aurait des soldats allemands partout, bien sûr, et je ne pourrais plus me risquer à me servir des papiers d'Anneke, mais, au moins, je n'aurais pas trop peur de frapper à la porte d'une ferme. Je dirais qu'on m'avait volé mes papiers, que j'avais eu peur d'une vérification d'identité, et je demanderais l'asile.

Mais ensuite, où aller ?

40

J'aurais pu reconnaître l'enfant de Leona sans l'aide d'Ilse. Il n'y avait qu'à bien regarder son visage pour voir la ressemblance avec sa mère. Le lien de parenté ne faisait aucun doute.

— Je peux le prendre dans mes bras ? demandai-je à Solvig qui m'avait accueillie à la porte. C'était une femme adorable d'une soixantaine d'années.

— Bien sûr. Ça nous déchargera pendant que nous nous occupons des autres.

— Bonjour, toi, dis-je en le prenant dans son berceau. Que tu es beau !

Il ne bougea pas quand il fut dans mes bras, se contentant de me considérer gravement. Je le berçai, mal à l'aise.

— Que tu es beau…

J'enfouis le visage dans son cou, et quand je redressai la tête, j'avais les joues mouillées de larmes.

Je vis que Solvig m'observait. Elle sourit.

— C'est l'heure des biberons. J'ai une aide, ajouta-t-elle en désignant une élève infirmière qui entrait en poussant un chariot, mais nous avons sept bouches affamées à nourrir. Ça ne vous ennuierait pas de vous occuper de celui-ci pour moi ?

Elle m'apporta un biberon tiède, et je m'assis pour nourrir l'enfant de Leona. Pendant que nous nous dévisagions pour faire connaissance, je ne pouvais m'arrêter de sourire à ce magnifique enfant de quatre mois, dodu et bien portant. Mais son visage à lui restait grave.

— Je ne suis pas du tout d'accord, lui dis-je. Je vais t'apprendre à te servir de tes petites fossettes, moi !

Je lui fis un grand sourire qu'il accueillit d'un air inquiet en tétant avec une énergie redoublée. Je ris en frottant mon nez contre sa joue, et lui murmurai à l'oreille :

— Pour commencer, tu ne t'appelles pas Adolf. Qui pourrait sourire avec un prénom pareil ?

Je réfléchis un instant, puis le baptisai.

— Klaas. Ce sera notre secret. Ça signifie « Victoire ». Ta mère aimerait beaucoup ce nom. Tu as exactement les mêmes cheveux qu'elle. Et elle t'aimait, tu sais. Elle t'aimait.

Et, ainsi, les premières semaines de février s'écoulèrent beaucoup plus vite. J'allais à l'orphelinat presque tous les jours. Solvig m'autorisait à rester aussi longtemps que je le voulais, tant que j'étais là pour donner le biberon de seize heures et que j'aidais à changer les couches, des tâches qui pour moi étaient aussi réconfortantes que de pétrir du pain. Il m'arrivait de passer des heures avec Klaas dans les bras, posé sur le monticule que formait mon enfant.

Ces après-midi trompaient ma vigilance, m'apportant un faux sentiment de sécurité. Jusqu'à un certain matin où on nous annonça au petit-déjeuner que nous devions passer à la lingerie pour nous réapprovisionner.

Les tables étaient couvertes de hautes piles de draps blancs bien pliés. Ils étaient lourds, bordés de larges dentelles, gansés de satin. Il y avait aussi des serviettes ornées de volutes, certaines d'une blancheur éclatante, d'autres écrues ou à rayures bleues. Sur une autre table, c'étaient des voilages et des rideaux, en velours, en brocart, en tulle, et des piles de linge de table. Je pris une nappe entre mes doigts. C'était du lin amidonné. J'eus l'impression de voir ma mère repasser une nappe identique, une vapeur odorante montant devant son bras.

Je retournai aux draps et en pris une paire pour mon lit, de coton blanc et frais, avec une garniture de dentelle autour de la taie.

— Où ont-ils trouvé tout ça ? demandai-je à Inge qui était à côté de moi.

La chambre d'Inge était dans le même couloir que la nôtre, et c'était la seule Allemande qui semblait ne pas détester les filles des autres pays. Elle se conduisait comme si nous étions des conspiratrices qui partagions toutes le plaisir de la grossesse, car elle était enchantée de son état. Elle exagérait ses petites misères, gonflait les joues et levait les yeux au ciel pour montrer qu'elle se sentait lourde, marchait en canard même si elle n'était encore enceinte que de quatre ou cinq mois. Je l'aimais bien.

— On vient probablement de fermer un ghetto, expliqua-t-elle.

— Comment ça ?

— Tout ce que nous avons ici est récupéré dans les ghettos. Tu ne le savais pas ?

Une autre Allemande nous écarta pour prendre une taie blanche sur la pile. Elle inspecta le monogramme, puis repéra un fil tiré.

— Ces gens ne méritent pas un aussi beau linge.

— Quels gens ? demandai-je d'un filet de voix.

Elle reposa la taie.

— Mais les Juifs, bien sûr. Ça te dérange ?

Je lâchai les draps que j'avais pris. Ma mère aurait pu les repasser, mes voisins envelopper leurs enfants dans ces serviettes. Où étaient-ils maintenant ? Je m'enfuis, un poignard planté en plein cœur.

J'avais beau ne pas vouloir me souvenir de ce que m'avait dit Isaak, sa voix me poursuivit dans le couloir. Quand on ferme les ghettos, on déplace les gens. Cela veut dire qu'on les envoie dans des camps. Des camps de travail… Mon père était peut-être dans un camp de travail. C'était un travailleur spécialisé, on l'épargnerait, il me l'avait dit lui-même. Et puis il y avait beaucoup de ghettos…

Tout m'apparaissait maintenant sous un jour différent et sinistre. Le guéridon, le tapis persan, les miroirs, les tableaux. Des objets volés. À des gens qui avaient été envoyés… envoyés où, au juste ? Même dans ma chambre, ma commode me posait la même question. Les draps. Le lit. Seuls mes livres m'appartenaient. Je pris les *Lettres à un jeune poète*. « Laissez à Rilke le temps de vous imprégner, avait conseillé mon professeur. Lisez-le et relisez-le. Il libérera le poète qui est en vous. »

J'ouvris le livre d'une main tremblante, et tombai sur une lettre vers le milieu, et cette phrase :

Le temps n'existe pas, une année est peu de chose, dix ans ne sont rien. Et sa conclusion : *La patience est tout !*

Mais que savait-il de la patience ? Dirait-il aujourd'hui aux gens qu'on enfermait dans les camps que le temps ne comptait pas ? Je jetai le livre contre le mur. Même Rilke m'avait abandonnée. Non, ce n'était pas vrai. C'était plutôt le monde qui avait abandonné Rilke. Qui nous avait tous abandonnés. Dans ce foyer, je ne pouvais même plus m'offrir le luxe d'imaginer que j'étais poète. Ici, j'étais une mère qui portait en son sein un enfant et un secret. Le jour de la naissance et celui de la révélation approchaient inexorablement. Cette guerre donnait une importance terrible au temps.

41

— Anneke, le père est là !

Je lâchai mon aiguille et regardai fixement Inge qui était apparue à la porte de ma chambre.

— Il t'attend dans la salle commune. On m'a demandé de venir t'avertir.

Je ne rêvais que de ce jour depuis cinq mois ; comment se faisait-il que je ne me sente pas prête ? Je me levai d'un bond et ouvris la penderie. Aurais-je besoin de mes papiers ou en aurait-il apporté de faux ? Devais-je faire ma valise ? Et mon trésor, caché sous l'armoire ?

Je sentis le regard de Neve posé sur moi.

— Qu'est-ce que tu fais ? Qu'est-ce que tu attends ?

— Je pensais juste que... Est-ce que je suis présentable ?

J'attrapai les mains d'Inge.

— Il est vraiment là ? Tu l'as vu ?

Elle sourit.

— Il est très beau. Tu ne nous avais rien dit !

J'eus un instant de panique. Les cheveux noirs d'Isaak, ses yeux noirs, dans cet endroit... Mais non, il ne fallait pas s'inquiéter. Il était assez intelligent pour déjouer les dangers, et il était là pour me protéger, maintenant. L'inquiétude de ces cinq derniers mois, si pesante, se dissipa en un grand éclat de rire.

— C'est vrai qu'il est beau, très beau !

Je sortis de la chambre en courant tant ma hâte était grande. J'allais le voir d'ici une minute, et dans une autre encore, nous partirions ensemble. Mon calvaire allait s'achever.

— Doucement, attention, grommela Neve qui m'accompagnait.

Mais je ne l'écoutais pas. Je descendis au galop, et filai comme une flèche dans les couloirs jusqu'à la salle commune, comme si j'avais peur qu'il ne disparaisse.

Quand je l'aperçus à travers la porte vitrée, j'eus un choc. Il me tournait le dos, penché sur le piano. Il avait les épaules plus larges que dans mon souvenir, et il portait un uniforme d'officier de la Wehrmacht. J'ouvris la port, le cœur prêt à exploser.

Il se tourna vers moi en m'entendant entrer. La stupeur me paralysa.

Neve m'avait rattrapée. Je me dépêchai de chasser toute émotion de mon visage, et me forçai à avancer vers lui.

— Karl, bonjour…

Mon regard le suppliait de se taire, d'attendre pour poser des questions. Il fallait se débarrasser de Neve.

— Ça t'ennuierait de nous laisser seuls ?

Elle ne pouvait guère refuser, mais elle partit à regret en laissant traîner la main le long des lambris, et en me glissant un coup d'œil au passage. Je fermai la porte vitrée derrière elle.

— Où est Anneke ? demanda-t-il.

— Elle n'est pas là. Merci d'avoir attendu que nous soyons seuls.

— Il faut que je la voie, Cyrla.

— Elle n'est pas ici, répétai-je. Vous devriez partir.

Il sortit une enveloppe de sa poche intérieure et me la montra.

— Si, je sais qu'elle est ici. J'ai reçu cette lettre qui me donne l'adresse du foyer et qui m'annonce qu'elle est enceinte et qu'elle a déclaré que j'étais le père. Je veux la voir.

Je lui jetai un regard assassin, furieuse qu'il fasse comme s'il ignorait tout de la grossesse d'Anneke.

— Elle est partie ? insista-t-il. Elle n'est pas dans ce foyer ? Et vous, que faites-vous là ?

À travers les larmes qui me montaient aux yeux, la lumière devint si éblouissante que les objets en perdaient leurs couleurs.

— Chut ! Elle n'est pas là, réussis-je à murmurer en croisant les bras sur mon ventre. Partez. Elle n'a jamais mis les pieds ici.

Karl approcha, l'enveloppe toujours à la main.

— Elle n'est pas enceinte ?

Je fis non de la tête.

— Je ne comprends pas. C'est vous qui avez organisé tout ça ? Vous avez donné mon nom pour que j'assume la paternité et que je vienne vous voir ?

Je pouvais à peine soutenir son regard.

— Alors quoi ? C'est elle qui a eu cette idée ?

— Non !

Je n'arrivais plus à penser. Je le voyais chercher à comprendre, et mon cœur bondissait dans ma poitrine.

— Enfin si. C'est elle qui a rempli les formulaires. Je ne savais pas qu'elle avait mis votre nom. Écoutez, j'ai de bonnes raisons pour me faire passer pour elle. Je vous en prie, partez. Vous n'avez rien à voir dans cette histoire.

— Quand même un peu, répondit-il en montrant l'enveloppe.

Il baissa la voix.

— J'étais obligé de venir. Je dois effectuer des démarches. On s'attend à ce que je prenne la responsabilité de l'enfant d'Anneke quand il sera né, au moins financièrement. Je me moque de savoir pourquoi vous avez pris sa place, mais cette paternité me concerne, il me semble.

— Ne vous inquiétez pas, je vais arranger ça. Je vais faire enlever votre nom de mon dossier.

Karl hésita un peu, me regardant, regardant l'enveloppe, puis moi de nouveau.

— Je m'en occupe tout de suite, insistai-je.

Je pris son manteau, humide de neige fondue, et le lui tendis.

— Et elle va bien ? demanda-t-il.

Dents serrées, j'évitai son regard.

Karl prit son manteau et se dirigea vers la porte. Il posa la main sur la poignée, puis se tourna vers moi.

— Je lui ai écrit. Elle n'a pas répondu. Pouvez-vous me rendre un service ? Dites-lui que je pense à elle et que j'espère que… qu'elle est heureuse. Dites-lui simplement ça, c'est tout.

Je ne pus que hocher la tête, lèvres comprimées pour retenir des paroles malheureuses. Je jetai un regard éloquent vers la porte, mais il ne se décidait toujours pas à s'en aller.

— Vous savez, reprit-il, chaque fois que je la voyais, j'avais l'impression que vous étiez avec nous. Elle parlait tellement de vous.

Je sentis venir le danger, monter l'angoisse. *Assez, par pitié. Partez, je vous en prie.* Mais il s'appuya au chambranle et me contempla gravement.

— Elle m'a montré certains de vos poèmes. Il y avait un vers dans l'un d'entre eux… qui parlait du bois. Ce que le bois signifiait pour vous. Je ne m'en souviens pas maintenant, mais quand je l'ai entendu, j'ai pensé, oui, que je ressentais exactement la même chose. J'ai toujours eu envie de vous le dire.

Il sourit. La blancheur de ses dents me frappa, et le bleu de ses yeux, bien trop bleu.

— Voilà, je suis content de l'avoir fait.

Un instant, je me surpris à répondre à son sourire. Il m'avait touchée à un point sensible, un point que je ne m'étais pas attendue à devoir protéger.

— Je vais enlever votre nom de la fiche dès aujourd'hui, assurai-je d'une voix froide.

Il eut l'air vexé. Tant mieux. Il ouvrit la porte et sortit, ses bottes claquant dans le couloir d'un bruit sec et militaire. Je m'effondrai sur le divan, mains pressées sur mon cœur affolé. Mon sang battait le tambour dans ma tête, si fort que je ne l'entendis pas revenir. Je le vis à la porte. Il entrait, il revenait vers moi.

— Non, dit-il en jetant son manteau sur une chaise. Je viens de me souvenir de quelque chose.

42

— Je voudrais bien savoir ce que vous faites ici.

Son expression n'était pas dénuée de douceur, mais j'eus très peur.

Quelque chose sembla l'alerter, et je suivis son regard. À travers les portes vitrées qui donnaient dans la salle à manger, je vis que deux femmes de service s'étaient arrêtées de mettre le couvert du dîner pour nous regarder. Des bavardages montaient dans le couloir.

— Allons faire un tour dehors, proposa-t-il en m'offrant sa main pour m'aider à me lever du divan.

Je ne la pris pas, et m'échappai sous le prétexte d'aller chercher mon manteau. Arrivée en haut, je m'effondrai sur mon lit. Je savais parfaitement ce qui lui était revenu en mémoire, et qu'Anneke lui avait révélé. C'était évident à sa façon de me regarder. Un soir au dîner, peu de temps auparavant, une fille nous avait raconté à voix basse ce qui était arrivé à des Juifs qu'on avait trouvés cachés à Zaandam. Je me levai et allai m'asperger le visage à la cuvette. Pour mon enfant, je ne pouvais pas m'offrir le luxe de céder à la panique. J'avais encore une chance de m'en sortir.

Il fallait que je trouve le courage d'aller me promener avec Karl, que j'obtienne de lui qu'il ne me dénonce pas avant d'être rentré à ses quartiers. D'ici quelques heures, il ferait nuit…

Frau Klaus siégeait derrière le bureau de l'accueil. Karl se présenta et lui dit que nous allions nous promener dans le parc.

— C'est bien, approuva-t-elle. C'est excellent pour elle de sortir. Les filles ont trop peur du froid.

Elle nous dévisagea et sembla satisfaite du couple que nous formions. J'avais plaqué un sourire heureux sur mon visage. Karl aussi souriait, et je compris pourquoi il avait inspiré confiance à Anneke : il avait l'air parfaitement sincère. Il faudrait que je fasse attention de ne pas me laisser prendre au piège.

Dehors, la neige avait cessé de tomber mais le vent soufflait encore. Karl s'arrêta sur le perron, attendant visiblement que je ferme mon manteau.

— Il ne se boutonne plus sur votre ventre ? demanda-t-il. Il vous faut un nouveau manteau.

Puis il sortit ses gants de la poche de son pardessus et je suffoquai. Un goût de cuir et d'huile de moteur m'emplit la bouche. Et de sang.

— Que se passe-t-il ?

— Rien.

Je fis quelques pas pour m'éloigner de lui. Ce n'était pas l'*Oberschütze*, mais il me faisait aussi peur. Je le précédai sur le sentier du jardin qui avait été déblayé.

— Que voulez-vous savoir ? demandai-je.

Il se plaça de côté, dos au vent, et marcha ainsi pour me protéger du souffle glacé.

— Racontez-moi tout. Pourquoi êtes-vous venue ici ? C'est un endroit dangereux pour vous.

— Je suis enceinte, et c'est tout.

— Comment ça, c'est tout ? Pourquoi êtes-vous inscrite sous le nom d'Anneke ?

Je ne répondis pas.

— Je comprends que vous ayez eu besoin de papiers, mais dans ce cas, comment Anneke se débrouille-t-elle ? Où est-elle ?

Je ne parvenais pas à le regarder.

— Oui, c'est vrai, j'avais besoin de papiers. Elle n'en a pas besoin. Karl, partez, maintenant.

— Ce n'est pas logique. Pourquoi êtes-vous venue vous fourrer dans un pareil guêpier ?

— Ça ne vous regarde pas.

— Un peu quand même : on m'a fait endosser la paternité, je pense que ça me donne le droit de savoir ce qui se passe.

Non, vous n'avez aucun droit, songeai-je. *Vous n'avez aucun droit parce que vous ne parlez pas de l'enfant d'Anneke. De votre enfant. Parce que vous jouez la comédie en prétendant ne pas savoir qu'elle était enceinte.*

Je me mordis les lèvres pour empêcher ces reproches de s'échapper.

Au tournant, un souffle de vent froid me sauta en plein visage. Karl se plaça devant moi et marcha à reculons, attendant ma réponse. Je ne voulais pas de sa protection. Je fis demi-tour.

Il me rattrapa.

— Très bien, alors je vais deviner. Vous êtes tombée enceinte, et vous avez pensé que vous seriez bien soignée ici. Il y a de la nourriture et des médecins. Comme vous ne pouviez pas entrer sans papiers, vous avez emprunté ceux d'Anneke. Est-ce qu'elle est partie, Cyrla ? Où est-elle allée ?

— Oui, elle est partie.

Si Karl entendit ma voix trembler, il ne le montra pas.

— Je ne comprends toujours pas pourquoi elle a mis mon nom sur les papiers.

— Je vous assure que je vais rectifier ça.

Nous étions revenus dans la cour. Karl désigna un banc dans un coin à l'abri du vent.

— Allons nous asseoir.

Il ôta son pardessus et me le posa sur les épaules, puis il s'assit à côté de moi, si près que son odeur – amande et pin – flotta jusqu'à moi. Trop près.

— Elle a voulu se venger de moi, c'est ça ? Non, ce serait beaucoup trop dangereux. Elle n'a pas pu faire une chose aussi bête. Et je ne crois pas que le père de votre enfant soit un soldat allemand. Cyrla, expliquez-moi ce qui se passe.

J'étais tellement tendue qu'il me semblait avoir la peau parcourue par un réseau de fils vibrant d'électricité. Mais j'étais en colère, aussi.

— Et si j'ai envie de ne rien vous dire ? Que ferez-vous ? Vous me dénoncerez ?

— Non, bien sûr que non. Je veux simplement comprendre ce qui se passe. Je ne partirai pas tant que vous ne m'aurez pas tout expliqué.

— Vous ne pouvez pas m'y obliger. Je vous mentirai.

— Non, vous ne mentirez pas, affirma-t-il, semblant sûr de me connaître assez pour l'affirmer.

Je le regardai alors bien en face, masquant la haine farouche que j'éprouvais pour lui. Il se trompait, s'il croyait me connaître. Moi, en revanche, je savais quel genre d'homme c'était. Il était tellement égoïste qu'il avait pu abandonner ma cousine quand elle était tombée enceinte de lui, après lui avoir raconté qu'il l'aimait. Cet abandon l'avait laissée si seule et si désemparée qu'elle avait voulu enlever leur enfant de son corps, et que cela l'avait tuée. C'était le pire des lâches.

J'aurais voulu lui faire prendre la mesure de ses crimes, qu'il entende au moins mon jugement. Mais je ne pouvais pas me permettre de m'attirer sa colère. Les reproches s'accumulaient dans ma poitrine, durcissaient comme du diamant, pulvérisaient ma peur. Karl avait raison. Je ne lui mentirais pas. Ce que j'allais lui dire n'était pas aussi dangereux que ce qu'il savait déjà à mon sujet.

— Très bien. C'est vrai, je me cache. J'y suis obligée parce que quelqu'un m'a dénoncée, ou en tout cas a menacé de le faire. Vous, probablement.

Karl tendit la main vers mon visage, et j'eus un mouvement de recul pour éviter ses doigts gantés. Mais il voulait seulement repousser mes cheveux pour dégager mon oreille. Il souleva doucement la boucle en pierre de lune d'Anneke que je portais. Il sembla surpris et attristé.

— Elle n'en voulait plus ?

Je retirai les boucles d'oreilles et les lui tendis.

— Elles étaient à ma grand-mère, expliqua-t-il en les contemplant sans comprendre. Elle vous les a données ?

Il leva les yeux vers moi, et je n'eus pas le temps de cacher mon émotion.

— Quoi ? Oh non ! Non, ce n'est pas possible…

Mon silence ne fut que trop éloquent. *Si, c'était possible.*

— Anneke est morte, Cyrla ? Que s'est-il passé ?

Je levai la main pour lui demander de se taire et secouai la tête pour lui montrer que je ne pouvais pas parler. Mes yeux débordaient de larmes. Il fit un geste, comme s'il voulait me prendre dans ses bras, mais qui resta inachevé.

— Dites-moi ce qui s'est passé, je vous en prie. Non… Elle ne peut pas être morte.

Je réprimai une envie soudaine de le consoler, lui, cet homme qui avait tué ma cousine aussi sûrement que s'il lui avait tiré une balle en plein cœur. Et il me dénoncerait sans aucun état d'âme. J'étais sûre pourtant qu'il était sincèrement peiné. Sur ce point, au moins, il ne mentait pas. Et puis, comme si Anneke elle-même me l'avait soufflé à l'oreille, je compris que son besoin de savoir la vérité allait peut-être me sauver.

— Revenez demain, murmurai-je. Je n'ai pas la force de vous raconter ça maintenant. Demain, je vous dirai tout.

Il hésita.

— Demain, insistai-je. Je vous le promets.

— Si vous voulez, alors. Je reviendrai demain matin.

S'il croyait me trouver encore là, il se trompait.

43

Quand je fus remontée dans ma chambre, le soulagement me coupa les jambes. Je me sentais faible, désarticulée comme si mes muscles et ma colonne vertébrale s'étaient transformés en gelée. J'ouvris la penderie et sortis des vêtements pour les enfiler les uns sur les autres.

— La cloche du premier service a sonné il y a dix minutes.

Je sursautai en entendant la voix de Neve derrière moi.

— Que t'arrive-t-il ? demanda-t-elle. Tu es tellement émue de revoir ton beau soldat que tu en oublies d'avoir faim ?

— En effet…

Mon rire sonna trop haut, et faux, même à mes oreilles. Je rangeai ce que je venais de sortir, et refermai la penderie.

— Qu'est-ce qu'il voulait ? Je croyais que tout était fini entre vous.

— Tu descends ? Je t'accompagne.

Elle tapota son ventre qui était devenu énorme.

— Plutôt deux fois qu'une. Je n'ai plus tellement la place d'avaler grand-chose, mais j'ai tout le temps faim. Je suis juste remontée pour ôter mes chaussures.

Elle sortit ses sabots de sous son lit et s'en chaussa.

— Si j'avais su qu'un jour je porterais des *klompen*, comme un paysan… Mais je n'entre plus dans mes chaussures.

Elle avait les chevilles enflées et parcourues de fines varices. L'accouchement était proche. Je lui trouvais les traits tirés ; elle avait la peau cireuse, les yeux cernés. Au cours du dernier mois, elle avait fini par devenir ronde et pulpeuse, si bien qu'elle faisait penser à un fruit laissé trop longtemps sur l'arbre.

— Tu te sens bien ? lui demandai-je.

— Mais oui. Allons-y.

— Neve… Ça se passera bien, tu verras.

J'avais beau ne pas avoir faim, je me forçai à avaler ce qu'il y avait dans mon assiette car j'allais devoir marcher des heures dans le froid, et que je devrais sans doute me passer de nourriture pendant assez longtemps. Je mis une épaisse tranche de jambon à l'intérieur d'un petit pain que je glissai dans ma poche pendant que personne ne regardait. Il y avait une nouvelle Hollandaise à notre table. Je me présentai, mais, à mon grand soulagement, elle ne sembla pas s'intéresser à moi. Les bavardages montaient autour de moi, sans plus de conséquence qu'une volée de papillons. Je pensais à ce que je pouvais emporter, à la direction qu'il faudrait prendre, aux signes qui m'indiqueraient à quelle porte frapper le moment venu. Je surveillais sans cesse le ciel par la fenêtre, redoutant une nouvelle chute de neige. Il faisait noir, mais je voulais attendre le changement de garde à vingt heures, car, la nuit, la surveillance était moins rigoureuse. Vingt heures trente, ce serait le bon moment. Oui, je partirais à vingt heures trente.

— Et toi, Anneke, tu partirais ?

Je m'immobilisai, cuillère à soupe levée. Je la reposai lentement.

Betje se moqua de moi.

— Tu n'écoutais pas ?

— Excuse-moi, le bébé était en train de bouger. Où veux-tu que j'aille ?

— Nous nous demandions si nous partirions vivre en Allemagne si nous étions à la place des Norvégiennes.

Elle se pencha vers moi et baissa la voix, même si les Belges et les Hollandaises remplissaient maintenant une table entière.

— J'ai entendu deux infirmières discuter ce matin. En Norvège, on encourage les filles à aller vivre en Allemagne. Pourquoi se contenter des veaux quand on peut avoir la vache ? Ils les attirent avec de belles promesses.

— Ce sont des enlèvements, ni plus ni moins, interrompit la nouvelle en face de nous.

Elle posa son verre de lait et prit notre côté de la table à témoin d'un long regard.

— En tout cas, c'est du chantage. Elles sont obligées d'aller en Allemagne si elles veulent s'occuper de leurs enfants après leur naissance.

Betje soupira.

— Encore un an de guerre, et il n'y aura plus de Pays-Bas. Plus de Norvège. Qu'elles viennent, ces filles, grand bien leur fasse. Moi aussi, je voudrais pouvoir rester.

Je fus surprise de n'entendre aucune voix s'élever pour la contredire. *La guerre ne peut plus durer longtemps.* C'était une phrase que nous disions souvent du temps que je vivais à Schiedam, et que j'aurais voulu prononcer maintenant, mais, traître que j'étais, je n'osai pas. Betje avait raison, ce qui me rendit d'autant plus pénible son insistance.

— Nos enfants seront en Allemagne, disait-elle en beurrant son pain. Leurs pères aussi. Et il n'y a plus d'hommes chez nous. Qu'est-ce qui nous reste ?

Elle prit notre nouvelle compagne à partie en brandissant son couteau.

— Toi, qu'est-ce qui te reste ?

— Rien. Moi, plus rien du tout.

Sa gravité attira l'attention de tout le monde. Elle montra son ventre sans le toucher.

— Un soir, je suis rentrée tard, après le couvre-feu. Deux soldats qui passaient m'ont fait ça. Ils m'ont pris tout ce qui comptait pour moi. Je ne resterai pas dans ce pays une seconde de plus que nécessaire.

Un long silence suivit cette confidence. Je tendis le bras à travers la table pour lui toucher la main.

— Moi aussi, je veux rentrer chez moi. Je me moque de la situation matérielle. Même s'il n'y a plus rien, je veux rentrer.

Elle me jeta un regard reconnaissant, puis baissa les yeux sur sa soupe qu'elle n'avait pas touchée et sur laquelle se formait une pellicule de gras rosâtre. Elle plia sa serviette et se leva. J'eus l'impression curieuse qu'elle s'était dressée, droite et légère, tandis que son ventre encombrant, détaché d'elle, la rejoignait en flottant. Elle s'arrêta aux portes de la salle à manger, sembla hésiter, puis elle retrouva ses forces et sortit tête haute. Son départ laissa un vide.

Je repoussai mon assiette et la suivis. Je la rattrapai sur le palier du dernier étage.

— Il m'est arrivé la même chose qu'à toi.

Cet aveu m'avait échappé sans aucune préméditation. Il y eut un silence, puis elle répondit froidement :

— Ça ne m'intéresse pas ! On ne va pas échanger nos impressions quand même !

— Je voulais juste…

— Laisse-moi tranquille !

Furieuse, elle partit vers sa chambre, située deux portes après la mienne. J'attendis qu'elle y soit entrée avant de prendre le couloir, regrettant de ne pas lui avoir dit au revoir.

Neve monta et me demanda si je voulais aller regarder le film.

— Qu'est-ce qui passe, cette semaine ?

— Nutrition et hygiène. C'est toujours pareil. On s'en fiche un peu, non ?

Il était dix-neuf heures trente.

— J'ai mal à la tête. Je préfère me coucher tôt.

Elle me dévisagea longuement.

— Tu veux une aspirine ?

Je m'efforçai de sourire.

— Ça ira. J'ai juste besoin de m'allonger.

— Très bien… Je n'insiste pas.

Une fois qu'elle m'eut laissée, l'heure qui suivit s'écoula avec une lenteur insupportable. Enfin, il fut temps de partir. Mes mains tremblaient tellement que je fis une échelle dans la première paire de bas que je voulus enfiler, et je parvins à peine à boutonner mon cardigan. Je passai à mon cou la pochette en velours, et la cachai sous mon pull. J'avais l'air un peu plus grosse que de coutume, mais sans que cela soit trop perceptible. La plus grande difficulté serait de descendre avec mon manteau : je ne pouvais pas le mettre, ni même le prendre sur le bras. Les filles étaient presque toutes réunies dans la salle commune pour regarder le film, mais je risquais de croiser des membres du personnel.

Je le pliai dans mon panier à linge puis le couvris avec le jupon et la combinaison que je venais d'ôter. Après avoir posé un dernier regard sur la chambre où j'avais vécu pendant cinq mois, je sortis dans le couloir.

Je ne rencontrai pas âme qui vive dans l'escalier, ni dans le hall. J'eus un coup au cœur en voyant une infirmière se diriger vers l'aile de la maternité, mais c'était Solvig qui se contenta de me faire un signe de tête sans s'arrêter. À l'arrière, on pouvait aller soit à droite pour atteindre la porte des livraisons, soit à gauche vers la lingerie. Plus loin, il y avait le passage qui menait au bâtiment de l'orphelinat. J'eus une pensée pour le fils de Leona, espérant qu'il ne souffrirait pas trop de mon départ, et que le poison de l'abandon ne s'instillerait pas dans son cœur.

Je pris à droite, et cachai mon manteau sous l'escalier. Ensuite j'allai poser mon panier dans la lingerie pour qu'on ne s'étonne pas de sa présence, puis je me dépêchai d'aller récupérer mon manteau et de le passer.

La lumière du couloir me sembla soudain beaucoup trop vive. Elle m'éblouissait et jetait une pluie d'étincelles sur mes paupières. Je mis la main sur le verrou, mais ne pus me résoudre à le tirer. Une fois de plus, j'eus recours à la méthode qui me donnait du courage. Il me suffisait, me dis-je, d'aller jusqu'aux trois sapins qui marquaient le milieu de l'allée. Les « sœurs Tideman », les appelait-on, car une fille qui était passée par le foyer leur avait trouvé une ressemblance avec ses voisines, trois vieilles filles grandes et maigres vêtues de noir qui ne se quittaient jamais, chuchotant et gémissant sans cesse. J'irais donc prendre l'air jusqu'aux sœurs Tideman, ce qui n'avait rien de suspect, et je pourrais revenir ensuite si je le voulais.

Seulement, cette fois, la formule ne me rassura pas. Revenir, c'était bien beau, mais avais-je vraiment le choix ? Karl serait là le lendemain. J'appuyai la lettre de mon père contre ma poitrine, puis j'ouvris le verrou et sortis.

La nuit était glacée et si limpide que les étoiles se détachaient avec une netteté particulière dans le ciel. Parfait : il ne neigerait pas cette nuit. Je marchai d'un bon pas jusqu'aux sapins et me cachai entre leurs troncs. Malgré le froid, une odeur réconfortante de résine flottait dans l'air, qui me détendit un peu.

Un soldat montait la garde. Je vis qu'il était seul quand il alluma sa cigarette. Au bout d'un moment, il leva le poignet vers le bout incandescent pour lire l'heure, puis il écrasa son mégot et partit faire sa ronde. Le cœur battant à tout rompre, j'attendis. Moins de dix minutes plus tard, il était de retour à son poste.

L'immobilité commençait à me donner mal aux jambes à cause du poids de mon ventre auquel je n'étais pas encore habituée, mais je restai immobile, me contentant d'aspirer l'air froid le plus lentement possible. Je voulais me fondre dans la nuit. Le garde quitta de nouveau son poste, mais je ne me risquai toujours pas hors de ma cachette, ne profitant de son absence que pour changer de position. Il revint. Si c'était son trajet habituel, je ne pouvais compter que sur six ou sept minutes. Sans doute n'allait-il que jusqu'à la clôture du fond.

Cette fois, il resta plus longtemps à son poste. Je dus attendre au moins un quart d'heure. Je décidai de tenter le tout pour le tout dès qu'il repartirait. Quand il ralluma une cigarette, il me parut si proche, penché sur la flamme, que j'eus un mouvement de recul. Il redressa vivement la tête comme s'il m'avait entendue, et observa si longtemps les sapins que l'allumette lui brûla les doigts. Il la jeta à terre, puis considéra le bâtiment tout en fumant. Enfin, il jeta sa cigarette dans la neige et partit une nouvelle fois faire sa ronde.

Rassemblant mon courage, je franchis la distance qui me séparait de la grille, marchant là où la neige était épaisse pour amortir le bruit de mes pas. Je m'appuyai contre le mur, en espérant que la pression des pierres froides ralentirait le rythme de mon cœur. À l'extérieur, la route s'étendait dans une obscurité que ne rompaient que les deux disques jaunes du mirador de l'entrée principale, à une quarantaine de mètres. Je partirais dans l'autre sens, dans l'ombre du mur d'enceinte, jusqu'à ce que je puisse traverser pour me mettre à l'abri d'une haie de troènes qui se trouvait en face. Le garde avait disparu et il n'y avait pas un bruit. Je me risquai à découvert.

— Hep ! Où vas-tu comme ça ?

Une main m'agrippa le bras, m'arrêtant brutalement. J'essayai de me dégager, mais le garde me tenait d'une main d'acier.

— Ton amoureux est en ville ? demanda le garde avec un gros rire. C'est quand elles sentent leurs matous dans les parages que les chattes s'en vont traîner la nuit. Je sais que les filles enceintes, ça les échauffe.

— Laissez-moi ! m'écriai-je, révulsée.

Mais je vis vite où était mon avantage, et je haussai les épaules.

Il ouvrit son manteau pour remettre son revolver dans son étui, avec un sinistre grincement de métal sur le cuir.

— Il ne faut pas sortir la nuit dans ton état ma petite, il fait trop froid.

— J'ai envie de me promener un peu. Je ferai attention. Mon manteau me tient chaud.

— Tu n'as pas le droit de sortir du parc sans être accompagnée, tu le sais bien. Et puis quel intérêt ? Ton homme peut monter dans ta chambre n'importe quand. Les pères ont des privilèges. Demande à *Frau* Klaus, elle vous organisera ça. Allez, ouste, je te ramène.

— Je peux rentrer seule, protestai-je.

Mais il m'escorta jusqu'à la porte du hall pour me remettre entre les mains du sergent de garde qu'il fit profiter de son écœurante plaisanterie.

— J'ai rattrapé cette petite chatte en chaleur. Elle voulait faire une balade en ville pour miauler sous les fenêtres de son soldat. Elle n'a qu'à attendre que mon service soit fini, je pourrai lui rendre un petit service.

Il illustra cette déclaration d'un mouvement de hanches pour m'éclairer au cas où je n'aurais pas compris.

Le sergent, attablé devant une cuisse de poulet au chou rouge repoussa son assiette en riant. Dans la lumière crue du hall, sa bouche luisait de sauce. Il se leva et me prit le menton dans sa main, voulant m'obliger à le regarder ; ses doigts graisseux appuyaient sur le triangle de chair qu'avait meurtri l'*Oberschütze*, ayant trouvé d'instinct la marque qui ne disparaîtrait jamais.

Je m'arrachai à lui, et remontai en courant dans ma chambre.

44

Désespérée, j'ôtai les vêtements que j'avais passés les uns sur les autres, et mis ma chemise de nuit. J'avais échoué et, pire, j'avais attiré l'attention sur moi. Je ne pouvais plus me permettre la moindre erreur. Je devais assurer la sécurité de mon enfant. Je lui devais protection.

Quand Neve remonta, je fis semblant de dormir dans le noir. Je crois qu'elle ne ferma pas l'œil de la nuit non plus. Elle alla aux toilettes, se tourna à droite, à gauche, en gémissant, pour trouver la position la moins inconfortable. Je ne dormis pas mieux qu'elle, me raidissant, gorge serrée, pour essayer de retenir mes sanglots.

Le matin, elle avait les traits encore plus tirés que la veille et presque l'air d'une vieille femme. Elle se leva en soupirant, et pressa les deux poings sur ses reins.

Je me tournai sur le côté pour la regarder. Elle s'habilla en silence comme si me parler lui aurait imposé un trop grand effort. Quand elle eut terminé, elle me jeta un regard, se demandant sans doute pourquoi je ne me levais pas. Je lui dis que je ne me sentais pas bien et que je ne voulais pas de petit-déjeuner. Dès que je fus sûre qu'elle était partie, j'enfouis le visage dans mon oreiller et libérai les sanglots que j'avais retenus toute la nuit. Je dus m'arrêter presque aussitôt : même étouffé, le bruit me faisait trop peur. Je me levai et remontai les stores. On souffrait toujours plus la nuit.

C'était une belle journée. Des tourbillons de fine neige scintillante que le vent avait fait tomber des branches des sapins voletaient dans l'air. Mais le ciel bleu ne m'apporta aucun réconfort. Karl allait revenir, et je ne pourrais l'éviter ni me soustraire aux conséquences de la décision qu'il prendrait. J'étais encore à la fenêtre quand Neve revint. Elle me rapportait une tranche de pain pliée sur une épaisse couche de confiture rouge, enveloppée dans une serviette.

— Je n'ai rien pu avaler, expliqua-t-elle comme si elle se sentait obligée de justifier sa gentille intention.

— Leona non plus n'a rien pu manger le jour de son accouchement.

Elle hocha la tête, puis me rejoignit pour regarder par la fenêtre avec moi.

— J'ai peur.

Je la serrai sur mon cœur.

— Moi aussi, j'ai peur.

Quand elle ressortit, je me lavai et m'habillai, mais je ne quittai pas la chambre. Il était trop tard pour moi comme pour Neve. Il ne nous restait plus qu'à assumer les conséquences d'actes que nous avions commis sans doute à la légère. Je m'assis sur le lit avec les *Lettres à un jeune poète* de Rilke. Le livre s'ouvrit à un passage qui parlait du destin, de la joie de comprendre que les incidents de la vie sont tissés par une main bienveillante. De quel droit osait-il prétendre qu'il y avait de l'espoir et qu'il fallait avoir confiance en l'avenir ? Mais comment aurait-il pu prévoir que le monde sombrerait dans la folie… Je fermai le livre et pris la biographie d'Amelia Earhart sur la table de nuit de Neve, guettant l'inévitable interruption, l'irruption d'une messagère qui m'annoncerait qu'un visiteur m'attendait en bas.

Je n'eus pas longtemps à attendre. On frappa.

— *Ja*, répondis-je sans relever la tête, tâchant de profiter de mes dernières secondes de répit.

D'abord, je sentis une présence dans la pièce, un corps trop grand, trop masculin. Je me levai d'un bond.

— Que venez-vous faire ici ? Sortez !

Karl eut l'air stupéfait.

— On m'a dit que vous aviez demandé la permission de me voir dans votre chambre. C'est un privilège, paraît-il.

Le garde avait parlé.

— Eh bien non, je n'ai rien demandé. Vous n'avez rien à faire ici, ajoutai-je en me penchant pour mettre mes chaussures.

— Très bien, descendons au salon, alors.

Il prit le livre de Neve pour voir ce que je lisais.

— Amelia Earhart…

— C'était une grande aviatrice ! interrompis-je.

Je pris mon cardigan qui était posé au bout du lit, et me dirigeai vers la porte. À mi-chemin, je changeai d'avis.

— Tant pis. Autant rester. Nous serons plus tranquilles.

Il déboutonna son manteau et eut l'air de s'attendre à ce que je le lui prenne. Je lui fis signe de le garder.

— Nous n'en avons pas pour longtemps.

Il hocha la tête et le mit sur son bras.

— Qu'est-il arrivé à Anneke ?

Je lui racontai tout. Quelle importance, maintenant ? Je restai debout, l'obligeant à faire de même. Je ne me sentais pas encore le droit de m'octroyer le réconfort de la position assise, et Karl ne mériterait aucun égard.

— Puisque vous tenez à le savoir, c'est mon oncle qui a voulu l'envoyer ici. Mais Anneke n'a pas pu le supporter. Elle a…

— Attendez. Elle était enceinte, alors ?

Je le foudroyai du regard avec tout le mépris dont j'étais capable.

— Vous le savez très bien. Quand vous avez refusé de la soutenir, elle a été désespérée. Elle a tout perdu. Son courage, sa…

— Comment ? C'était mon enfant ?

— Taisez-vous ! Elle m'a tout dit. Elle est allée vous voir et vous lui avez raconté que vous étiez fiancé en Allemagne.

J'aurais préféré qu'il me dise la vérité. S'il avait reconnu les faits, s'il avait dit : *Oui, je l'ai abandonnée, je suis un lâche, je l'ai laissée affronter cette épreuve seule*, j'aurais peut-être pu lui faire un peu plus confiance. Cela me surprenait d'ailleurs d'en avoir envie. Mais il nia tout.

— Mais enfin, je ne suis pas fiancé !

— Je le sais bien. Je suis allé vous voir, mais vous étiez déjà parti. Vos amis m'ont appris la vérité. Êtes-vous sûr de vraiment vouloir savoir ce qui s'est passé ?

— Bien entendu. Je vous jure qu'elle ne m'a pas mis au courant.

Je l'interrompis d'un geste.

— Vous lui avez menti, mais elle ne l'a jamais su, et tant mieux. Elle est morte en pensant que vous l'aimiez mais que vous n'étiez pas libre.

Karl approcha de la fenêtre et appuya son front contre la vitre. Il aborda ensuite la partie la plus pénible.

— Cyrla, dites-moi comment elle est morte.

J'eus l'impression que mes poumons se remplissaient de cailloux qui empêchaient l'air d'y entrer. C'était parce qu'il prononçait mon prénom comme Anneke l'avait fait, avec l'ombre d'une troisième syllabe au milieu. J'avais toujours eu l'impression qu'elle laissait traîner le mot dans sa bouche avec amour, pour le garder bien au chaud. D'entendre ce même ton caressant venant de cet homme, c'en fut trop pour moi.

— Vous voulez savoir comment elle est morte ? Mais vous l'avez tuée, Karl. Vous l'avez assassinée. Vous lui avez brisé le cœur et vous l'avez laissée seule. Elle a voulu s'arracher l'enfant du corps, et elle est morte d'une hémorragie. Vous avez commis un meurtre.

— Cyrla ! s'exclama-t-il en faisant un pas vers moi.

— Non, ne m'appelez plus comme ça, coupai-je en reculant. Appelez-moi Anneke.

Non, ne m'appelle pas comme ça, Isaak. Ne m'appelle pas Anneke.

— Elle a voulu s'avorter seule ? Elle est morte des suites de cet avortement ? Je n'y comprends rien. Pourquoi ne m'a-t-elle rien dit ?

Je faillis le croire tant il avait l'air sincère. Pourtant je l'imaginais très bien raconter à Anneke qu'il l'aimait, lui expliquer qu'il était déjà fiancé.

— Mais êtes-vous bien sûre qu'elle connaissait déjà son état avant mon départ ? Parce que la dernière fois que nous nous sommes vus, nous avons parlé... de tout autre chose.

— Elle était enceinte de vous ! Elle avait besoin de votre aide. Je ne vois vraiment pas de quoi vous auriez pu parler d'autre.

Karl se tut un moment. Je voyais bien qu'il essayait de trouver un mensonge plausible.

Il finit par trouver une échappatoire.

— Si elle ne vous l'a pas dit, c'est qu'elle ne voulait pas que vous le sachiez. Et dans ce cas, je ne vous dirai rien non plus.

Une réponse d'une incroyable lâcheté. Mais je savais déjà qu'il n'avait aucun courage.

Il fit encore un pas vers moi.

— Cyrla, quand est-ce arrivé ? Étiez-vous avec elle ? Je suis désolé. Je sais à quel point vous l'aimiez.

Il tendit la main, mais je m'écartai pour l'empêcher de me toucher. Je secouai la tête pour lui montrer que je ne pouvais pas parler. Je ne voulais pas rouvrir ma blessure, surtout pas devant l'homme qui était la cause de cette tragédie.

J'ouvris le dernier tiroir de ma commode, et en sortis la layette que ma tante avait mise dans ma valise. À l'intérieur du petit ensemble jaune qu'Anneke avait porté, au fond des petites moufles, j'avais caché le matin même les boucles d'oreilles en rubis de ma mère, sa barrette et son alliance. Je les tendis à Karl qui les regarda sans les prendre.

— Tenez, lui dis-je. Je n'ai que ça pour l'instant, mais si vous ne me dénoncez pas, je vous donnerai ce que vous voudrez. Je peux me procurer de l'argent.

Il repoussa ma main.

— Mais vous n'avez pas besoin d'acheter mon silence !

Je ne répondis rien, montrant ainsi le peu d'estime que j'avais pour lui.

Après avoir jeté un coup d'œil à la porte close, il dit à voix basse :

— Je suis contre cette guerre. Anneke ne vous l'avait pas dit ? Vous pouvez me faire confiance.

— Anneke avait confiance en vous et voyez ce qui est arrivé…

— Arrêtez ! Je ne sais pas comment j'aurais réagi si Anneke m'avait parlé, mais je ne l'aurais pas abandonnée.

— Peu importe. Je vous ai dit comment elle était morte. Maintenant, je veux savoir ce qu'il faut faire pour que vous acceptiez de ne pas me dénoncer.

Je protégeai mon ventre, et mon enfant, avec mes bras. Bien piètre défense.

— Si vous avez eu la moindre affection pour Anneke, laissez-moi tranquille, je vous en prie. Elle vous aurait demandé de m'épargner.

— Cyrla, je n'ai aucune intention de vous faire du mal.

— Vous ne direz rien ?

— Bien sûr que non.

— Alors vous allez partir ?

— Oui, si vous voulez. Mais, attendez… Avez-vous fait supprimer mon nom de la fiche ?

— Non, pas encore, je suis désolée. Je vais le faire dès aujourd'hui.

— Justement, laissez-le. Laissez mon nom pour l'instant.

Je ne savais trop que penser. Un nouveau danger se profilait, je le sentais mais sans bien comprendre ce qui se préparait.

— J'ai réfléchi, expliqua-t-il. Si vous changez mon nom maintenant, cela ne servira qu'à attirer l'attention sur vous. Laissez-le, cela me permettra de venir vous voir. Je pourrai m'assurer que vous allez bien, vous apporter ce dont vous aurez besoin.

Je ne pus que détourner les yeux avec gêne. J'avais vu trop d'espoir se peindre sur son visage. Cela me rappelait mes conversations avec Isaak. *Quand la guerre sera finie, nous vivrons ensemble, n'est-ce pas ?* C'était l'expression d'un imprudent qui s'exposait au rejet.

— Nous pourrions bavarder, continua-t-il.

— Je ne veux pas que vous veniez ici. Je n'ai rien à vous dire.

Il eut l'air blessé, mais cela ne suffisait pas, il fallait lui faire vraiment mal. Je croisai les bras.

— Nous n'avons rien en commun, même pas Anneke.

— Mais enfin, je veux vous aider. Si vous changez le nom du père, on vous posera des questions. Attendez encore un peu. Je vais me renseigner.

— Si je promets de laisser votre nom sur la fiche, vous ne direz à personne qui je suis ?

— De toute façon, je ne dirai rien, je veux simplement…

— C'est bon. Je laisserai votre nom. Vous pouvez partir. Il n'y a rien à ajouter.

Comme il ne bougeait pas, j'allai ouvrir la porte.

Il eut l'air de vouloir me demander quelque chose, mais il renonça et remit son manteau. Quand je refermai la porte sur lui, le silence me sembla encore plus profond.

45

Après le départ de Karl, je descendis récupérer mon panier à la lingerie. J'eus la mauvaise surprise de croiser une infirmière qui en sortait, chargée d'une pile de draps. J'insistai maladroitement sur mon étourderie, ce qui ne servit qu'à la rendre méfiante et à me donner l'impression qu'elle perçait à jour tous mes mensonges. J'attrapai mon panier et courus me réfugier dans ma chambre avant de me trahir à nouveau devant quelqu'un d'autre.

Je me promis d'aller à l'orphelinat dans l'après-midi pour serrer Klaas bien fort sur mon cœur. Mais en attendant, comme j'étais trop tendue pour lire ou pour coudre, je me mis au ménage même si nous n'étions que mercredi : j'époussetai et cirai les commodes, le bureau, l'armoire. Je mourais d'envie de sortir les tapis pour les battre jusqu'à ce que plus un seul grain de poussière ne s'envole. C'était dur de se cacher ainsi, exposée à la vue de tous.

Neve revint. Elle semblait de plus en plus éprouvée. Sa pâleur lui donnait un teint grisâtre. Je lâchai mon chiffon.

— Ça n'a pas commencé ?

— Non, mais il faut que je m'allonge.

— Toujours pas de contractions ?

— J'ai mal au dos, c'est tout.

— Il faudrait peut-être te faire examiner par le Dr Ebers. Ou au moins avertir *Frau* Klaus. Parfois le travail commence par des douleurs lombaires.

— Non !

— C'est bon, ne t'en fais pas. Je peux t'apporter quelque chose ? Une bouillotte pour ton dos ?

Elle eut un gémissement et s'accrocha à la commode avec une grimace.

— Neve, tu es sûre que tu ne veux pas… ?

— Je vais peut-être arriver à dormir, coupa-t-elle en faisant un effort pour se redresser. Tu peux me donner ma chemise de nuit ?

Pendant que je l'aidais à retirer sa combinaison, je vis que de nouvelles vergetures marquaient ses hanches comme des éclairs violets. Sa chemise de nuit de grossesse, bien que très large, était tendue sur son énorme ventre. Mais ses hanches… ses hanches étaient tellement frêles, tellement étroites… Cela me rappelait ce que m'avait dit Ilse : *Son bassin s'est fêlé.* J'aidai Neve à s'allonger sur le lit, où elle se recroquevilla sur le côté. Je m'assis à côté d'elle et lui massai les épaules. Dès qu'elle s'endormirait, je préviendrais les infirmières.

Elle chuchota d'une voix si faible que je dus me pencher pour l'entendre :

— Dire que j'attendais le moment d'accoucher avec impatience… Et maintenant…

— Maintenant… ?

Elle baissa les yeux sur son ventre qui soulevait la mince couverture.

— Il n'a pas bougé depuis deux jours. Depuis le début, c'est ma… ma raison de vivre. Je ne veux pas le perdre.

— Chut. Tu ne le perdras pas. Au contraire, tu vas enfin le rencontrer !

Je voulus me lever pour aller lui chercher un verre d'eau, mais elle me retint, s'agrippant à ma main si fort que je sentis sa panique me pénétrer à travers la peau.

— Que se passe-t-il ?

Des larmes s'échappèrent de ses yeux. Je ne l'avais jamais vue pleurer.

— J'ai peur, dit-elle. J'ai peur de tout. Peur de le mettre au monde. Peur de le perdre. Où vont-ils l'emmener ? Je ne saurai même pas s'il va bien, s'il est bien traité dans sa famille adoptive.

Je lui caressai le front de mon autre main.

— Chut… Tu auras tout le temps d'y penser plus tard. Tu dois encore rester pour t'occuper de lui, n'oublie pas. D'abord, il faut qu'il naisse. Je pense que ça va très vite commencer.

J'entendis son souffle se raccourcir, et elle se recroquevilla en gémissant.

— Une contraction ? Neve, tu as déjà des contractions ?

Elle eut un bref hochement de tête, les yeux fermés par la douleur. Ensuite elle se détendit, mais toujours sans me lâcher la main. Elle prit une petite inspiration douloureuse.

— Et si personne ne veut de lui ? Certains enfants passent des années à l'orphelinat. Tu dis toi-même qu'on les laisse pleurer dans les lits. Et si…

— Neve, ne pense pas à tout ça. Il faut bien que ton bébé naisse. Je descends chercher une infirmière. Je n'en ai pas pour longtemps. Tout va bien se passer.

Elle me laissa me lever.

— Tu vas revenir, hein ?

— Bien sûr.

— Et tu resteras avec moi ? Jusqu'à sa naissance ? Tu ne me quitteras pas ?

— Non, je ne te quitterai pas.

Quand on quitte les gens, ils risquent de mourir. Neve aussi le savait.

Je me dépêchai d'aller à la salle des surveillantes. *Frau* Klaus était de garde, et, pour une fois, son assurance me réconforta. Elle attrapa sa sacoche de cuir noir et me suivit.

Au bout de dix minutes, elle m'appela.

— Il y en a encore pour un moment, mais tu peux m'aider à la faire descendre.

Il fallut attendre la fin d'une nouvelle contraction, puis je soutins Neve jusqu'à la salle de travail. Une des jeunes élèves infirmières nous accueillit à la porte et conduisit Neve à un lit.

Frau Klaus voulut me congédier, mais j'entrai en faisant un signe à Neve.

— Je vais rester avec elle.

— Tu vas la déranger. Il faut qu'elle se concentre sur ses contractions.

Je tins bon, et croisai les bras pour marquer ma détermination. *Frau* Klaus me regarda comme si elle ne me reconnaissait pas, puis elle haussa les épaules.

— Comme tu voudras. Tu peux rester jusqu'à ce qu'elle passe dans la salle d'accouchement, quand elle sera dilatée à neuf centimètres, et tant qu'il n'y aura pas de complications.

Dès qu'elle tourna le dos, j'ouvris des yeux ronds comme si je n'en revenais pas, ce qui réussit à faire rire Neve. J'avançai une chaise près du lit, m'y assis et lui pris la main.

La salle de travail donnait à l'arrière, sur le jardin. Une couche de neige fraîche couvrait le sol et le ciel sans nuages était si bleu qu'il en faisait presque mal aux yeux. Les trois sapins ployaient sous leur fardeau blanc et j'avais du mal à croire que je m'étais cachée entre leurs troncs seulement la veille au soir. La salle était d'une propreté immaculée, éclairée par de hautes fenêtres ensoleillées qui jetaient des rectangles lumineux sur le parquet ciré. L'odeur d'eau de Javel et de savon était réconfortante. Un instant, j'eus un tel sentiment de sécurité et de bien-être que j'en fus perturbée.

— Ça y est, tu accouches.

— Oui, ça y est.

Neve, à qui ses grands yeux donnaient un air éternellement surpris, semblait cette fois vraiment sous le choc.

Ilse entra et s'affaira autour d'elle.

— Le premier bébé de la semaine. Je commençais à m'ennuyer.

Neve eut l'air de se détendre, mais elle fut bientôt reprise par une contraction qui lui arracha un cri. Maintenant qu'elle n'essayait plus de dissimuler sa douleur, on voyait à quel point elle souffrait.

— C'est normal ? demandai-je. On ne peut pas lui donner quelque chose pour la soulager ?

Mais Ilse se contenta de chronométrer la durée de la contraction en regardant sa montre, puis elle adressa un sourire d'encouragement à Neve quand ce fut terminé. Elle ne me répondit qu'ensuite, d'un ton très calme.

— Cela demande de gros efforts, mais c'est tout à fait normal. Nous lui donnerons quelque chose à la fin, ne vous inquiétez pas.

Elle retira sa montre et me la passa au poignet.

— Chronométrez les contractions, ça m'aidera. Quand elles ne seront plus espacées que de cinq minutes, si je ne suis pas de retour ou si le médecin n'est pas venu l'examiner, venez me chercher.

— Attendez, m'écriai-je en me levant. Vous n'allez pas nous laisser !

Elle eut un rire.

— Je ne suis pas loin. J'ai du travail. Il faut que je m'occupe des nouveau-nés et de leurs mères. Les premiers accouchements sont très longs. Il faudra encore plusieurs heures avant que le travail soit suffisamment avancé. Peut-être même qu'elle n'accouchera que demain. Tout va bien. Ne vous faites pas de soucis !

Elle nous abandonna.

Je la caricaturai dès qu'elle eut le dos tourné.

— Ne vous faites pas de soucis… !

Neve rit un peu.

— Tu veux que j'aille chercher le coffret de jacquet ? lui proposai-je. Ou de quoi lire ?

— Non… Reste avec moi.

Nous passâmes le temps à bavarder de petites choses, à parler des autres filles, ne nous interrompant que pendant les contractions. Mais très vite, ses inquiétudes refirent surface.

— Et si j'avais eu tort ?

Elle triturait le drap, tordant entre ses doigts le bord qui était déjà usé comme si de nombreuses mains s'y étaient accrochées avant elle.

— Quand Franz a refusé d'endosser la paternité, ça ne m'a pas dérangée de signer l'autorisation d'adoption. Je n'avais aucune envie de garder un souvenir de ce garçon et de ma bêtise. Mais maintenant… Personne n'a jamais eu besoin de moi. Je veux le garder.

— C'est à cause de tout ce que je t'ai dit ! J'ai eu tort si je t'ai fait sentir… Ça ne me regardait pas. Je suis logée à la même enseigne ; je ne vois pas de quel droit je jugerais les autres.

— Je t'assure que je regrette vraiment. Je me suis trompée, j'ai changé d'avis. Je ne sais plus ce que je veux… et maintenant, c'est trop tard.

Une nouvelle contraction s'empara d'elle, qui la fit gémir et se prendre le ventre à deux mains. Celle-ci était beaucoup plus forte que celles qui l'avaient précédée : l'effort faisait perler un voile de sueur sur son visage, et les fins cheveux qui bordaient son front s'enroulaient comme des ressorts sur sa peau humide comme si tout son corps se mobilisait. Quand ce fut fini, elle se détendit, mais elle semblait épuisée. Je regardai l'heure. Toujours huit minutes d'écart. Comment allait-elle tenir s'il fallait vraiment attendre jusqu'au lendemain ?

— Écoute, dis-je en lui retirant doucement le drap des mains et en le défroissant. Ne pense pas à ça pour l'instant. Tu auras le temps plus tard. Tu as encore quatorze mois pour trouver une solution. Tu pourras demander l'aide d'un avocat. Ou parler à Franz. Et puis, qui sait, l'année prochaine, la guerre sera peut-être finie, et les Allemands ne pourront plus rien nous imposer. Il ne faut pas s'inquiéter maintenant.

Elle accepta de parler d'autre chose, mais j'avais beau m'ingénier à trouver des sujets pour la distraire, elle y revenait sans cesse. Quoi de plus normal ? Avec chaque contraction, la réalité devenait de plus en plus difficile à ignorer.

Le médecin venait l'examiner toutes les heures, s'isolant avec elle en tirant le rideau autour de son lit pour vérifier la dilatation. Nous attendions le verdict avec impatience, mais il se contentait de secouer la tête. C'était trop tôt.

J'eus une idée. Je remontai chercher le flacon de vernis à ongles que j'avais pris sur la coiffeuse d'Anneke.

— On va te faire belle pour ton rendez-vous avec ton bébé, expliquai-je à mon retour.

Neve fit tourner le flacon de vernis dans sa main avec étonnement.

— Comment l'as-tu eu ? Tu sais que c'est interdit ?

— Le vernis à ongles est interdit ?

— On dirait que tu ne vas jamais aux conférences, Anneke. « Une bonne Allemande ne doit pas gâcher sa beauté naturelle avec du rouge à lèvres, de la teinture, ou du vernis à ongles. » Elles ne doivent même pas s'épiler les sourcils.

— Alors sans doute que nous ne sommes pas de bonnes Allemandes. Quel dommage !

J'étais encore arrivée à faire rire Neve. Je lui vernis donc les ongles, et elle fit de même pour moi. Nous parlions de nos films préférés, nous interrompant dès qu'elle avait une contraction. Elle aimait les westerns américains.

— Un jour, j'irai faire du cheval là-bas, me confia-t-elle. Dans un de ces paysages grandioses. Et je monterai comme un homme, pas en amazone, et je galoperai ! Je serai Barbara Stanwyck dans *La Gloire du cirque* !

— Tu veux aller en Amérique ?

— Bien sûr. Les femmes ont la vie belle, là-bas. Elles n'ont pas besoin d'attendre qu'un homme les prenne en charge.

— J'aimerais bien voir New York, et peut-être Hollywood. Je deviendrais une vedette de cinéma.

J'agitai mes ongles écarlates, et un instant j'eus l'impression de voir les mains d'Anneke.

— Regarde, je suis déjà une star.

Le jeu nous amusa un moment, mais je fus soulagée quand Ilse revint. Neve semblait plus détendue quand elle était là, mais pas suffisamment pour parler de ses inquiétudes devant elle.

— Cette jeune dame ne doit rien manger, déclara Ilse, mais vous, il faut que vous dîniez, Anneke. Allez avaler quelque chose, c'est l'heure de ma pause, je vais lui tenir compagnie.

Neve ayant fait signe qu'elle n'y voyait pas d'objection, je la laissai, mais je dînai très vite et me dépêchai de retourner auprès d'elle. Ilse resta même après mon retour. Nous fîmes des parties de cartes et elle nous raconta des anecdotes sur sa sœur. Vers vingt et une heures, il y eut un peu d'animation, car *Frau* Klaus faisait faire le tour des salles à deux nouvelles élèves infirmières à qui elle expliquait le fonctionnement des lieux.

Elle prit la feuille de Neve qui se trouvait au pied de son lit et expliqua :

— Cette jeune maman va accoucher au cours de la nuit ou tôt demain matin. Ses contractions sont espacées de quatre minutes, et son col est dilaté à six centimètres.

— Est-ce que nous pourrons assister à l'accouchement ? demanda l'une des filles.

— Non, pas avant la fin de votre formation. Au début, vous ferez le ménage et vous vous occuperez des mères.

— Tu parles d'une formation, ironisa Ilse après leur départ. Quelle bonne blague ! Avec tous les accouchements que nous avons ici, il nous faudrait de vraies infirmières, pas ces élèves polyvalentes.

Neve et moi avions relevé le ton sarcastique d'Ilse et demandâmes ensemble :

— Comment ça, polyvalentes... ?

— On ne les engage que pour les récompenser de faire leur devoir.

— Attendez ! gémit Neve.

Elle roula sur le côté et agrippa son ventre, la respiration laborieuse pendant la contraction.

— Ça passe, dit-elle après avoir inspiré à fond plusieurs fois de suite. Alors, ces polyvalentes ?

— Des blondes aux yeux bleus qui ne sont ici que parce qu'elles acceptent de coucher avec des SS afin de donner au pays de bons patriotes. C'est une honte pour la corporation.

Elle nous fit beaucoup rire en nous racontant les bévues des élèves infirmières. L'une d'entre elles avait mis les couvertures dans les grands fours de la cuisine avec les pommes de terre au lieu de les faire chauffer dans ceux des salles. Une autre avait pris le placenta pour un jumeau. Au bout d'un bref intervalle, Neve poussa un cri et se tordit de nouveau de douleur. Ilse lui massa doucement les reins jusqu'à ce que la contraction passe tandis que je lui détendais les épaules. Des ronds de sueur lui mouillaient le dos, la poitrine, les aisselles, et noircissaient les petites roses de sa chemise de nuit.

Je regardai ma montre.

— Moins de trois minutes. On ne devrait pas aller chercher quelqu'un ?

— Pas encore, mais il n'y en a plus pour longtemps.

La contraction suivante fut très rapprochée, et de toute évidence encore plus douloureuse.

— C'est bon, on y va, décida Ilse.

Elle tapota la main de Neve puis partit et revint peu de temps après avec *Frau* Klaus et un médecin. On m'obligea à m'éloigner et le rideau fut tiré autour du lit. Puis mon amie, gémissante, fut soulevée sur un chariot, et on l'emmena.

— Bonne chance ! criai-je alors que les portes battantes se refermaient sur elle.

Trop tard.

46

— Les visites sont interdites.

On m'avait déjà renvoyée une fois le matin. Quand je m'assis à table pour le déjeuner, la chaise vide à côté de moi me fit sentir mal à l'aise, et je fus soulagée que quelqu'un vienne l'occuper. En relevant la tête, j'eus la surprise de voir que c'était la nouvelle. Elle s'appelait Corrie, m'avait-on dit. Je me tournai vers elle avec un sourire qu'elle accueillit d'un signe de tête avant de retourner à son assiette. C'était peu de chose, mais cela suffit à me mettre le cœur en joie.

— Neve est en train d'accoucher, annonçai-je.

Elle hocha de nouveau la tête, et je ressentis le même bonheur irrationnel.

N'avions-nous finalement besoin de rien d'autre ? me demandai-je. Nous suffisait-il d'être reliés les uns aux autres par des fils, si ténus fussent-ils ? Et dans ce cas, pourquoi ces liens étaient-ils si difficiles à tisser ? Ou peut-être étais-je la seule à ne pas y parvenir malgré mes efforts.

Par de minuscules signes – un dégoût affiché devant une soupe qu'on nous servait pour la troisième fois, un haussement de sourcils quand des rires tonitruants montaient de la table des Allemandes –, je devinais que Corrie et moi commencions à nous apprivoiser. Nous ne parlions pas, mais chaque fois que je lui glissais un regard en coin, je croyais détecter l'ombre d'un sourire. Elle devait ressentir la même chose que moi.

Je fus aussi témoin d'un événement que je connaissais bien : je la vis regarder son ventre d'un air stupéfait qui me fit comprendre que son enfant venait de donner un coup de pied. Mais ce qui suivit me consterna. Une terreur folle se peignit sur son visage, une peur sauvage d'animal pris au piège. Corrie aussi se serait arraché sa grossesse du corps si elle l'avait pu.

Elle surprit mon regard, haussa les épaules et me tourna le dos. À peine, bien sûr, mais suffisamment pour se couper de moi pour le reste du repas. J'eus l'impression qu'une paroi de fer s'était abattue entre nous.

Après le déjeuner, je tentai de nouveau ma chance auprès des infirmières. « Pas de visites », me répéta-t-on. Finalement, tard dans l'après-midi, je trouvai l'occasion de me glisser dans la chambre de Neve à un moment où la surveillante s'était absentée.

On l'avait isolée. Je la trouvai encore groggy mais réveillée.

Elle tendit une main lourde vers moi mais manqua mon bras.

— Mon bébé, où est mon bébé ?

— Je ne sais pas, répondis-je en m'asseyant au bord de son lit.

Je lui souris et pris sa main ballante pour la reposer sur le drap comme on le fait avec un enfant endormi.

— C'est une fille ou un garçon ?

— Un garçon. Je ne sais pas où il est. On me l'a pris.

— Tu devais avoir besoin de te reposer. Je vais leur dire que tu as envie de le voir.

Neve essaya de sortir du lit, mais ses jambes lui obéissaient mal. De grands bleus s'étalaient de ses chevilles à ses genoux.

— On me l'a pris…

— Je m'en occupe, promis-je en la forçant en douceur à se recoucher. Allonge-toi. Je suis sûre que tout va bien.

Je sortis dans le couloir et interpellai la première infirmière qui passait.

— Où est l'enfant de Neve De Vries ? Pourquoi ne le lui a-t-on pas apporté pour la tétée ?

Au moment où elle se tournait vers moi, je vis que c'était l'une des nouvelles élèves. Je n'insistai pas et courus à la salle des surveillantes. J'y trouvai *Frau* Klaus, assise à son bureau, le nez en l'air, devant un dossier ouvert.

— Où est l'enfant de Neve De Vries ?

Frau Klaus se pencha sur son dossier et, soudain très affairée, fit semblant d'y chercher un papier. Comme je ne bougeais pas, elle leva la tête avec un froncement de sourcils menaçant.

— Retourne dans ton bâtiment, tu n'as rien à faire ici.

Je compris alors que Neve ne le reverrait pas. On devait savoir qu'elle se posait des questions sur l'adoption, ou on m'avait entendue lui conseiller de changer d'avis. Je m'en voulus de mon imprudence mais ne m'avouai pourtant pas vaincue.

— Il faut qu'elle lui donne le sein. Elle ne l'a pas encore vu. Elle a demandé à s'occuper de lui après la naissance.

Frau Klaus ferma son dossier avec un claquement sec et jeta un regard appuyé à la porte, un geste qui, toutes les filles le savaient, signifiait qu'elle allait appeler un garde. Cela ne m'aurait pas empêchée d'insister si, du coin de l'œil, je n'avais aperçu Ilse qui me faisait discrètement signe de la retrouver plus tard.

Je partis donc comme si j'obéissais à un ordre, mais une fois que j'eus passé les portes battantes, je me réfugiai dans la salle de travail, qui était inondée ce jour-là d'un soleil beaucoup trop cru. Quelques instants plus tard, Ilse me rejoignit, mais elle me fit signe que nous ne pouvions pas parler. Elle portait un panier à linge, et murmura :

— À la lingerie.

La pièce avait beau être déserte, Ilse me donna une pile de serviettes à plier pour donner le change et continua de se taire. Mon inquiétude montait au fil des secondes.

— Il est né avec un défaut physique, un bec-de-lièvre, dit-elle enfin. Il ne faut plus parler de lui.

— Mais pourquoi ne l'a-t-on pas laissée le voir ? On veut l'opérer d'abord ?

Ilse contempla la taie d'oreiller qu'elle venait de prendre, la plia méticuleusement, puis se tourna vers moi.

— Ici, les enfants doivent être parfaits. On n'opère pas. Il vaut mieux que vous ne cherchiez pas à en savoir plus.

— Mais où est-il ?

— Ce n'était pas un *Edelprodukt*, Anneke. Un produit de qualité, bon pour l'adoption. Vous comprenez ?

Elle sortit un drap du panier et le secoua pour éviter de me regarder en face.

J'eus un espoir.

— Alors il ne sera pas adopté ? Elle va pouvoir le garder ?

Ilse laissa retomber le drap dans le panier et plongea les yeux dans les miens.

— Il n'est pas ici. Il est parti. Arrêtez de poser des questions.

— Mais il faut bien que quelqu'un en pose, des questions ! Il faut découvrir où il est. Je dois pouvoir trouver qui l'a pris, et où on l'a emmené.

Je me dirigeai vers la porte, mais Ilse m'attrapa le bras.

— Ne faites surtout pas ça.

— Je veux savoir ce qui se passe ! m'écriai-je en me dégageant.

J'ouvris, mais elle posa une main sur la mienne pour m'empêcher de lâcher la poignée.

— Très bien, attendez, dit-elle.

Elle prit un trousseau de clés dans sa poche, en détacha une et me la tendit.

— Allez m'attendre dans ma chambre, chuchota-t-elle. Vous savez où est l'aile des infirmières ? Les chambres donnent sur le jardin. Le numéro est sur la clé.

Je sortis dans le jardin et trouvai la chambre d'Ilse. Je l'attendis en marchant de long en large.

Enfin, elle me rejoignit.

— Vous allez me dire où il est ?

— Asseyez-vous.

Elle montrait le lit. Nous y prîmes place côte à côte.

— Alors ?

— On l'a emmené à l'institut de Gorden.

— Quand doit-on le ramener ?

— Les enfants ne reviennent pas de là-bas.

J'explosai.

— Mais qu'est-ce que c'est que cette histoire ? Qu'en fait-on, Ilse ? Les bébés, ça ne disparaît pas comme ça… est-ce que vous voulez dire… est-ce qu'ils pourraient… *mordują niemowlęta* ?

Ilse sembla frappée de stupeur. Il me fallut quelques secondes pour réaliser ce que je venais de faire.

— Vous êtes polonaise ! s'exclama-t-elle comme si cela avait la moindre importance en cet instant.

Je ne répondis pas.

— Alors c'est ça, ce secret que vous gardez si bien…

Je me protégeai en croisant les bras sur mon ventre.

— Vous pensez qu'ils tuent les enfants qui naissent avec un défaut physique ? Répondez-moi !

— Ici, on dit « assainir ». Mais non, ça n'arrive pas toujours. Vous savez sûrement que le soldat de Neve a refusé d'endosser la paternité. Il a dit qu'il n'était pas sûr que l'enfant soit de lui. S'il avait pris ses responsabilités, on aurait tout fait pour essayer de soigner le petit.

— Pourquoi ne pas le rendre tout simplement à Neve ?

— Les bébés sont considérés comme des soldats potentiels, vous avez dû vous en rendre compte. Si Neve avait ramené son fils en Hollande, il aurait pu, en grandissant, devenir soldat dans une armée ennemie.

— Et donc… Attendez… Et la fille de Marta ? Elle est vraiment mort-née ?

— Elle était sourde.

— Mais c'était une fille !

— Elle aurait pu donner le jour à un soldat ennemi.

— C'est ce qu'ils disent ?

— Pas ouvertement.

— Dans ce cas, comment le savez-vous ?

— Je le devine. Comprenez-moi. Je ne sais pas ce qui est arrivé à l'enfant de votre amie, et je ne peux pas poser de questions à son sujet. D'ailleurs, même si je le pouvais… il faudrait beaucoup de courage pour supporter d'entendre la vérité. Ce serait trop inhumain.

Avec une expression douloureuse, elle montra son cœur mais sans se toucher, comme si cet endroit était trop sensible pour supporter le moindre contact.

— On entend ce qu'on veut avec ce mot « assainir », selon ce qu'on arrive à supporter, conclut-elle en baissant la tête.

— Alors vous fermez les yeux ? Vous faites comme si de rien n'était ? Comme si l'enfant de Neve n'existait pas vraiment ?

Jusqu'à cet instant, je ne m'étais pas autorisée à l'imaginer, mais soudain je vis un petit visage empourpré en forme de cœur comme celui de Neve, et deux menottes qui se tendaient. Cela me fendit le cœur et je m'effondrai. Ilse voulut me prendre dans ses bras, en larmes elle aussi, mais je la repoussai. La tête entre les mains, je sanglotai.

Au bout d'un moment, elle me toucha l'épaule.

Je m'essuyai le visage.

— Comment pouvez-vous travailler ici ? Comment pouvez-vous être complice de ce qui arrive ?

Je vis à son expression que ces questions, elle se les posait elle-même et ce qu'il lui en coûtait.

— Je n'ai pas le choix.

— Mais comment arrivez-vous à le supporter ?

Ilse alla prendre sur sa commode une photo dans un cadre ovale, et la contempla.

— Je suis lâche, sans doute. Oui, je fais comme si je ne voyais rien. Je ne m'autorise pas à penser à certaines choses. Il le faut, sinon, je ne tiendrais pas. C'est ma façon de survivre. Les gens que je connais font tous la même chose, mais nous ne pouvons même pas en parler. Nous sommes tous des lâches.

Il se reposa la photo sur le napperon en dentelle et se tourna vers moi, s'appuyant à la commode comme si, sans ce support, elle n'aurait pas eu la force de tenir debout.

— Je sais que ça doit être difficile à comprendre. Mais vous vous doutez bien qu'il est impossible d'intervenir en disant : « Ce que vous faites est atroce, arrêtez tout de suite ! » Je me retrouverais en prison. On me tuerait probablement. Morte, je ne pourrais plus aider personne. J'ai trouvé une façon de rendre service ici, dans mon travail, mais il faut que je passe sur certaines choses. Pour survivre aujourd'hui, il faut savoir faire des compromis. Surtout nous, les femmes. Vous le savez, Anneke. Vous le savez ! Des compromis terribles.

Ma colère s'évanouit. Je me trompais d'ennemi. Je le savais depuis le début, d'ailleurs. Autrement, je n'aurais pas osé me mettre en colère contre elle. Moi aussi, je me reprochais mes compromis.

— Vous avez raison. Votre présence est importante.

— J'aime m'occuper des bébés et de certaines mères. Ce n'est pas leur faute, et, dans une salle d'accouchement, on peut presque oublier qu'il y a la guerre. Mais ce n'est pas de ce travail dont je parlais.

— Non ?

Elle baissa la voix, n'osant qu'un murmure.

— Je parle aux filles dont je m'occupe. Pas aux fanatiques, ce serait prendre trop de risques, et puis ça ne servirait à rien. Mais pour certaines, il suffit de leur rappeler qu'elles ne sont pas obligées de produire des enfants à la chaîne. Je leur parle de l'avenir qui attendra ces petits à la fin de la guerre, du vrai rôle d'une mère. Hitler et Himmler jouaient probablement à la guerre quand ils étaient petits. Leurs mères auraient peut-être pu empêcher ce qui arrive.

— Vous prenez des risques.

— Je fais attention, mais je ne peux pas me taire. Si les hommes sont à l'origine des guerres, les femmes, elles, pourraient les arrêter.

Elle posait déjà la main sur la poignée de la porte.

— Mais qui va annoncer à Neve ce qui est arrivé à son enfant ?

— L'infirmière de service.

— Laissez-moi le lui dire moi-même, je vous en prie, elle a déjà assez souffert.

— C'est interdit.

— Alors dans ce cas, faites-le vous-même. S'il vous plaît.

— Bien, soupira-t-elle. Je m'arrangerai pour qu'on lui donne suffisamment de morphine.

— Et vous lui direz qu'il est mort-né ?

— Oui. C'est ce que nous leur disons à toutes.

— Je vous accompagne.

Elle me fit signe de ne pas la suivre. Elle avait déjà fait beaucoup, et je dois admettre à ma grande honte que je fus soulagée de ne pas être présente quand Neve apprendrait qu'elle avait perdu son enfant.

Mais, en fin de compte, je ne fus guère épargnée. Toute la soirée, malgré les bavardages des autres filles, puis dans le silence de ma chambre, je crus entendre ses sanglots.

Cette nuit-là, je rêvai de mon enfant et de ses boucles trop noires.

Le lendemain matin, Ilse me prit à part alors que je quittais la salle à manger après le petit-déjeuner.

— On la renvoie chez elle aujourd'hui. Vous pouvez la voir maintenant, si vous voulez. Il y a une réunion du personnel jusqu'à dix heures, vous ne risquez rien.

— Elle part déjà ?

Mais pourquoi serait-elle restée ? Elle n'avait plus d'enfant à nourrir.

Quand j'ouvris la porte de la chambre de Neve, je m'efforçai de ne montrer qu'une tristesse naturelle et de cacher toute l'horreur que je ressentais. On lui avait administré des calmants, mais qui n'atténuaient en rien sa souffrance morale. Elle m'agrippa maladroitement le bras pour m'attirer vers le lit.

— Je sais ce qui est arrivé, dis-je en caressant sa main à la peau froide et sèche comme un cuir très fin. On m'a appris. Je suis désolée. Les infirmières l'ont trouvé très beau.

— Oui ? Il était beau ? Qui a dit ça ?

— Tout le monde. Il était magnifique. Un très beau bébé.

Ce n'était pas trop difficile de mentir par compassion. Seule la peur vous trahissait, en général.

Ilse entra dans la chambre.

— C'était un ange.

De nouvelles larmes montèrent aux yeux de Neve, mais elle sembla un peu réconfortée. Elle eut un gémissement en prenant ses seins dans ses mains.

— Votre lait est monté très vite, remarqua Ilse en fronçant les sourcils. On aurait dû vous soulager plus tôt. Je vais vous montrer comment faire pour que ça ne fasse pas trop mal.

J'aidai Ilse à lui retirer sa chemise de nuit. Son ventre était comme une outre vide, alors que ses seins, parcourus d'un maillage de veines, avaient durci et gonflé. Nous lui enveloppâmes la poitrine avec des bandages serrés.

— Gardez-les aussi longtemps que vous le pourrez, conseilla Ilse. Une semaine, si nécessaire.

Ensuite elle se pencha sur la valise qui se trouvait au pied du lit et l'ouvrit. Je ne l'avais pas remarquée en entrant, et je me demandai, le cœur battant, qui était allé dans notre chambre en mon absence pour rassembler ses affaires. Ilse entreprit d'habiller Neve qui se laissa faire, molle et sans volonté. Je voulus l'aider à enfiler son pull, mais Ilse m'arrêta.

— On va bientôt venir la chercher. Il vaut mieux que vous partiez.

Je me penchai pour embrasser la joue mouillée de larmes de Neve.

— Nous nous reverrons quand la guerre sera finie.

Un mensonge de plus. Je savais très bien que personne au foyer ne chercherait à se revoir. Nous passerions le reste de notre vie à essayer de chasser cette période de notre mémoire.

47

Après tous ces événements, je passai encore plus de temps à l'orphelinat, jusqu'à quatre heures par jour. Je dorlotai Klaas, lui murmurant à l'oreille de jolies fables pour qu'il se sente en sécurité et aimé. J'entrepris de tenir un journal pour Leona sur les dernières pages du cahier qu'elle m'avait envoyé.

Il a trois épis, trois ! C'est un vrai petit clown… Dès que je le prends dans mes bras, il s'agrippe à ma manche pour que je lui fasse « coucou » en me cachant derrière mon bras. Il trouve ça très drôle. Il a ton rire et les mêmes fossettes…

C'était peu de chose, mais à cette époque, il fallait se satisfaire de petits réconforts, et j'étais heureuse de penser que Leona se réjouirait que je trouve des ressemblances entre elle et son fils. Je me demandais aussi lesquels de ses traits lui venaient de son père. Pouvait-on, en filtrant ce qui rappelait Leona, trouver des traces de l'homme qu'elle avait aimé au moins une nuit ? Sa façon de dormir les poings sous le menton ? Ses grandes oreilles ? Qui avait-il été, cet homme qui embrassait si bien et l'avait emmenée au cinéma ?

Je m'occupais donc de Klaas. Rien d'autre ne m'intéressait, et j'avais complètement oublié Karl quand il reparut soudain. Ne m'étant pas préparée, j'éprouvai une grande angoisse en me rendant au salon. Il se leva en me voyant entrer et s'approcha de moi avec un sourire. Je ne me laissai pas duper, me demandant quel mauvais coup il préparait. Si j'avais de la chance, il ne me soumettrait qu'à un petit chantage. Il avait dû réfléchir et décider de tirer profit de mon secret.

— Comment vous sentez-vous ? Comment va l'enfant ?

— Que venez-vous faire ici ?

— J'ai appris un certain nombre de choses. Il faut que je vous parle, Cyrla.

Je jetai un coup d'œil craintif vers la porte.

— Je sais, s'empressa-t-il d'ajouter. Je ne vous appellerais pas comme ça si nous n'étions pas seuls. Vous voulez bien m'écouter ?

— Si vous y tenez.

— Asseyez-vous. Vous semblez fatiguée.

Je choisis un fauteuil de préférence au canapé pour qu'il ne puisse pas s'asseoir à côté de moi. Je ne voulais à aucun prix risquer de frôler son uniforme. Il tira le second fauteuil et l'approcha du mien, mais ne s'assit pas. Il se pencha sur la chaise où il avait posé son manteau, à la porte, et sortit un gros paquet qui était resté dessous. Il me l'apporta, essayant sans grand succès de réprimer un sourire.

— Ouvrez.

Je cherchai encore à deviner sur son visage le signe qu'il me tendait un piège.

— Allez, regardez.

Incapable d'attendre, il s'agenouilla près de moi et tira le ruban argenté qui entourait le paquet. Il souleva le couvercle, et en sortit un manteau qu'il posa sur mes genoux. Il était en laine bleu cobalt, épais et doux, avec de larges revers en laine d'agneau noire bouclée.

— Il vous plaît ? Il vous ira, j'en suis sûr. Ma sœur m'a aidé à le choisir. Elle a été… Elle a eu un enfant. Et regardez, il se porte croisé à la taille, ce qui fait que vous pourrez continuer à le porter après.

— Mais je n'en veux pas ! m'exclamai-je en le repoussant dans son carton. Quelle idée !

— Vous avez besoin d'un manteau neuf. Le vôtre ne ferme plus.

— Je ne veux rien recevoir de vous.

Karl replaça le couvercle et posa le carton par terre.

— Qui d'autre vous en donnera un ?

Il se leva pour aller fermer la porte et vint s'asseoir à côté de moi.

— Je crois que vous êtes seule au monde. Si quelqu'un se préoccupait de vous, vous auriez au moins un manteau qui ferme.

Mon regard s'égara vers la fenêtre. Le brouillard qui restait maintenant accroché en permanence aux sommets des montagnes était plus épais et plus noir aujourd'hui et descendait plus bas que d'habitude.

— Il va neiger, remarqua Karl comme s'il devinait mes pensées.

Irritée, je ne répondis pas et me crispai encore davantage.

— Je me suis un peu renseigné, reprit-il. D'abord, j'espère que vous n'avez pas fait supprimer mon nom de la fiche.

Je fis non de la tête. J'avais tenu cette promesse uniquement parce que je redoutais d'attirer l'attention sur moi après mon évasion manquée. Et puis, après ce qui était arrivé à Neve, j'avais peur de tout.

— C'est bien, surtout ne changez rien, c'est très important. Quand l'enfant naîtra, ce sera beaucoup mieux pour lui que le nom du père soit sur le certificat. Ce sera préférable pour vous, aussi. Vous aurez un peu voix au chapitre. On vous a expliqué comment ça se passe ?

Je haussai les épaules pour éviter de répondre.

— S'il y a mon nom sur les papiers, je pourrai prendre certaines décisions pour vous.

Je croisai les bras, regardant toujours obstinément par la fenêtre.

— Par exemple, vous saurez où il ira ensuite. Vous voulez certainement le garder. Comment pensiez-vous arriver à le récupérer ?

Je regardai mes ongles que j'avais revernis, et je fus surprise par leur couleur vive, comme chaque fois. Mes mains ressemblaient énormément à celles d'Anneke, maintenant. Je fermai les poings et les cachai sous les coussins du fauteuil.

— Ne me dites pas que vous comptez fuir avant sa naissance ! Vous êtes en Allemagne, Cyrla. Comment imaginez-vous que vous pourrez vous débrouiller dehors ? Qui vous aidera ?

Je saisis cette occasion pour mettre fin à son interrogatoire.

— Oui, justement, murmurai-je en lui faisant face. Oui, je vais bientôt rentrer chez moi. Tout ce que vous me racontez ne m'intéresse pas. Vous n'avez pas besoin de vous mêler de ça.

— Où ça, chez vous ?

— Chut ! Chez moi, à Schiedam. Tout est organisé. Vous voyez bien que nous n'avons pas besoin de discuter du reste. Vous pouvez partir.

Karl ne se laissa pas convaincre. Il me regarda d'une façon qui m'inquiéta et se pencha vers moi. Je sentis une nouvelle fois son savon à l'amande et au pin.

— Cyrla, quand avez-vous été en contact avec votre tante et votre oncle pour la dernière fois ?

— Il y a un ou deux jours, pourquoi ?

Il voulut me prendre la main, mais je me dérobai.

— Vous ne savez même pas où ils sont..., murmura-t-il.

Je perçus une drôle d'odeur de brûlé, comme si les rideaux avaient pris feu.

Karl se renversa dans son fauteuil, se massant le front du bout des doigts en m'observant.

— J'ai quelque chose à vous apprendre. Après ma dernière visite, quand j'ai su ce qui était arrivé à Anneke, j'ai eu envie d'écrire un mot à votre tante et à votre oncle. Mais j'ai eu peur qu'ils ne jettent la lettre sans la lire, alors j'ai téléphoné à un ami qui est cantonné à Schiedam et je lui ai demandé de passer les voir en personne pour leur transmettre mes condoléances. J'ai reçu de ses nouvelles hier.

— Et alors ? demandai-je, si effrayée que j'étais assourdie par le bruit du sang qui battait dans mes tempes.

— Ils ont disparu.

Voyant le désespoir se peindre sur mon visage, Karl se dépêcha d'expliquer :

— Ou plutôt, ils sont partis. La maison a été réquisitionnée pour loger des officiers.

— Où sont-ils allés ?

— Je ne sais pas. Je ne sais rien d'autre que ça : la maison est réquisitionnée depuis plusieurs mois. Et rassurez-vous, je n'ai prononcé votre nom devant personne, je ne vous ai pas mise en danger. Ne vous inquiétez pas.

Comme si je me préoccupais de ça. *Quand on quitte les gens, ils risquent de mourir.*

— Maintenant, dites-moi ce que vous comptez faire. Si vous aviez vraiment eu la possibilité de vous enfuir, vous ne seriez déjà plus ici. Moi, je peux vous aider.

Je contemplai cet homme, je le regardai dans les yeux pour la première fois. C'était un menteur, mais, à cet instant, je fus sûre qu'il disait la vérité.

— Pourriez-vous découvrir où ils sont ? Je voudrais savoir s'ils sont en bonne santé.

— Je peux toujours essayer. Mais ce n'était pas ce que je voulais dire…

— C'est tout ce que je vous demande.

— Très bien. Savez-vous où ils pourraient être allés ?

— Dites à votre ami de demander aux Schaaps, les voisins de droite, la maison avec la porte verte et la grille en fer forgé le long de l'allée. Ils ne lui feront sans doute pas confiance, mais il peut toujours essayer de leur parler. Et puis il faudrait voir si la boutique de mon oncle est ouverte.

Karl hocha la tête et se leva pour partir. J'eus un sursaut d'espoir. Il pouvait aller et venir comme il voulait, et une fois dehors, il pouvait téléphoner à qui bon lui semblait.

Soudain, je pensai à Neve. *Carpe diem.*

— Attendez ! Vous voulez vraiment faire quelque chose pour moi ?

48

— Emmenez-moi dîner dehors. Vous avez le droit de me faire sortir, vous savez.

— Oui, nous avons droit à des sorties de quatre heures, avec obligation de retour avant vingt heures, à condition d'obtenir la permission de la responsable de permanence.

— C'est ça, exactement ! répondis-je, surprise qu'il en sache autant.

— J'ai reçu le règlement avec l'avis de paternité. Mais je ne m'attendais pas…

Il se reprit avec un sourire heureux.

— Où voulez-vous aller ?

Pendant les quelques mois où elle avait fréquenté Karl, j'avais vu l'air rêveur que prenait Anneke en pensant à lui. Il fallait se méfier de ce garçon. Son sourire était dangereux.

— Allons où vous voudrez, mais dépêchons-nous. Je cours me changer.

— Vous voulez sortir tout de suite ?

Je tapotai mon ventre rebondi d'un air innocent.

— Nous avons faim.

— Très bien, alors je vous propose un marché. Je vous emmène où vous voudrez tout de suite, à condition que vous mettiez votre manteau.

Je me dépêchai d'accepter et de monter avant qu'il ne pose d'autres conditions. Je me changeai parce que c'était mon excuse pour retourner dans ma chambre, puis je pris au fond de mon tiroir l'argent que ma tante m'avait donné, et bien que ce soit des florins, inutilisables en Allemagne, je les mis dans mon porte-monnaie.

Je retrouvai Karl à l'accueil où il signait une décharge. Je l'entendis expliquer à *Frau* Klaus que nous allions prendre sa voiture, ce qui me donna de nouveaux espoirs. Si je devais partir seule au printemps, il serait cent fois plus facile d'échapper à un seul homme lors d'une promenade que de me sauver d'un bâtiment gardé par des soldats en armes. Maintenant, je pouvais profiter de mon après-midi de quasi-liberté.

Il s'arrêta sur le perron pour fermer mon col.

— Merci pour le manteau, Karl, sincèrement. C'est très gentil.

— Vous avez bien chaud ? Et vous avez vu comme c'est ingénieux ? Il se règle autour de la taille grâce au drapé.

Il rayonnait encore de plaisir en montant dans la voiture, comme s'il avait taillé le manteau lui-même. Comme s'il était un créateur génial. Il m'amusait malgré moi.

— Oui, il est très chaud, et il est à ma taille. Vous avez très bien choisi.

— À vrai dire, c'est surtout ma sœur qu'il faut remercier. C'est elle qui l'a trouvé.

— Elle vit ici ? Anneke m'avait dit que votre famille venait de Hambourg.

— La maison familiale est près de Hambourg, oui, mais ma sœur vit ici pour l'instant.

Voyant qu'il s'était rembruni, je cessai de lui poser des questions. Il avait recommencé à neiger, de gros flocons lourds qui scintillaient dans le ciel déjà sombre de cette fin d'après-midi. Nous comblâmes le silence en parlant du temps qu'il faisait dans les montagnes tout en roulant. Il me demanda quel genre de restaurant me plairait.

— Ça m'est égal. Non, en fait… Je préférerais un endroit un peu intime. Depuis cinq mois, je prends tous mes repas dans un réfectoire.

— Très bien, un restaurant avec une petite salle, alors.

— Et aussi je voudrais manger du pain blanc ! ajoutai-je en riant. Et des plats mitonnés pendant des heures. Pas de légumes crus !

— J'ai remarqué une auberge à la sortie de la ville. Essayons-la.

Cette liberté me donnait presque le vertige. J'avais perdu mes repères. Ce n'était pas très étonnant : je n'étais pas montée en voiture depuis cinq mois, et je n'avais quasiment côtoyé aucun homme. Je n'avais même pas quitté le parc du foyer depuis mon arrivée. Mais ce n'était pas la nouveauté de cette sortie qui éveillait mon angoisse, au contraire, c'était sa normalité. Se retrouver dehors après si longtemps, cela faisait peur. J'avais lu que lorsqu'on ouvrait la porte à des animaux en cage enfermés depuis longtemps, ils ne voulaient pas sortir. Le bébé bougea dans mon ventre comme une petite loutre. Lui, au moins, se réjouissait sans états d'âme.

À l'auberge, le patron nous accueillit comme si nous étions un jeune couple comme un autre. Quand il remarqua que j'étais enceinte, il tint absolument à nous faire asseoir près de la cheminée, s'inquiétant de savoir si nous avions assez chaud, puis si nous n'étions pas trop près du feu. Il nous fit admirer les chopes de bière anciennes alignées sur une planche au-dessus de nous, les tableaux représentant les Alpes accrochés sous les massives poutres brunes. Nous commandâmes des *Jägerschnitzel* et de la salade, et pendant que nous attendions nos escalopes de porc, nous prîmes chacun une bière brune bien fraîche. Je racontai à Karl comment se passaient les journées au foyer ; l'alcool et la chaleur du feu aidant, je finis par me détendre. Karl aussi devait se sentir mieux car il me parla plus longuement de sa sœur.

— Elle s'appelle Erika. Nous sommes jumeaux.

— Vous êtes proches ?

Karl hocha la tête. Il avait allumé une cigarette, mais avant de répondre, il l'écrasa et se débarrassa des brins de tabac collés sur sa langue.

— Nous n'avions pas d'autres frères et sœurs, alors nous étions inséparables. Elle était beaucoup plus petite que moi, si bien que les gens croyaient que j'étais l'aîné ; ça l'exaspérait. Elle tenait à tout faire comme moi, ce qui n'a posé aucun problème jusqu'à nos huit ans et que je me découvre une passion pour la construction navale.

— Elle ne s'intéressait pas aux bateaux ?

— Si, beaucoup, répondit-il en souriant à ce souvenir. Mais mon grand-père et mes oncles avaient des idées plutôt conservatrices et ne voulaient pas qu'elle m'accompagne, parce que c'était une fille. J'ai pris sa défense, et puis j'ai joué les protecteurs. J'ai prétendu que c'était uniquement pour ne pas la laisser seule que je voulais qu'elle vienne, mais en vérité, j'adorais sa compagnie. Elle était drôle, intelligente et intrépide. C'est difficile à expliquer, mais quand nous n'étions pas ensemble, je me sentais un peu incomplet. C'est sans doute parce que nous étions jumeaux.

— Anneke m'a dit que vous aviez une nièce. C'est donc la fille d'Erika ?

— Oui, elle s'appelle Lina.

— Alors votre sœur est mariée ?

Son sourire s'effaça.

— Elle l'était.

Il contempla pensivement un trophée de chasse accroché au mur à côté de nous, puis il se tourna de nouveau vers moi.

— Six semaines après leur mariage, Bengt a été envoyé sur le front. Erika était enceinte. Il a été tué deux semaines avant la naissance de Lina.

— C'est affreux. Comme ça doit être triste d'être seule quand on donne naissance à un enfant !

Karl me jeta un coup d'œil, et je redressai fièrement la tête. Moi, je n'étais pas seule. Ou je ne le serais plus bientôt.

— Oui, c'est triste, en effet. Le plus dur, pour Erika, c'est que Bengt n'a jamais vu le bébé. Il n'a même pas su que c'était une fille. Il voulait une fille. Erika essaie de tenir le coup, mais c'est difficile.

— Alors elle vit à Munich, maintenant ? Vous la voyez souvent ?

— Elle a pris un appartement ici quand j'ai été muté. Ma mère est venue vivre avec elle. Elle l'aide à s'occuper du bébé. Lina a un an. Attendez, j'ai une photo.

La petite était assise sur les genoux de sa mère, dans ses bras, lui touchant le cou pour se rassurer. Elle souriait d'un air séducteur au photographe, alors qu'Erika ne regardait pas directement l'objectif, comme si elle cherchait quelqu'un derrière l'appareil. Si je n'avais pas su qu'elle venait de perdre son mari, lui aurais-je trouvé l'air aussi triste ? Sans doute.

— Elles sont très jolies toutes les deux, commentai-je en lui rendant la photo. Elles vous ressemblent.

Le compliment lui fit plaisir. Il la regarda encore un moment avant de la remettre dans son portefeuille.

— Elle voulait être professeur, mais elle a dû arrêter ses études, et maintenant elle travaille chez un boucher. Ce n'est pas si mal, parce que, au moins, nous avons de la viande. Le plus difficile, c'est le lait.

Je leur donne ce que je gagne. Si elles n'avaient pas ça…

Karl jeta un coup d'œil autour de lui comme s'il avait peur d'être entendu, mais à cette heure l'auberge était encore pratiquement vide. À l'autre bout de la salle, il n'y avait qu'un vieux couple qui buvait du thé dans de petites tasses en verre.

— Ils sont drôles, ces deux-là, dis-je en devinant qu'il avait envie de changer de sujet. Vous voyez la façon qu'il a de hocher la tête sans arrêt, comme s'il était d'accord avec tout ce qu'elle dit ? Et pourtant, on a aussi l'impression que c'est juste pour la calmer. Elle a l'air très nerveuse, elle n'arrête pas de tirer sur les boutons de son cardigan. Un couple ordinaire… c'est agréable pour moi. Je n'ai pas vu de gens normaux depuis cinq mois.

On nous servit, et nous nous en tînmes à des sujets neutres pendant le repas. Régulièrement, mes doigts se portaient à mon porte-monnaie et s'attardaient sur la fermeture.

— Qu'est-ce qui vous fait sourire ? demanda Karl.

— Rien.

Je me dépêchai de remettre la main sur la table, comme une écolière qui vient de faire passer un mot à sa voisine.

— Je suis contente d'être sortie. Je n'ai pas quitté le foyer depuis mon arrivée.

— Vous savez pourquoi on vous l'interdit ?

Je lui répétai l'explication que je connaissais.

— Ils pensent que nous ne sommes pas en sécurité seules à l'extérieur. Il faut être accompagnée par un garde, ou… par le père de l'enfant.

Karl réagit comme je l'avais espéré.

— Je vous ferai sortir dès que vous en aurez envie.

— Mais comment en trouverez-vous le temps ? Toutes les Allemandes se plaignent que leurs amis ou leurs maris n'ont pas eu de permission depuis un an ou même plus.

— C'est vrai, mais moi, je suis monté en grade, dit-il en tapotant l'insigne qu'il portait au bras. J'ai un travail à accomplir, mais en dehors de ça, je suis libre de mes mouvements.

— Vous faites quoi ?

Il hésita.

— Je... suis chargé de certaines constructions.

Comme il ne semblait pas vouloir m'en dire plus, je lui posai une autre question qui me brûlait les lèvres :

— Pensez-vous que l'Allemagne va gagner la guerre ?

Personne n'était entré dans l'auberge, et le couple âgé ne pouvait pas nous entendre, ce qui n'empêcha pas Karl d'approcher la tête tout près de la mienne et de jeter sèchement à voix basse :

— Pas ici.

Il reprit sa fourchette, mais se contenta de jouer avec sa salade sans la manger. Il regarda la neige tomber, puis il but de la bière.

— Oui, je pense, dit-il finalement d'un ton neutre.

Il m'était impossible de deviner ses sentiments, mais cette idée n'avait pas l'air de le réjouir. La conversation étant close, nous terminâmes notre repas en silence.

Je m'efforçai d'attendre encore un peu avant de mettre mon plan à exécution, mais je cédai vite à l'impatience.

— Karl, dis-je comme si je venais d'avoir une idée, j'ai vu une boulangerie à deux pas d'ici en arrivant. Je voudrais rapporter quelques petits pains blancs à mes amies. Au foyer, on ne nous en donne pas d'aussi bons.

J'ouvris mon porte-monnaie et en sortis mes florins.

— L'ennui, c'est que je n'ai que de l'argent hollandais. Pourriez-vous me l'échanger contre de l'argent allemand ?

Il eut l'air ravi que je lui demande un service.

— Nous nous arrêterons à la boulangerie avant de reprendre la voiture, mais je vous les offrirai, ça me fera plaisir, dit-il en repoussant la main avec laquelle je lui tendais l'argent. Commandons d'abord le dessert. Ils ont de la *Linzertorte*. Ensuite, nous demanderons l'addition et nous passerons par la boulangerie.

— Non, prenez le dessert sans moi, je n'ai plus faim. J'aime autant aller à la boulangerie tout de suite, je n'en ai pas pour longtemps.

Malgré sa surprise, il sortit un billet de cinq marks de sa poche.

— Comme vous voudrez, mais gardez vos florins, j'insiste.

Je pris le billet et me levai de table, tâchant de ne pas montrer mon impatience. Je lui adressai un grand sourire, lui répétai que je n'en aurais pas pour longtemps, puis je sortis sans me retourner de peur que mon air coupable ne lui mette la puce à l'oreille, et qu'il ne décide de m'accompagner. Je quittai l'auberge et tournai à droite, m'éloignant assez pour être sûre qu'il ne pouvait plus me voir par la fenêtre.

Au bout d'une minute, je fis demi-tour et me glissai derrière l'auberge pour me rendre à la poste, que j'avais aperçue de loin. Deux banderoles verticales portant des croix gammées pendaient de part et d'autre de l'entrée, serpents rouge et noir qui ondulaient, à l'affût.

— Je voudrais téléphoner à l'étranger, dis-je à l'employée derrière le guichet.

Des banderoles étaient aussi accrochées à l'intérieur, en travers des fenêtres.

— En Hollande, à Schiedam, ajoutai-je.

Elle attrapa un tarif et calcula le prix de l'appel. Je payai, vérifiai la monnaie, puis je me dépêchai d'aller dans la cabine pour attendre qu'on me passe ma communication. Cela prit un temps fou. Un monsieur vint faire la queue devant ma cabine, ne laissant que quelques pas entre nous.

La sonnerie retentit enfin à l'autre bout du fil. Le minuteur au-dessus du téléphone se mit en branle quand on décrocha. J'entendis une voix de femme.

— Je voudrais parler à Isaak Meier. Vite, dépêchez-vous, s'il vous plaît.

— C'est à quel sujet ?

— Il faut que je lui parle de toute urgence.

Il y eut un silence.

— Je vous en prie, allez le chercher !

— Je suis désolée, mais il n'est plus ici. Est-ce que cela concerne le conseil ? Le conseil d'Amsterdam a…

— Comment cela ? Il est parti ? Où est-il ?

— Je ne suis pas autorisée à…

— Très bien, très bien, coupai-je, tâchant de ne pas me laisser affoler par les trente secondes qui s'étaient déjà écoulées. Passez-moi le rabbin Geron, dans ce cas. Vite, je vous en prie.

Elle s'éloigna du téléphone, et une minute entière passa. Je tournai le dos au minuteur et me retrouvai face à un portrait d'Adolf Hitler, le bras tendu vers moi. Je fermai les yeux. Enfin, enfin, le rabbin prit le téléphone.

— Bonjour, c'est Cyrla Van der Berg, l'amie d'Isaak. Il faut que je lui parle.

— Cyrla ? Mais…

— Je vous en prie, dites-moi où je peux le trouver.

— Mais il est… Vous ne le saviez pas ? Il a été envoyé à Westerbork.

La respiration coupée, je bégayai :

— Westerbork ?

— La rafle d'octobre. On a emmené tous les Juifs d'origine non hollandaise. Vous devez le savoir.

— Mais enfin, Isaak est hollandais…

— Il s'est porté volontaire pour les accompagner. Il espérait pouvoir les aider, puisqu'il est avocat.

— Non !

— Je n'ai pas pu l'en empêcher, se justifia le rabbin Geron qui avait dû entendre mon ton de reproche. Je n'étais pas d'accord avec sa décision, mais je ne pouvais rien y faire. Nous prions tous les jours pour qu'il revienne. Avec les autres…

— Comment va-t-il ? Vous avez eu de ses nouvelles ?

— Nous pensons…

À cet instant, la minuterie sonna et la communication fut coupée.

— Non, non, attendez ! Redonnez-moi la ligne ! C'est un cas de force majeure !

Je n'arrivais pas à me résoudre à raccrocher, car j'avais l'impression que le téléphone me reliait encore un peu à Isaak. Le monsieur qui attendait derrière moi toussota en montrant des signes d'impatience. Le combiné noir me sembla soudain peser une tonne. Je le reposai sur son support et ressortis dans la rue d'un pas de somnambule. À mon passage, les banderoles claquèrent dans le vent.

Isaak était dans un camp.

Je traversai pour entrer dans la boulangerie. Je ne sentais plus rien, ni mes jambes, ni la neige sur mon visage. Isaak avait été envoyé dans un camp. Karl m'attendait déjà, et posait des questions à la vendeuse. En entendant la clochette, il se tourna vivement, et cela me rappela notre première rencontre à la boulangerie où travaillait Anneke. Il y avait la même odeur chaude de sucre vanillé, mais cette fois, les yeux de Karl ne glissèrent pas sur moi pour me fuir. Il se précipita et m'attrapa par les épaules. Je voyais ses mains mais sans les sentir.

— Où étiez-vous passée ? Je me faisais un sang d'encre !

— J'étais… Je suis allée aux toilettes. Qu'est-ce qui vous prend ?

Karl regarda autour de lui, puis il posa la main sur ma taille pour me pousser vers la porte. Il ne reprit la parole que dehors.

— Cyrla, j'ai cru que vous vous étiez enfuie. J'ai eu un mauvais pressentiment à l'auberge, et quand je suis arrivé à la boulangerie et que je ne vous ai pas trouvée… je me suis inquiété.

Il avait l'air en colère, mais c'était une colère de mère qui gronde un enfant qui lui a donné une frayeur.

— Ne recommencez plus jamais ça, c'est très dangereux.

— Mais enfin, Karl, je suis simplement allée aux toilettes.

J'avais tâché de rire pour dissiper ses soupçons, mais son regard inquisiteur me troubla.

— Je vous crois, mais la prochaine fois, dites-moi où vous allez. Je suis responsable de vous. Retournons dans la boutique pour faire vos achats, si vous voulez.

J'acceptai sans savoir ce que je faisais. Je choisis une dizaine de petits pains au cumin que la vendeuse emballa dans une boîte en carton. Pendant ce temps, je pensais à Isaak. Était-il encore en vie ? Pourquoi s'était-il porté volontaire ? Pourquoi ?

— Soixante pfennigs, dit la jeune femme.

Sans réfléchir, je plongeai la main dans ma poche et en tirai quelques pièces.

En voyant que j'avais de la monnaie, Karl eut l'air interloqué. Je me sentis pâlir.

49

Le regard noir, Karl paya les petits pains, puis il m'attrapa le bras et m'entraîna dehors.

— Vous me faites mal !

Il me fit monter dans la voiture avant d'y prendre place lui-même.

— Vous avez besoin d'argent, Cyrla ?

Il se souleva pour tirer son portefeuille de sa poche, et en sortit des billets qu'il me jeta sur les genoux.

— Tenez, en voilà ! Vous n'avez qu'à demander !

Je repoussai l'argent d'un geste irrité, mais la peur l'emportait sur la colère.

— Vous me mentez depuis le début, tonna-t-il. Je veux que vous me disiez l'exacte vérité, tout de suite.

Il se pencha sur moi pour verrouiller la portière, et je me retrouvai soudain dans la ruelle à côté de la boutique de mon oncle, des gravillons s'incrustant à l'arrière de ma tête, les poumons en feu. Je poussai un cri et me débattis pour rouvrir.

Karl se recula, stupéfait.

— Mais voyons, je n'ai pas l'intention de vous faire de mal, Cyrla. Je veux simplement savoir ce qui se passe.

La main agrippée à la poignée, je répondis :

— Alors vous me faites prisonnière ? Vous allez me dénoncer si je ne vous réponds pas ?

— Si vous avez besoin de le croire pour me parler, eh bien oui !

— Vous allez me dénoncer ?

— Oui. Je vais vous emmener au quartier général à Munich. Si vous essayez de fuir, je lancerai la Gestapo à vos trousses.

— Vous ne feriez pas ça !

— Bien sûr que non. Cyrla, je ne suis pas un nazi. Leur salut m'est odieux. Mais s'il faut que je vous menace pour que vous me disiez la vérité, je veux bien jouer à ce jeu.

— Pourquoi ma vie vous intéresse-t-elle autant ?

Karl leva les mains et les abattit sur le volant.

— Je ne suis plus très sûr d'avoir envie de m'en mêler, à vrai dire !

Il me dévisagea avec colère, puis retrouva son calme. Je n'avais jamais vu un homme changer d'humeur aussi vite. Mon oncle cultivait ses emportements ; les fureurs d'Isaak pouvaient couver pendant des jours ; mon père ne se fâchait jamais, mais il se renfermait sur lui-même. Anneke était comme Karl : avec elle, l'orage passait aussi vite qu'il avait éclaté.

— Je me fais du souci pour vous, expliqua-t-il. J'ai l'impression que vous n'avez personne sur qui compter.

Un long silence s'installa, puis Karl me fit doucement tourner la tête vers lui.

— Je crois que vous vous êtes mise dans un beau pétrin, et que vous n'avez personne pour vous aider à vous en sortir. Vous êtes toute seule.

Ce n'était que trop vrai et trop insupportable à entendre. L'immense souffrance que je contenais depuis si longtemps était justement due à ma solitude. Je plongeai la tête dans mes mains et éclatai en sanglots.

Karl m'attira contre lui.

— Racontez-moi tout depuis le début.

C'est ce que je fis. Je lui parlai du soir de la mort d'Anneke et de ce qu'avait fait ma tante. Je lui cachai seulement que je n'étais pas encore enceinte à ce moment-là... Je n'en étais pas très fière. Je lui racontai le plan que nous avions mis au point avec Isaak, mais qu'il n'était pas venu me chercher comme prévu pour la raison que je venais d'apprendre.

— Il a été emmené à Westerbork. Il est solide, ajoutai-je pour me rassurer. Il s'est porté volontaire, alors il sera peut-être libéré…

Karl retira son bras de mes épaules.

— Vous l'aimez ?

La question me prit au dépourvu, mais je hochai la tête.

— Et lui, il vous aime ?

Je m'essuyai les yeux et, avant de répondre, je me donnai le temps de regarder tomber la neige. Elle descendait maintenant en tourbillons serrés, brillant dans la lumière chaleureuse qui sortait de l'auberge.

— La neige s'épaissit, observai-je. Nous ferions peut-être mieux de rentrer.

Mais Karl attendait. Il fallait bien que je me livre un peu.

— Isaak ne peut aimer personne pour l'instant. Il dit qu'avec cette guerre, c'est dangereux de s'attacher. Il aurait peur de prendre de mauvaises décisions s'il se laissait aller à éprouver des sentiments.

Karl, une fois de plus, me surprit.

— Je le comprends. J'ai aussi cette impression avec ma sœur et ma nièce. J'accepte certaines choses qui ne me plaisent pas parce que je les aime, parce que j'ai peur qu'il leur arrive malheur. Mais cela me donne une raison de vivre, aussi. Je ne sais pas ce que je deviendrais sans elles. Je ne sais pas si j'aurais la force de continuer.

Je vis qu'il était sincère. Ilse aussi avait parlé de la nécessité d'avoir une raison de vivre. Puis, d'un coup, je compris où il voulait en venir.

— Isaak ne se laissera pas mourir ! Il s'en sortira !

— En tout cas, il ne viendra pas vous chercher. C'est une certitude. Qu'allez-vous faire ? Je peux vous aider, ajouta-t-il sans attendre de réponse.

— Mais comment ? Vous pensez pouvoir avoir de ses nouvelles ? Vous pourriez lui faire parvenir un message ?

— Peut-être. Je peux encore m'adresser à mon ami cantonné à Schiedam. Mais je pensais à autre chose… Votre plan n'était pas très réaliste, vous savez. Je ne vois pas comment un Juif aurait pu venir en Allemagne pour vous sortir du foyer. L'entreprise aurait été incroyablement difficile et dangereuse. Tout ce que vous voulez, c'est partir avant la naissance de l'enfant, si j'ai bien compris ?

Je hochai la tête, prête à approuver tout ce qu'il voudrait à condition qu'il accepte de faire parvenir un message à Isaak.

— Je dois poser quelques questions, et je vous avertirai dès que j'aurai du nouveau.

Il prit un stylo et nota deux numéros de téléphone sur le carton de la boulangerie, qui était posé entre nous.

— En attendant, appelez-moi si vous avez besoin de quoi que ce soit. Vous pouvez me joindre au premier numéro pendant la journée, et au second le soir.

Un soulagement intense mêlé de gratitude m'envahit. Je lui souris sincèrement pour la première fois.

— Je suis désolée, j'ai trempé votre manteau…

Je pris mon mouchoir pour essuyer les traces laissées par mes larmes. J'en avais versé tellement… mais maintenant, je ne voulais plus pleurer.

— Vous pensez vraiment pouvoir lui faire parvenir un message ?

— Je ferai mon possible. Dites-moi son nom de famille.

En passant, mon mouchoir accrocha un bouton orné de l'aigle allemand. J'eus un sursaut comme si des serres avaient labouré ma main.

— Que se passe-t-il, Cyrla ?

— Ramenez-moi.

50

À mon retour, je trouvai Corrie assise sur mon lit.

— Est-ce qu'il sait ce qui t'est arrivé ?

Je pris mon temps pour accrocher mon manteau, puis je retirai mes chaussures mouillées.

— Je l'ai vu avec toi aujourd'hui, insista-t-elle. Il est amoureux, c'est évident. Tu lui as dit ?

— Non, il ne sait rien.

Corrie n'eut pas l'air surprise. Elle se leva.

— Tu as de la chance. Chez moi, toute la ville est au courant. Je n'ai pas eu le choix : mon petit ami l'a appris que je le veuille ou non. Et maintenant il refuse de me voir. Comme si c'était moi la coupable.

Elle s'apprêtait à repartir mais s'arrêta pour me demander :

— De qui est l'enfant ?

— Je ne sais pas. De… De Karl, je pense. Mais je n'en suis pas sûre.

— Tu as vraiment de la chance.

Elle ouvrit la porte et s'arrêta une dernière fois.

— Quel effet ça te fait, maintenant ? Je veux dire, quand vous couchez ensemble.

— Je ne sais pas… Nous n'avons pas… C'est arrivé tout de suite après son départ.

— Eh bien moi, je peux te dire comment ça se passera : jamais tu n'oublieras. Dès qu'un homme te touchera, tu sentiras les mains de l'autre. Ça te poursuivra toute ta vie. Les deux salauds qui m'ont fait ça seront toujours dans ma tête.

Après cela, elle me laissa.

Cette journée inaugura une période d'angoisse intense. Je m'inquiétais pour tout, sans arrêt. J'avais peur pour Isaak. Je craignais que le viol ne change ses sentiments pour moi. Et puis je me demandais comment j'allais sortir du foyer et ce que je ferais ensuite. Je regrettais de m'être confiée à Karl. Je me rongeais tellement les ongles que mes mains ne ressemblaient plus du tout à celles d'Anneke. Le bébé semblait ressentir ma nervosité. Il s'agitait, comme s'il faisait les cent pas dans les eaux noires de mon ventre. Quand je prenais Klaas dans mes bras, il pleurnichait, ne trouvant plus en moi le réconfort habituel. Je perdis du poids aux deux pesées suivantes et je passais mes journées assise sur mon lit à regarder les montagnes glacées par la fenêtre.

Je reçus un deuxième avis bleu, et, bien sûr, j'eus peur de cette visite du sixième mois : deux semaines de retard ne passeraient pas inaperçues pour un obstétricien. J'avais été folle d'imaginer le contraire. Je m'exerçais à prendre l'air surpris, perplexe, indifférent. Des erreurs pouvaient se produire, dirais-je.

Puis je redoutais que ma réaction trop préparée manque de naturel et me trahisse.

Mais tout se passa très bien. L'examen lui-même fut désagréable, dans un cabinet froid, sous des lumières crues, et avec, même dans la salle d'examen, des photos de Hitler qui me surveillait du haut des murs. Mais le médecin ne parut aucunement surpris par l'avancée de ma grossesse, et il me demanda très vite de me rhabiller.

— Tout va très bien, jeune fille, dit-il. Le rythme cardiaque est bien marqué, et l'accouchement devrait se passer sans aucun problème. L'enfant est un peu petit pour vingt-six semaines, mais il n'y a pas de quoi s'inquiéter. Surtout, ne perdez plus de poids, vous m'entendez ? Vous prenez bien vos vitamines ?

Je lui assurai que oui, et me levai pour sortir.

— Les enfants, ça pousse tout seul, conclut-il. Il n'y a qu'à laisser faire la nature.

Le lendemain matin, Karl vint me voir.

— Nous sortons nous promener, m'annonça-t-il. J'ai déjà signé le registre.

Je ne pris pas la peine de protester. Dans la voiture, je lui demandai ce qui l'amenait.

— J'ai des choses à vous dire.

Curieuse, je le pressai de questions auxquelles il ne voulut pas répondre.

— Attendez un peu. Je connais une belle promenade. Il fait si beau aujourd'hui qu'on se croirait au printemps.

Nous poursuivîmes notre route en silence pendant encore environ un quart d'heure, puis il tourna sur un étroit chemin troué d'ornières. Il s'arrêta devant une grange au bord d'une grande prairie.

— Un ami à moi a grandi ici, expliqua Karl. Sa famille élevait des moutons. Et puis son troupeau a été réquisitionné.

Il fit le tour pour m'ouvrir la portière. J'acceptai la main qu'il me tendait pour descendre de la voiture, mais je me hâtai de la lâcher dès que je fus dehors.

— Alors ? De quoi vouliez-vous me parler ?

— Attendez. Marchons un peu d'abord.

Indifférente, je pris avec lui un sentier qui longeait le pré. Karl devait adapter son pas au mien car je marchais lentement, essoufflée par le bébé qui commençait à comprimer mes poumons. Il essaya de faire la conversation.

— Il fait beau, et très doux. On ne dirait pas que nous sommes en mars.

Il faisait plus que beau : c'était une journée magnifique. Des senteurs de terre ressuscitée s'élevaient dans la légère brume champêtre, et je sentais la force salvatrice du printemps qui chassait l'hiver. Mais je ne relançai pas la conversation. Je m'agaçais de cette douceur dans sa voix, de cette idée de m'emmener promener comme si nous étions amis. J'avais passé les deux dernières semaines à me cuirasser contre lui, à me rappeler tout ce que je craignais d'oublier et qui devait me le rendre odieux. Son crime contre ma cousine. Les hommes qui portaient le même uniforme que lui persécutaient les gens que j'aimais. Son pays auquel appartenait aussi le SS qui m'avait fait tant de mal. Je ne voulais rien recevoir de lui, même pas un moment de détente par une douce journée ensoleillée. Et si je prenais le moindre plaisir à cette promenade, je ne le montrerais pas.

Nous nous arrêtâmes sous un arbre aux branches encore nues mais nimbées de la première fraîcheur scintillante des bourgeons prêts à éclore.

— C'est un pommier, un rouge Bietigheimer, je crois, dit Karl. Elles se gardent mal mais font du bon cidre. En avez-vous en Hollande, ou y a-t-il trop d'eau ? Leurs racines aiment rester au sec.

Il brisa et me tendit un rameau gris gonflé de pointes vert pâle.

— C'est un bois très agréable à travailler. Il sent bon la pomme.

Je hochai la tête et enfouis la branchette dans ma poche pour passer le doigt sur les bourgeons satinés à l'abri de son regard.

— C'est un pommier comme un autre. Nous en avons beaucoup en Hollande.

Karl coucha des herbes sur le côté du chemin avec le pied.

— Les boskoop, les reinettes de Hollande ? Ce sont les variétés que vous avez, je crois.

Je me tus, regardant fixement devant moi.

— Allez, répondez, insista-t-il. Je veux simplement échanger quelques mots avec vous. Pourquoi ne voulez-vous pas me parler ?

— Mais nous parlons.

— Pas vraiment, vous le savez bien. Je veux vous aider. Anneke me l'aurait demandé. Mais peu importe, je l'aurais fait qu'elle le veuille ou non. Il faudra vous y habituer. Je peux être absolument charmant, vous savez. Vous n'avez encore rien vu.

Sentant que je souriais malgré moi, je m'éloignai de quelques pas.

Karl me suivit avec un soupir. On n'entendait plus que le craquement de l'herbe hivernale sous nos pieds. Il s'arrêta et m'obligea à lui faire face en me posant une main sur l'épaule. En regardant cette main, je pensai soudain : *On leur tire une balle dans la nuque.*

— Écoutez, Cyrla, il faut me croire. Je n'ai pas abandonné Anneke. Je vous jure que je ne savais pas qu'elle attendait un enfant. Vous resterez hostile à mon égard tant que vous ne voudrez pas me croire. Je veux que ça change.

Deux oiseaux de proie volaient en cercles au-dessus des arbres au bout du pré. Je les contemplai sans rien dire.

— Je ne voulais pas vous révéler ce que je vais vous dire parce que Anneke ne l'a pas fait, mais maintenant, je vois que je n'ai plus le choix. Le dernier soir où nous nous sommes vus, Anneke n'a pas pu m'apprendre qu'elle était enceinte. Elle n'en a pas eu le temps. Je voyais bien qu'elle avait envie de me dire quelque chose, mais j'ai voulu lui parler d'abord. J'avais rassemblé mon courage toute la semaine pour le faire, et c'était ce soir-là ou jamais. Cyrla, je lui ai dit que je repartais pour l'Allemagne, et que je voulais rompre avec elle parce que je n'étais pas amoureux. Je ne pouvais plus lui cacher la vérité, ce n'était pas honnête.

Je souffris pour ma cousine. Quelle humiliation elle avait dû ressentir, et quelle gêne pour moi qui l'apprenais alors qu'elle n'était plus là ! Mais pourquoi croire Karl ? Disait-il la vérité ? Sûrement pas.

Qui aurait pu ne pas aimer Anneke ? Non, ce n'était encore qu'une façon de cacher sa culpabilité.

— Cyrla ? Vous m'avez entendu ? J'ai honte de la façon dont je me suis conduit parce que, en voyant combien elle avait de la peine, j'ai seulement pensé que c'était parce qu'elle regrettait de me perdre. C'était de la naïveté et de la vanité.

— Bien pire, Karl. Vous savez ce qui est arrivé...

— Je me suis reproché cent fois mon attitude depuis que vous m'avez appris sa mort. Si seulement je l'avais laissée parler la première... Je ne sais pas au juste ce que j'aurais fait si j'avais su qu'elle était enceinte, mais je ne l'aurais pas laissée se débrouiller seule. Je l'aurais peut-être épousée. Ou alors elle serait venue ici, dans le foyer où vous êtes, mais j'aurais assumé la paternité.

Je ne fis pas de commentaire, laissant mon expression parler pour moi : *C'est un peu facile, maintenant.*

— En tout cas, je pense qu'elle serait encore en vie, poursuivit-il. Donc oui, c'est ma faute si elle est morte. Mais pas pour la raison que vous avez imaginée.

Je le dévisageai, tâchant de deviner à un signe quelconque qu'il mentait. Je ne vis aucune ombre tapie dans ses traits. Et pourtant...

— Cyrla, vous me croyez ?

Je détournai la tête. Plus loin, il y avait des bois, des forêts profondes, de celles qui abritent des loups. Nous n'en avions pas d'aussi épaisses en Hollande. Nous n'avions pas de loups.

— Anneke ne me mentait jamais.

J'avais beau l'affirmer, je n'en étais plus très sûre. Je voulus reprendre la promenade, mais Karl me retint par la main.

— Très bien, pensez ce que vous voudrez. Peu importe, ça ne m'empêche pas de vouloir vous aider. Asseyons-nous au soleil, ajouta-t-il en désignant le muret de pierre qui longeait le sentier. Je vais vous dire ce que j'ai appris.

Quand il prit place à côté de moi, je faillis m'éloigner, mais je me retins. Ma colère s'était évanouie dès l'instant où il avait renoncé à me convaincre. Mes mouvements d'humeur me semblaient puérils à présent.

— Je me suis renseigné, et j'ai bien étudié la question, commença-t-il. C'est très important.

— Je vous écoute.

— Voilà la situation telle que je la vois : il y a trois possibilités. D'abord, vous pourriez vous enfuir avant la naissance de l'enfant et essayer de retourner en Hollande. Je crois que c'est ce que vous comptiez faire… ?

Après une hésitation, je répondis que oui, c'était bien mon intention.

— Bien. Je pense que ce n'est pas la meilleure solution. C'est la pire, même. Mais si c'est celle que vous choisissez malgré tout, au moins, je pourrai faciliter votre fuite.

Il avait réussi à m'intéresser.

— Comment ?

— Eh bien, par exemple, je pourrais commencer par vous faire sortir du foyer. C'est très facile. Et puis je pourrais vous rapprocher de la frontière. La durée autorisée des sorties est de quatre heures. Nous pourrions donc faire quatre heures de route avant que votre absence soit signalée.

À présent, je buvais ses paroles.

— Vous feriez ça pour moi ?

— Oui. Et puis je prétendrais que nous sommes allés dans la direction opposée, à Salzbourg, par exemple, et que vous vous êtes enfuie de là-bas. Ça vous donnerait encore une petite avance sur eux.

— C'est une bonne idée…

Mais c'était plus qu'une bonne idée : c'était une chance inespérée. À condition qu'il le fasse vraiment.

— Non, c'est une très mauvaise idée, au contraire, protesta-t-il, parce que, une fois que vous serez en fuite, les papiers d'Anneke ne vous seront plus d'aucune utilité. Et en quatre heures de route, vous ne serez encore qu'à mi-parcours. Vous ne pourrez pas passer les barrages, et encore moins traverser la frontière.

— Vous avez mieux à proposer ?

— Oui. J'ai une bien meilleure idée. Vous n'avez qu'à rester ici jusqu'à la naissance.

— Non ! m'écriai-je.

— Attendez, laissez-moi finir.

Je comprimai les lèvres pour le laisser parler.

— Bien. Écoutez-moi jusqu'à la fin. Voilà ce que j'ai appris : c'est moi qui ai la priorité pour adopter votre enfant. Normalement il ne faut pas être célibataire, mais j'ai demandé si je pourrais le prendre à condition que ma sœur accepte de l'élever. Le bureau du programme Lebensborn est ici, à Munich, dans la Herzog-Max-Strasse, alors, au lieu d'écrire, j'ai pris rendez-vous directement avec le Dr Ebers.

— Quoi ? Mais vous êtes fou ! On va doublement me surveiller, maintenant.

Karl prit ma main et la serra dans les siennes pour me rassurer.

— Au contraire, je vous ai rendu service. Il m'a reçu, et j'ai reconnu la paternité en personne. Écoutez la suite, Cyrla. Il faut que vous décidiez en connaissance de cause.

— Très bien, je vous écoute, mais je ne resterai pas.

— Erika a accepté de jouer le jeu, et le Dr Ebers a donné son autorisation. Donc voilà où nous en sommes : je vais l'adopter officiellement.

— Comment ? Mais vous n'avez pas le droit de faire ça ! Il n'en est pas question !

— On ne vous demandera pas votre avis. Si l'enfant naît au foyer, il sera adopté quoi qu'il arrive, et par n'importe qui. Il vaut mieux que ce soit moi.

— Mais il ne naîtra pas ici. C'est justement pour ça que je dois partir.

— Si vous partez, quelle différence cela fera-t-il que j'aie rempli les papiers d'adoption ? Maintenant, calmez-vous. J'ai presque terminé. Admettons que vous restiez, que vous accouchiez ici, et que j'adopte votre enfant. Vous pourriez rentrer chez vous sans aucune difficulté dès le lendemain si vous le vouliez. Vous ne trouvez pas ça mieux ?

— Non, je ne veux pas rester.

— Réfléchissez. On vous raccompagnerait même en Hollande. Comme vous n'auriez pas fui, les papiers d'Anneke seraient encore utilisables, et il n'y aurait aucune raison que vous ne puissiez pas continuer à vous en servir. Vous pourriez vivre où bon vous semblerait.

Un instant, cela me sembla le paradis. Tant de problèmes seraient résolus ! Je quitterais librement Steinhöring. On me reconduirait courtoisement à la frontière. Je pourrais de nouveau me promener librement dans ma chère et belle Hollande. J'irais voir Leona. Nous pourrions peut-être partager un appartement. Ou Neve, plutôt. Je pourrais essayer de retrouver ma famille, découvrir ce qui est arrivé à Isaak. Tout deviendrait miraculeusement simple.

Karl attendait patiemment, mais il reprit la parole en devinant que je revenais à ma préoccupation principale.

— Ça ne serait que temporaire. Nous ne nous occuperions du bébé que le temps pour vous de vous installer quelque part, et puis nous trouverions un moyen de vous le rendre. Il serait en sécurité chez nous, Cyrla.

L'attrait de la proposition était si puissant que je fus tentée d'oublier ce qui la rendait impossible.

— Je vous garantis qu'il serait très bien avec nous.

Je secouai la tête.

— Vous ne voulez pas ? Mais pourquoi ? Vous croyez que je veux vous voler votre enfant ?

— Non, ce n'est pas ça.

Mes doigts couraient le long de la pierre sur laquelle j'étais assise. Je caressais le lichen en me gardant de l'arracher, ayant lu quelque part que cette plante poussait pendant un siècle avant de devenir visible à l'œil.

— Isaak est juif, Karl. Il a les cheveux noirs. Les enfants qui naissent au foyer sont blonds. J'ai peur que...

— Nous l'emmènerons dès sa naissance. Je ne pense pas que cela posera le moindre problème. Erika n'aura qu'à dire que Lina aussi avait les cheveux noirs quand elle est née. Je pourrais même m'arranger pour être présent et raconter que c'est une caractéristique familiale.

— Vous ne vous rendez pas compte. Vous ne savez pas ce qui se passe dans les Lebensborn.

Il ne connaissait pas non plus mon histoire familiale, les abandons répétés qui coulaient comme un poison dans nos veines.

— Ce qui est sûr, c'est que cet enfant doit grandir dans une famille allemande. Les autorités sont ravies que je propose de le prendre. Personne ne fera de mal à ce bébé.

En songeant à ce qui était arrivé au fils de Neve, j'eus un frisson d'horreur.

— C'est un trop grand risque. N'en parlons plus.

— Vous n'avez pas besoin de vous décider tout de suite, mais réfléchissez.

— Je n'ai pas besoin de réfléchir. Je suis déterminée.

— Vous préférez vous sauver ?

— Si vous voulez bien m'aider, oui, je tenterai ma chance. Mais, Karl… Cela n'irait-il pas plus vite en train ? Si vous me mettiez dans le train à Munich au lieu de prendre la voiture, est-ce que je ne pourrais pas atteindre la frontière hollandaise en quatre heures ?

Karl cassa une herbe sèche à laquelle restaient accrochées des graines séchées. Il les émietta entre ses doigts, puis les jeta en fronçant les sourcils.

— Peut-être. Il faut plutôt compter cinq ou six heures. Mais cela vous ferait gagner du temps, en effet. Je pourrais dire, dans ce cas comme dans l'autre, que vous m'avez échappé à Salzbourg, ce qui retarderait les recherches. C'est une bonne idée, mais cela n'empêche pas que vous vous retrouveriez seule et que vos papiers seraient inutilisables. Ça ne me plaît pas, Cyrla.

— Et si je m'arrangeais pour que quelqu'un m'attende à la frontière ? Ma tante, par exemple.

— Peut-être…

— Voilà, c'est réglé, dans ce cas ! Il faut que j'arrive à la contacter, et ensuite, je pourrai partir ! Quand pensez-vous que ce sera possible ?

— Eh bien, si vous persistez, il faut compter le temps de retrouver votre tante, et puis de vous faire faire de faux papiers.

— Et si je n'arrive pas à la retrouver ?

— Alors il vous faudra attendre que l'hiver finisse. Les nuits sont beaucoup trop froides pour l'instant. Ce serait trop risqué pour une femme enceinte.

— Le mois prochain ?

— Non, en mai.

— Le 1er mai, alors, marchandai-je, un sourire aux lèvres.

Karl, lui, ne riait pas.

— À la mi-mai.

— Dans deux mois.

Nous avions prononcé ces mots ensemble, mais, dans la bouche de Karl, ils sonnaient avec une gravité funèbre, alors que dans la mienne, ils étaient un chant d'espoir. Cela nous fit rire, et cette complicité perça une petite brèche dans le mur qui se dressait entre nous.

— Karl, pourquoi faites-vous tout ça pour moi ? Vous auriez pu ne pas revenir me voir.

— J'ai mes raisons.

— C'est pour Anneke ?

— Oui, pour Anneke, dit-il en hochant lentement la tête.

Il se donna un temps de réflexion en regardant les champs.

— La symétrie de la situation me plaît. Pour un constructeur naval, il y a de la beauté dans l'équilibre.

— C'est-à-dire ?

— Anneke et son enfant – notre enfant – ne sont plus là, et moi je reste. Isaak est parti, et vous et votre enfant, vous êtes là. Les pièces s'assemblent.

Il plaça les mains face à face, les doigts se touchant à angle droit, puis il les croisa.

— Vous voyez ce que je veux dire ?

Je fis comme lui, mis les mains à angle droit puis croisai les doigts.

— Oui, dis-je avec un sourire.

— Et vous souvenez-vous de ce que je vous ai dit sur ma sœur et ma nièce ? J'ai besoin de m'occuper d'elles parce que cela me raccroche à la vie. Je pense que c'est un peu pareil avec vous.

— Je comprends.

— Mais ce n'est pas la raison principale.

Karl me regarda longuement dans les yeux comme s'il y cherchait la fin de sa phrase. Visiblement déçu, il renonça.

— Peu importe, dit-il en se levant, il vaut mieux que nous partions. Je crois qu'il va pleuvoir.

Nous retournâmes à la voiture sans rien dire, mais le silence n'était plus aussi lourd qu'à l'aller. Alors qu'il mettait la clé dans le contact, je l'arrêtai.

— Attendez, vous parliez de trois possibilités. Quelle est la troisième ?

Il reprit la clé et l'examina un moment.

— Vous pourriez m'épouser.

Sa réponse me surprit tellement qu'un rire m'échappa. Karl avait pourtant l'air très sérieux. Il avait le regard fixe, un bras posé sur le volant.

— Karl… vous plaisantez…

— Non, pas du tout. C'est une solution qu'il faut envisager. J'en ai aussi parlé au Dr Ebers.

J'en restai muette de stupéfaction.

Il se tourna vers moi, gêné.

— Voilà ce qu'il m'a dit. Dans l'éventualité d'un mariage, je pourrais vous faire sortir tout de suite du foyer. Vous pourriez rester si vous le souhaitiez, mais ça ne serait plus une obligation. Il faudrait que vous preniez la nationalité allemande, mais les formalités administratives sont simplifiées pour ce genre de situation.

Son altruisme me toucha.

— Karl…, dis-je en lui posant la main sur le bras. Karl, non, je ne peux pas faire ça.

— À cause d'Isaak ?

— Oui, d'Isaak, d'Anneke, de vous. Il y a des quantités de raisons.

Il hocha la tête comme s'il s'était attendu à ma réponse. J'éprouvai le besoin de me justifier.

— Je veux que vous sachiez à quel point j'apprécie tout le mal que vous vous donnez pour moi. Mais vous devez comprendre que j'aimais profondément Anneke.

— Cyrla, je vous assure que je ne savais pas qu'elle était enceinte.

Je le regardai dans les yeux et compris cette fois qu'il disait la vérité. Ou peut-être me laissai-je convaincre simplement parce que je voulais y croire.

— C'est encore difficile de penser à tout ça, mais je vous suis vraiment reconnaissante pour tout ce que vous faites et pour les risques que vous êtes prêt à prendre pour moi. Cela compte beaucoup de savoir que vous voulez m'aider. Pendant les six mois que j'ai passés ici, je n'ai eu personne pour me soutenir.

— Je vous trouve très courageuse d'être venue ici pour protéger votre enfant. Souvenez-vous bien que maintenant, vous n'êtes plus seule.

Il remit la clé dans le contact et démarra.

Ne plus être seule… Au cours de ma vie, j'avais perdu tous mes proches les uns après les autres. Ma mère, mon père, mes frères, ma tante, mon oncle, Anneke, Isaak. Tous devenus des fantômes. C'était la première fois en six ans que quelqu'un voulait entrer dans ma vie. Je compris alors qu'en dépit de ce qui nous séparait, je n'avais plus envie de refuser l'aide de Karl.

— Karl, quand devez-vous voir votre sœur ?

— Demain, pourquoi ?

— Pourriez-vous passer au foyer d'abord, juste pour quelques minutes ?

— Ce n'est pas impossible, mais pour quoi faire ?

— Vous verrez. Alors, vous viendrez demain matin ?

Nous nous arrêtâmes devant le foyer au moment où je prenais une dernière décision.

— Karl, le nom de famille d'Isaak est Meier.

51

J'eus la surprise de trouver dans ma chambre une fille qui défaisait sa valise.

— Bonjour, je m'appelle Anneke.

— Eva.

Je m'étais habituée à côtoyer des jeunes femmes au ventre rond. L'énormité de notre situation commune établissait une complicité immédiate, mais la discrétion était de rigueur. Nos rapports étaient extrêmement codifiés. Les premières questions ne tournaient qu'autour de trois points essentiels : *D'où viens-tu ? De combien de mois es-tu enceinte ?* et *Combien de temps vas-tu rester ?* Ce n'était qu'après avoir atteint un certain degré d'intimité que nous nous autorisions à parler du père.

Je m'assis sur mon lit pendant qu'Eva rangeait ses affaires. Elle était fluette, vraiment minuscule dans ce lieu où les grandes femmes étaient à l'honneur, et très jolie si on aimait l'impassible candeur des filles qui n'ont jamais connu de grandes peines ou de grandes joies. Elle était vive et gracieuse comme un chat.

Je lui posai les questions d'usage.

Elle venait de Haarlem, et était enceinte de cinq mois exactement. Pour la première fois, j'avais l'ascendant de l'ancienneté sur ma compagne de chambre puisque je devais accoucher avant elle. Cela me rappela durement à la réalité. La naissance de mon enfant approchait un peu trop vite à mon gré. Mais sa réponse à la troisième question m'ébranla davantage.

— Jurn a demandé un congé pour m'épouser. Je ne dois rester que jusqu'au mariage.

Je posai mon livre. Il arrivait que les Allemandes se marient avec leurs fiancés, bien sûr, mais je n'avais encore jamais entendu parler d'un mariage entre l'une d'entre nous et un soldat allemand. S'il était peu glorieux de coucher avec l'ennemi, c'était la honte suprême de l'épouser et d'aller vivre chez lui.

— Et après, demandai-je, tâchant de ne pas trahir mes sentiments, tu vas vivre en Allemagne ?

— Non, Jurn est de Haarlem, comme moi. Nous resterons là-bas.

Eva ne me lâchait pas des yeux, son fin visage immobile comme un masque. Son fiancé appartenait donc au corps hollandais de l'armée allemande. C'était elle qui devait me mépriser parce que j'avais couché avec un Allemand. Plus que deux mois à attendre avant mon départ, me rappelai-je, bénissant encore une fois Karl de m'avoir promis de m'aider.

Ce soir-là, au réfectoire, Eva établit sa supériorité sur les autres pensionnaires. À cinq mois de grossesse, elle était encore mince et séduisante. Même les Allemandes semblèrent sentir la force cachée derrière son joli visage, et elles prirent leurs distances. J'avais déjà vu se former cette bulle de solitude autour d'Anneke. Parfois, quand elle entrait dans une pièce, les femmes reculaient en l'observant du coin de l'œil, sur leurs gardes. Mais Anneke ne laissait pas la situation s'enliser. Elle arrivait à mettre ses rivales à l'aise, même si elle devait pour cela tempérer sa grâce et sa féminité. En quelques minutes, son charme faisait fondre toutes les jalousies.

Eva, elle, semblait se moquer de rassurer ou de s'attirer la sympathie. Si elle aimait la solitude, je serais plus qu'heureuse de la laisser tranquille.

Le lendemain matin, je descendis directement à la pouponnière avant le petit-déjeuner.

— Ilse, pouvez-vous me rendre un service ?

— Non. Vous m'avez assez fait courir de risques la dernière fois.

Elle tourna les talons comme si elle avait peur de céder si elle me regardait. Je la retins par la manche en riant.

— Mais non, cette fois, ce n'est pas dangereux du tout, je vous assure.

Elle posa la pile de couches propres qu'elle portait.

— Très bien, soupira-t-elle, que voulez-vous cette fois ?

— Je voudrais du lait maternisé. Remplissez mes poches, dis-je en tendant mon manteau.

— Mais pour quoi faire ?

— Je ne peux pas vous le dire. C'est pour un bébé, vous n'en saurez pas plus. La petite n'a pas de lait. Il vous suffit de me laisser entrer dans la réserve et de fermer les yeux.

— Vous croyez que c'est si facile de vous laisser voler du lait ? Je ne sais pas… C'est un grand service que vous me demandez là.

Mais elle ne résista pas longtemps et me précéda dans le couloir.

— Il n'y a personne ce matin, venez.

Nous descendîmes un carton de lait condensé d'une étagère. Mes poches étant grandes, je pus y glisser deux boîtes dans chacune d'elles. J'ouvris le manteau pour montrer deux poches plus petites à l'intérieur.

— Si nous y mettions du lait en poudre ? suggéra-t-elle. En écrasant le carton, je pense que cela tiendrait.

L'essai ne fut pas concluant : le paquet, trop rigide, n'entrait pas.

— Il a vraiment faim, ce bébé ? demanda-t-elle.

Je fis signe que oui. Ilse jeta un coup d'œil dans le couloir, puis prit des ciseaux chirurgicaux dans un tiroir. Elle coupa la doublure de soie de mon manteau au niveau du col. Ensuite, elle fit tomber plusieurs paquets de lait entre la laine et la doublure et les fit descendre jusqu'à l'ourlet, puis elle en ajouta d'autres.

— C'est comme ça que tout le monde fait.

— Qui ça, tout le monde ?

— Beaucoup d'infirmières ont des enfants. Des enfants qui ont de l'appétit.

Après cela, elle ouvrit un placard et y prit une poignée de petits flacons.

— Tenez, des vitamines. Trois gouttes par jour dans du liquide.

Elle remplit les deux poches intérieures.

— Si la mère donne le sein, il faut qu'elle en prenne aussi. Six gouttes. Et voilà, ajouta-t-elle en tapotant mes poches. Allez-y, petite voleuse. Si vous vous faites prendre, je ne vous ai pas vue ce matin.

Je la serrai dans mes bras.

— Merci du fond du cœur, Ilse. C'est un tel réconfort de vous avoir ici !

J'attendis Karl dehors, assise sur une pierre. Au moindre geste, le cliquetis des flacons me faisait battre le cœur, mais j'étais heureuse. Cela faisait tellement longtemps que je n'avais aidé personne. Je le rejoignis dès que la voiture s'arrêta dans l'allée.

— Que faites-vous avec ce manteau sur le bras ? Enfilez-le vite.

Je me dépêchai de monter sans lui répondre, en lui faisant signe de rester à l'intérieur.

Dès que les portières furent fermées, je sortis mes trésors et les étalai sur la banquette entre nous. Il s'illumina.

— Du lait pour Lina ?

— Oui, et il y a aussi des vitamines. Erika et votre mère devraient en prendre aussi.

— On vous a donné tout ça ?

— Eh bien, je ne pense pas que la direction sache précisément qu'on nous a fait ce cadeau, mais…

— Cyrla ! Vous avez volé ?

Je fus la seule à rire.

— Ça n'a rien de drôle ! C'est grave de voler dans un établissement nazi ! Vous pourriez vous faire jeter en prison.

— Oh, je ne pense pas, dis-je en me posant la main sur le ventre. Je porte un bien trop précieux pour qu'on me fasse des ennuis.

— On fusille pour moins que ça. Je vous interdis de recommencer. Vous êtes complètement irresponsable.

Il dut voir qu'il me peinait car il s'adoucit.

— Pardon, mais parfois j'ai l'impression que vous ne vous rendez pas compte du danger.

Il cacha les boîtes de lait une à une sous le siège.

— N'empêche que je vous suis très reconnaissant. Vous n'avez pas idée de l'aide que vous nous apportez.

Il voulut me serrer dans ses bras, mais j'eus un mouvement de recul involontaire. J'en eus honte. Il voulait simplement me remercier.

— C'est moi qui vous suis reconnaissante, Karl. Je sais que je ne vous ai pas rendu la tâche facile, et je m'en excuse. Tout ce que vous faites pour moi... M'aider à rentrer en Hollande, à retrouver ma famille...

— Cyrla, justement, j'ai quelques nouvelles.

Son air grave éteignit ma joie comme une pluie froide.

— Qu'avez-vous appris ?

— N'ayez pas peur. La situation n'est pas vraiment désespérée...

— Karl, parlez !

— Oui, oui, bien sûr. J'ai eu une idée après vous avoir quittée hier. J'ai trouvé le moyen d'obtenir des nouvelles de votre tante et de votre oncle sans éveiller les soupçons.

— Dites !

— J'ai dit à mon commandant que je voulais vous épouser, mais que vous teniez à ce que je demande votre main à vos parents. Il m'a mis en contact avec le commandant responsable de l'unité qui est cantonnée dans votre ancienne maison.

— Mon oncle et ma tante y vivent toujours ?

— Non. Un mandat d'arrêt avait été lancé contre votre oncle. Il est rentré un soir, tard, et on l'a enfermé dans une pièce. Pendant la nuit, votre tante a mis le feu.

— Quoi ! La maison a brûlé ?

— Calmez-vous. L'incendie a tout de suite été éteint, bien sûr, mais votre tante et votre oncle ont profité du désordre pour se sauver. Ils sont toujours en fuite.

— Quel courage elle a !

— C'était un acte désespéré, mais au moins, ils sont sains et saufs. S'ils avaient été arrêtés, on me l'aurait dit.

— Mais pourquoi voulait-on l'arrêter ? À cause de la commande de couvertures ?

— Non, je ne crois pas… Le plus ennuyeux, c'est que vous n'allez pas pouvoir contacter votre tante. Je suis désolé.

— Mais si ce n'est pas à cause des couvertures…

Karl détourna les yeux, incapable de me regarder en face. Je compris alors que c'était ma faute.

— Ce n'est pas grave, murmura-t-il. Ils se sont échappés, c'est ce qui compte…

Les bougeoirs de shabbat de mon père. Les lettres !

— Cyrla, vous m'entendez ? Vous devriez abandonner votre projet de retourner en Hollande. Sincèrement, il vaudrait mieux que vous restiez et que vous me laissiez adopter l'enfant. Ou alors que je vous épouse.

— Ma décision est prise.

— Vous ne ferez qu'aggraver leur situation si vous rentrez. Vous devez bien vous en rendre compte.

— Je n'essaierai pas de les contacter. J'irai voir Leona. Mais il faut que je parte. Essayez de me comprendre.

Karl poussa un profond soupir.

— Non, je ne comprends pas, mais nous en reparlerons plus tard. Et souvenez-vous de ce que nous avons décidé : vous ne partirez pas avant le mois de mai.

Je hochai la tête mais j'eus l'impression qu'il n'était pas convaincu.

— Je dois vous laisser, maintenant. Ma sœur va se demander ce qui me retient, et j'ai hâte de lui apporter le lait. Elle va être tellement heureuse.

Il descendit de voiture, fit le tour pour m'ouvrir et m'aida à descendre. À la porte du foyer, il s'arrêta un instant.

— Merci.

Je lui tendis les bras pour rattraper les mouvements d'humeur irraisonnés qui l'avaient si souvent blessé. Mon ventre formait un obstacle dur entre nous, mais je lui donnai l'accolade, et il me retint un instant quand je voulus le lâcher. Je crus alors entendre un bruit qui m'intrigua. Était-ce le souffle du vent dans les arbres ou le froissement de nos vêtements, ou avait-il vraiment murmuré mon nom ?

Toute la journée, son odeur d'amande et de pin resta dans mes cheveux.

52

Pour la première fois depuis mon arrivée au foyer, je pus fixer mon attention sur une pensée qui n'était pas désespérante. La photographie d'Erika et de Lina me les avait rendues très réelles, et je passai beaucoup de temps à imaginer comment elles avaient reçu mes cadeaux, et à me demander si le visage d'Erika avait perdu un peu de sa tristesse et si les joues de Lina allaient s'arrondir. Je me rappelai bien la photo. Lina ressemblait énormément à Erika, et même à Karl, et je me demandais ce qui survivait de son père en elle. Cela me ramenait à mon enfant, et à son père auquel il allait peut-être ressembler.

Un après-midi, je m'arrêtai dans la chambre de Corrie et lui dis que je voulais l'emmener quelque part. Elle me regarda longuement sans rien dire, et sans même me demander où je voulais la conduire.

— Viens, insistai-je.

Elle finit par me suivre, mais hésita avant d'entrer avec moi à l'orphelinat.

— Je ne vois pas à quoi ça sert de m'amener ici, siffla-t-elle. Tu penses que je vais me mettre à aimer l'enfant que je porte ? Tu crois que je vais pardonner à ces hommes ce qu'ils m'ont fait ?

— Mais ce n'est pas leur faute, protestai-je en montrant les bébés.

C'était ce que disait Ilse.

— Je sais, mais ça m'est égal. Je vais très bien. Fiche-moi la paix.

— Reste un peu avec moi, c'est tout ce que je te demande.

Je tirai deux chaises près de la fenêtre et allai chercher Klaas. Je m'assis à côté de Corrie, le bébé sur les genoux, et elle contempla avec moi le paysage montagneux sans rien dire, mais sans partir.

Elle revint même le lendemain, et le surlendemain. Elle refusait de prendre l'enfant dans ses bras, mais elle acceptait de rester assise à côté de moi pendant que je le nourrissais et que je jouais avec lui. Parfois, elle avait envie de parler.

— Est-ce que tu fais des cauchemars ? me demanda-t-elle un jour. Tu rêves de ce qui t'est arrivé ?

— Parfois.

— Seulement parfois ? Tu en as, de la chance !

Hors d'elle, elle me planta là.

Quelques jours plus tard, je voulus lui faire tenir une petite fille pendant que j'allais chercher une couche. Le bébé devait avoir deux mois, et avait une bouche en forme de fraise. Corrie croisa les bras contre sa poitrine d'un air buté.

— Ils se sont servis de leurs fusils.

Je ne fus pas sûre d'avoir bien entendu, mais elle répéta plus fort.

— Ils se sont servis de leurs fusils avec les baïonnettes au canon pour me déshabiller. Ils ont arraché mes vêtements avec leurs baïonnettes. C'était un jeu qui les a fait beaucoup rire. Ils ont pris chacun leur tour, et mes vêtements ont fini en lambeaux, dans la boue.

Une autre fois, elle me demanda :

— Ça ne te fait vraiment rien de te dire que tu pourrais porter l'enfant de cet homme ? Ton ventre ne te rappelle pas constamment ce qui s'est passé ?

Je considérai Klaas qui me regardait en souriant – il souriait sans cesse à présent – puis je me tournai vers elle.

— Ça m'est égal, dis-je, très étonnée par cette soudaine certitude. Je me moque de savoir qui est le père.

— C'est parce que nous allons les laisser là, que nous allons nous débarrasser d'eux.

Corrie me regardait fixement, quêtant mon approbation.

— Non, ce n'est pas ça, répondis-je.

Elle eut l'air furieuse, comme si je l'avais trahie, et elle ne m'accompagna plus à l'orphelinat.

Quand Karl revint, je fus heureuse de le voir. Nous ne pourrions jamais devenir vraiment amis, mais c'était un soulagement de ne plus le considérer comme un ennemi.

— Erika m'a chargé de vous remercier. Vous n'avez pas idée du service que vous nous avez rendu.

Il me montra un sac qu'il portait.

— Elle vous envoie ça.

Nous allâmes dans le salon où je m'assis pour l'ouvrir. Je trouvai des vêtements de maternité, tous plus beaux les uns que les autres. Trois corsages, beaucoup plus seyants que les miens, en crêpe de chine, en rayonne et en soie. Une jupe, aussi, et une robe. Un paletot en velours noir avec des fermetures à brandebourgs et une doublure rouge. Un pantalon de laine chocolat, taillé ingénieusement avec un rabat sur le devant et une rangée de boutons le long de la taille qui permettait de donner de l'ampleur à mesure que le ventre grossissait. Les pantalons d'Anneke ne m'allaient plus depuis un mois, mais je les avais portés le plus longtemps possible en ouvrant les pinces et en déplaçant les boutons. Le plus joli, c'était une combinaison croisée de satin turquoise garnie d'une épaisse dentelle couleur crème. Pendant les six prochaines semaines, je m'habillerais avec plaisir.

— C'est magnifique. Vous la remercierez. L'ennui, c'est que je ne sais pas comment je les lui rendrai. Je ne pourrai pas les emporter quand je partirai.

— Elle n'en veut plus. Cela lui rappelle de trop tristes souvenirs.

J'appuyai la combinaison contre ma joue.

— Quelle qualité…

Cela avait dû coûter très cher.

Karl devina mes pensées.

— Nous avions de l'argent à cette époque. C'était… avant.

— Avant quoi ?

Deux nouvelles, des Belges, entrèrent à cet instant. Elles se précipitèrent, attirées comme des papillons par la lumière en voyant les beaux vêtements que j'avais sur les genoux. Attirées aussi par Karl, comme je le vis à leurs minauderies et à leurs rires séducteurs. C'était un très bel homme, il fallait l'admettre. Karl leur laissa le temps de satisfaire leur curiosité un sourire aux lèvres, puis il me prit la main.

— Allons nous promener.

Je laissai ma main dans la sienne, et je me tournai à la porte pour m'assurer que les deux Belges nous regardaient. C'était ce qu'aurait fait Anneke.

Avant de sortir, je montai les vêtements dans ma chambre et les accrochai dans la penderie, puis je passai le paletot en velours sur ma robe et descendis rejoindre Karl. Je tournai sur moi-même pour lui faire admirer mon élégance, mais il n'eut qu'un demi-sourire.

Nous allâmes à l'arrière du parc sur la terrasse qui donnait sur le lac et nous nous assîmes sur un banc de pierre. La journée était douce et ensoleillée, mais nous étions les seuls dehors. Karl sortit un briquet de sa poche et l'examina un moment, le tournant longuement entre ses doigts avant d'allumer sa cigarette.

— Vous savez que je suis constructeur naval…

— Oui, vous me l'avez dit.

— Nous faisons ce métier de père en fils depuis quatre générations. Nous avons toujours eu quatre ou cinq ouvriers dans l'entreprise. Nos moteurs étaient conçus par Bengt. Nos boiseries intérieures étaient renommées. Nous construisions les plus beaux voiliers et les plus beaux yachts de la Baltique. Nous avions une forêt dont nous tirions le bois de charpente. Cent cinquante hectares de chênes blancs. C'est tout ce qui nous reste, d'ailleurs.

— Et le chantier naval ?

— Nous ne l'avons plus depuis un an et demi. Avant cela, nous avions des contrats avec la marine. Ça m'a permis longtemps d'éviter d'entrer dans l'armée. J'effectuais un « travail essentiel ». Et puis, en septembre 1940, notre entreprise a été réquisitionnée, ainsi que la maison de mes parents.

— Où sont-ils allés vivre ?

— Ils ont emménagé chez Erika, dans la maison où elle vivait avec Bengt en ville. Bengt avait déjà été envoyé sur le front, et Erika était enceinte. L'armée a laissé mon père à la tête du chantier naval, mais sinon, nous avons tous été mobilisés. C'est à cette époque que j'ai été envoyé en Hollande.

— Quand la guerre sera finie, on vous rendra vos biens, certainement ? Vous retrouverez votre vie d'avant.

Karl secoua la tête en frottant avec le pouce l'ombre de barbe qui poussait sur son menton. Il me rappela l'*Oberschütze* mal rasé, mais rien qu'un instant.

Il écrasa sa cigarette et regarda s'évanouir la dernière volute de fumée.

— Un bombardement a tout détruit l'été dernier.

— Il ne reste rien ?

— On entrepose d'importantes réserves de carburant dans un chantier naval, du vernis aussi, de la peinture, de l'huile. Le bâtiment s'est embrasé. L'incendie a dû être infernal. Les bateaux ont explosé, ce qui a répandu du gasoil sur l'eau. Le port a pris feu. Il paraît que toute la surface du port flambait.

— Et votre père…

— Il était là-bas. Il n'est pas revenu.

Je posai la main sur la sienne.

— Je suis désolée. On a retrouvé son corps ?

— Non. Il y avait des morts partout. Des dizaines. Carbonisés. Mais le pire…

Je vis l'effort qu'il faisait pour retenir ses larmes, pudique comme le sont les hommes. Je le laissai se reprendre.

— On m'a dit… On m'a dit que certains s'étaient jetés dans le fleuve pour se sauver. Ils ont brûlé sur l'eau. Quand j'y pense…

Il s'interrompit de nouveau, et je lui caressai le bras doucement.

— J'espère que mon père n'est pas mort ainsi. Mais d'une certaine façon… il était déjà mort avant. Quand les nazis lui ont pris son entreprise, ils lui ont arraché le cœur. Ses deux frères ont adhéré au parti national-socialiste, ce qui fait que nous n'abordions jamais le sujet, mais son travail, c'était sa vie. Il comptait me léguer son entreprise, et il a eu l'impression d'un échec quand il l'a perdue.

— Ce n'était pas sa faute.

— Je le sais bien. Mais pour lui, c'était essentiel de me transmettre ce patrimoine, comme son père avant lui, et son grand-père.

— Et vous ? Vous avez toujours voulu construire des bateaux ?

— Oui. J'ai ce métier dans le sang. Je suis entré en apprentissage chez mon père à quinze ans. Il ne me restait plus qu'un an avant de devenir maître charpentier.

Je l'interrompis.

— Quel âge avez-vous ?

— Vingt-sept ans. Je ne suis peut-être pas trop âgé pour apprendre un autre métier, mais j'aime la construction navale. Tout me plaît : la sérénité que donnent le travail du bois, les outils. J'ai encore les ciseaux à bois de mon grand-père. Il faudrait que je vous les montre. Ils sont très beaux. Et j'adore la mer.

Je le comprenais. J'éprouvais la même chose pour la poésie. J'aimais tout ce qui avait trait à l'écriture. J'avais possédé un stylo à encre que j'avais beaucoup aimé. Il était en écaille de tortue et en argent, parfaitement équilibré. C'était un stylo d'auteur sérieux. Je l'avais vendu l'année précédente pour participer à l'effort familial quand nous avions été à court d'argent, et j'avais pleuré en secret pendant une semaine. J'aimais le contact du beau papier, l'odeur des livres neufs, l'aspect d'un secrétaire au plateau dégagé pour le travail. Je n'en avais jamais parlé à personne et ne me confiai pas davantage à Karl à cet instant, malgré l'envie que j'en avais.

— Mais ce que je préfère par-dessus tout, continua-t-il, c'est créer quelque chose de beau à partir de matériaux bruts. Je recrée un équilibre en prenant des éléments qui viennent de la terre, le bois, le coton, le métal, et en les transformant en vaisseau si bien adapté à l'air et à la mer que c'en est presque magique. Cela me procure un grand plaisir.

— C'est un peu pareil pour la poésie. Les mots sont les matériaux bruts, et le travail du poète, c'est de les agencer pour leur donner forme en trouvant la combinaison la plus parlante pour exprimer la peine, la joie, les mystères du monde. C'est aussi une sorte de fabrication.

Karl me regarda droit dans les yeux. Son bras était allongé sur le dossier du banc. Si je m'appuyais, et il s'en fallait d'à peine quelques centimètres, mon épaule frôlerait sa main. Je me demandai ce que j'éprouverais si ces doigts qui comprenaient le bois et la beauté de la matière se posaient sur moi. Et lui, qu'apprendrait-il en sentant les matériaux bruts de mon corps sous sa main ? Quelle formule magique naîtrait de ce contact ? Mes yeux se posèrent sur ses lèvres et mon traître de cœur se mit à cogner dans ma poitrine. Je me redressai et détournai le regard en hâte.

— *Vertel me wat je denkt*, dit-il.

Je sentis le rose me monter aux joues.

— Oh, je me disais seulement que… Mais vous parlez hollandais ?

— Pas vraiment. J'avais demandé à Anneke de m'apprendre quelques expressions.

— Et « Dis-moi à quoi tu penses » vous semblait particulièrement utile à savoir ?

En le voyant se troubler, je regrettai mon ton moqueur.

— Qu'avez-vous appris d'autre ? ajoutai-je plus gentiment.

— Oh, rien de très important… J'ai tout oublié, d'ailleurs.

— Dites-moi, je voudrais savoir.

Il retira son bras du dossier et se tourna vers le lac. La glace fondait depuis plusieurs semaines déjà, si bien que, par endroits, des zones d'eau noire, profonde et mouvante, reflétaient les montagnes. Un vol d'oies passa dans le ciel, parfaitement visible malgré la distance. J'attendis qu'il rompe le silence.

Il se tourna enfin vers moi.

— Il faut que je vous dise quelque chose.

Son expression était tellement triste que je lui souris pour l'encourager, loin de pressentir le danger.

— Vous vous rappelez notre première rencontre, à la boulangerie ?

Je hochai la tête, le sourire s'effaçant de mes lèvres à ce souvenir. Il avait trahi sa vraie nature ce jour-là. J'avais vu sa lâcheté.

— Je n'arrivais pas à vous regarder, continua-t-il. Anneke a dit : « Je te présente Cyrla », et j'ai pensé : *Par pitié, faites qu'elle ne soit pas comme ses poèmes. Faites qu'elle soit laide, et bête, et superficielle.* Je vous ai serré la main, mais je ne parvenais pas à vous faire face.

Une brusque panique s'empara de moi et je me levai.

Karl se leva aussi en m'attrapant le bras.

— Je ne pouvais pas vous regarder parce que j'avais peur de tomber amoureux de vous devant Anneke. J'ai promené les yeux un peu partout dans la boulangerie, j'ai regardé n'importe où pour ne pas vous voir.

— Taisez-vous, murmurai-je.

— Mais c'était trop tard. Vous étiez là, devant moi, et j'ai vu un halo de lumière se former derrière vous, qui vous isolait du reste du monde. Cette lumière ne venait pas du dehors parce que Anneke était à côté de vous, et qu'elle n'était pas éclairée. Vous seule vous détachiez sur cette frange lumineuse.

— Arrêtez. Vous n'avez pas le droit.

— Je dois vous en parler. Tant que je ne vous l'aurai pas avoué, je n'aurai plus la force de rien vous dire d'autre.

— Je ne veux pas le savoir.

— À travers vos poèmes, j'en savais déjà plus sur vous que je n'en savais sur votre cousine. En vous rencontrant, j'ai eu la confirmation que vous étiez beaucoup plus profonde qu'elle. C'est alors que j'ai décidé que ça ne serait pas honnête de continuer à la voir. Nous n'avions rien en commun, elle et moi. J'avais plus d'affinités avec vous, que je ne connaissais que depuis une minute, qu'avec elle.

— Comment osez-vous dire une chose pareille ? m'écriai-je en m'écartant de lui. Nous n'avons rien en commun, sauf Anneke que vous avez eu la chance de connaître, et la bêtise de ne pas vouloir garder.

Je partis, le laissant seul, ce traître. Mais au fond, moi aussi je l'avais abandonnée. Et ce soir-là, dans mon lit, je me surpris à imaginer cette frange de lumière qui m'avait environnée.

C'était trahir Anneke encore une fois.

53

— On vous demande au téléphone.

Je quittai la table du déjeuner et suivis l'infirmière qui venait me chercher, pensant que c'était enfin Isaak ou ma tante.

C'était Karl. Plus d'une semaine s'était écoulée depuis notre dispute.

— D'où me parlez-vous ? demanda-t-il.

— Je suis dans le couloir, près du salon.

— Est-ce qu'on peut nous entendre ?

— Non. Pourquoi ?

— Parfait. Alors écoutez-moi, et ne répétez rien de ce que je vais vous dire. Ne posez aucune question. C'est très important.

— Entendu, dis-je, sur mes gardes.

— Demain, après le déjeuner, trouvez le moyen d'aller dans la remise des jardiniers, près du potager, derrière les garages. Vous savez où elle se trouve ?

— Oui.

— Vous n'aurez qu'à faire semblant de vous promener et de vous intéresser aux plantations. Quand personne ne regardera, glissez-vous à l'intérieur. Trouvez un coin où vous cacher, où on ne pourra pas vous voir si on entre mais d'où vous pourrez surveiller ce qui se passe. Je ne pense pas qu'il y aura des patrouilles, mais au cas où on vous surprendrait, racontez que vous cherchiez un outil pour semer des graines.

— Mais pourquoi faut-il que je fasse tout ça ?

— Ne posez aucune question ! N'oubliez pas, demain après-midi. Je ne pourrai plus vous téléphoner d'ici là. Faites-moi confiance.

Pendant toute la journée, je tâchai de comprendre où Karl voulait en venir. J'étais très intriguée, et je découvris que cet innocent mystère faisait passer la journée plus vite.

Le lendemain matin, au petit-déjeuner, je m'assis à une place d'où je pouvais observer le potager que cachait un haut taillis de lilas déjà couvert des cônes violets des fleurs bourgeonnantes. Un camion de transport passa en cahotant sur le gravier, de ceux qui apportaient de la main-d'œuvre des camps de travail. Il repassa dans l'autre sens quelques minutes plus tard. Cela m'inquiéta.

Je demandai à la fille qui était assise à côté de moi si un événement spécial se préparait. Elle haussa les épaules en versant du sirop de pomme sur son pain.

— Il y a un baptême à la fin de la semaine. Il paraît qu'il aura peut-être lieu dehors.

Cela ne me dit rien qui vaille. Je n'aimais pas les surprises.

Au déjeuner, je ne parvins pas à manger. Je m'étais assise face aux fenêtres pour surveiller le jardin. Je ne vis rien. Plusieurs fois, des travailleurs en tenue de prisonnier contournèrent le taillis, portant des hottes de briques sur le dos, mais ce fut tout.

Dès que je pus quitter la table sans me faire remarquer, je montai dans ma chambre. Je passai un cardigan dont je ne pouvais plus fermer que trois boutons et qui restait ouvert sur mon ventre. Me sentant mal fagotée, je remplaçai le chandail par le grand manteau de toile que Leona avait laissé. Je me dépêchai de descendre et sortis par la porte principale, saluant les gardes comme d'habitude. J'allais faire un petit tour pour profiter du début du printemps, et c'était tout.

Sur le chemin, j'étais parfaitement visible de la maison. La peur m'assaillit. Souvent, le Dr Ebers se mettait à la fenêtre de la salle commune ou du réfectoire, jumelles aux yeux, pour surveiller les travailleurs.

Arrivée aux lilas, je me sentis encore plus mal à l'aise. Je m'arrêtai sous la tonnelle, fis semblant de m'étirer, puis me repris, me rendant compte du caractère hautement suspect de ma conduite. Karl me faisait courir un risque inutile. Cette mission n'avait probablement pour but que de m'apprivoiser, de rentrer dans mes bonnes grâces après notre dispute. Il s'était peut-être arrangé pour me faire déposer un cadeau dans la remise. Un pot de fleurs, par exemple. Il en faisait trop. Pourquoi ne m'apportait-il pas simplement son cadeau lui-même ? Je préférai renoncer. Il n'avait pas d'ordres à me donner. Ne nous étions-nous pas promis, Neve et moi, de ne plus jamais laisser personne nous dicter notre conduite ?

Je renonçai et rentrai. Dans la salle commune, des filles jouaient aux cartes. J'ôtai mon manteau et me joignis à elles. Plus tard, en berçant Klaas, que j'étais allée voir, je repensai à l'expédition manquée.

— Tant pis, lui murmurai-je. Il n'avait qu'à me dire pourquoi il m'envoyait là-bas. Ça m'est égal.

Une semaine plus tard, Karl me rendit visite. Il me fit chercher, et quand j'entrai dans le salon, je le trouvai au milieu de la pièce, son manteau sur le bras. Il ferma la porte derrière moi.

— Alors ? demanda-t-il.

— Alors quoi ?

— Comment cela s'est-il passé, la semaine dernière ? Vous ne vous êtes pas fait surprendre ?

Il me fallut un instant pour me souvenir de quoi il parlait.

— Ah ? La cabane des jardiniers ?

— Bien sûr ! Quoi d'autre ?

Il me dévisageait, attendant que je parle.

— Je n'y suis pas allée.

J'avais pris un ton désinvolte pour lui couper son plaisir.

— Comment cela, vous n'y êtes pas allée ? Mais ça n'est pas possible !

— Vous auriez dû me dire ce que vous vouliez que je fasse là-bas.

— Je n'arrive pas à le croire !

— Eh bien, c'est comme ça. N'en faites pas toute une histoire.

— Oh, mon Dieu !

Il s'effondra sur le canapé et plongea la tête dans ses mains. Un sourire narquois m'échappa. La guerre m'avait privée aussi de ma gentillesse.

Karl relevait la tête, prêt à parler, mais il se ravisa en voyant mon expression. Il reprit son manteau et se dirigea vers la porte. Avant de sortir, il se tourna vers moi.

— J'ai pris d'énormes risques pour vous. J'ai demandé à d'autres de se mettre en danger, et finalement, vous n'en valez même pas la peine.

À sa fureur se mêlait un désespoir qui me mit mal à l'aise.

— Attendez ! Avant de partir, dites-moi au moins ce que je devais trouver dans la remise, dis-je en tâchant de garder un ton léger.

— Il vaut mieux que vous l'ignoriez, vous ne le supporteriez pas. Mais j'en ai plus qu'assez d'essayer de vous protéger et de me faire rabrouer pour ma peine. J'en ai plus qu'assez que vous mettiez un point d'honneur à vous méfier de moi.

Il avait le regard dur, les dents serrées.

— Dites-moi ce qu'il y avait dans la cabane des jardiniers, Karl, s'il vous plaît.

— Si vous insistez, jeta-t-il d'un ton glacial. Vous méritez ce qui vous arrive. C'était lui qui vous attendait. J'avais tout organisé. C'était votre Isaak.

54

Karl me rattrapa juste avant que je ne m'effondre, et me fit asseoir sur le canapé. Il était très en colère.

— C'est impossible, murmurai-je, la bouche sèche.

Debout devant moi, Karl me semblait immense. Je voulus tirer sur sa veste d'uniforme pour le faire parler, mais il me repoussa comme si ma vue le mettait hors de lui.

— Isaak était là ? Il est venu au foyer ?

— Et probablement plusieurs jours de suite.

Sa voix était si sèche, si dure, que je la reconnaissais à peine.

— J'ai demandé à un ami de m'aider, celui qui est cantonné près de Schiedam, reprit-il. Je suis allé en classe avec lui, et je lui fais confiance. C'était un immense service qu'il nous rendait. Vous n'avez pas idée des risques que nous avons pris pour vous… Mais peu importe. Sa sœur est mariée à un employé de Westerbork. Par elle, nous avons appris que des prisonniers du camp allaient être envoyés au Lebensborn pour construire un terrain de jeu. J'ai demandé à Werner de convaincre son beau-frère d'inclure le nom d'Isaak dans la liste des travailleurs. Isaak a aussi été prévenu qu'il devait trouver un moyen d'entrer dans la remise. J'ai raconté à Werner que c'était un garçon qui m'avait aidé du temps où j'étais à Schiedam, et que je voulais m'assurer qu'il allait bien. Vous vous rendez compte du danger pour nous tous ? Et vous, vous n'y êtes même pas allée.

J'étais en larmes.

— J'ai cru que… que…

— Vous avez cru quoi ? Vous pouvez me le dire ? Que je n'ai rien de mieux à faire que de vous tendre des pièges ? Quand je pense à ce que ces gens ont risqué pour vous !

— Je suis désolée, sanglotai-je. Je ne savais pas.

— Depuis que je viens vous voir, vous ai-je fait du tort une seule fois. Est-ce que je vous ai menti ? Est-ce que je vous ai mise en danger ?

— Mais lui, est-ce qu'il savait que j'étais là ? Est-ce qu'il s'attendait à me voir ?

— Je suppose qu'il a tiré les conclusions qui s'imposaient. Cyrla, ai-je jamais fait autre chose que vous aider ?

— Je vous en prie, arrêtez. Dites-moi simplement où il est. Faites-le revenir, s'il vous plaît.

— Certainement pas ! D'ailleurs, même si je le voulais, je ne le pourrais pas. Le beau-frère de Werner a été muté. Il y a trois jours, il a été muté à Amsterdam sans avertissement. Qui sait s'il s'agit d'une coïncidence ou si quelqu'un a eu des soupçons… Ce serait beaucoup trop dangereux d'essayer de tirer la chose au clair. En tout cas, je n'ai plus de contact avec Westerbork. Mais même s'il y avait moyen de recommencer, je ne me mettrais plus en danger pour vous. Je vous ai donné votre chance, et vous n'avez eu que ce que vous méritiez.

Karl tourna les talons et se dirigea vers la porte avant que je puisse le retenir.

— Attendez !

Main sur la poignée, il resta dos tourné, mais il attendit. Je me dépêchai de le rejoindre et lui posai la main sur le bras.

— Je ne vous demande qu'une seule chose…

Il hésita, me laissant un faible espoir. Son bras se détendit sous ma main.

— Je vous en prie, dites-moi au moins s'il va bien.

Il eut une exclamation indignée mais étouffa sa riposte. Il sortit en claquant la porte, me laissant seule avec ma culpabilité.

55

Les jours passant, mes remords ne firent que croître pour finir par envahir tout le champ de mes pensées. J'imaginais Isaak dans la remise en train de m'attendre en vain. J'avais été si proche de lui sans le savoir… J'aurais pu le prendre dans mes bras. Mais le plus obsédant, c'était le mépris de Karl. J'étais obnubilée par l'expression qu'il avait eue en disant : « Et finalement, vous n'en valez même pas la peine. »

Pour finir, au bout d'une semaine, je me résolus à lui téléphoner.

— Je voudrais vous parler.

Oppressée, je l'imaginais debout, le combiné contre l'oreille, en train de frotter l'espace entre ses sourcils avec le bout du doigt pour apaiser sa tension.

— Très bien, je vous écoute.

Je pus un peu mieux respirer.

— Il faut que je vous voie. Est-ce que vous pouvez trouver le temps de venir ?

Il y eut un silence.

— Je vous en prie.

Il me sembla qu'une heure entière s'écoulait avant qu'il ne réponde.

— Bien. Je peux passer ce soir. À vingt heures.

— Merci, Karl, je suis désolée…

Mais il raccrocha sans me laisser le temps d'achever ma phrase.

Je l'attendis dans le hall. À son arrivée, je le dévisageai, mais sans deviner s'il était encore très fâché.

— Vous voulez faire un tour en voiture ?

Sa voix non plus ne révélait rien. Le garde, au bureau, leva la tête.

— Je ne peux pas sortir, expliquai-je. Il est trop tard.

Karl se tourna alors vers le couloir qui menait au salon. Je l'arrêtai.

— Non. Nous sommes mardi.

Sans lui laisser le temps de demander d'explications, je m'approchai du bureau.

— C'est le père. Nous avons quelques problèmes à régler, mais toutes les pièces du bas sont occupées. Je peux le faire monter ?

Le garde regarda sa montre.

— Bien, mais il faudra quitter les lieux à vingt et une heures, dit-il à Karl.

Dans ma chambre, l'atmosphère était si tendue que j'eus peur de parler.

— Le mardi soir, la Ligue des jeunes femmes allemandes se réunit dans la salle commune, expliquai-je pour gagner du temps. Vertus ménagères et patriotisme. Toutes les Allemandes sont tenues d'y participer. Les autres se retrouvent dans le salon. C'est notre jour préféré parce que nous sommes plus tranquilles. Sauf quand elles chantent.

— Je comprends ça.

Mais pouvait-il vraiment comprendre ? Se doutait-il de la terreur que nous inspiraient ces chants vainqueurs qui clamaient la supériorité allemande ? Je n'insistai pas, mais fermai la porte et m'y adossai.

— Karl, je voulais vous demander pardon d'avoir manqué de confiance en vous. J'ai eu tort. J'ai honte de mon attitude.

Il restait impassible, mais, au moins, il m'écoutait.

— Depuis le début, vous avez toujours été honnête et généreux. Bien plus que généreux... Ce que vous avez fait la semaine dernière en vous arrangeant pour qu'Isaak puisse venir... Je n'aurais pas imaginé cela possible. Vous avez couru de tels risques ! Et moi, j'ai tout gâché. Je comprendrais que vous ne puissiez pas me pardonner, mais je veux au moins vous présenter mes excuses.

Karl alla à la fenêtre et souleva les lattes de bois du store.

— J'étais en colère, dit-il après un silence, mais si vous m'assurez qu'à partir de maintenant vous me ferez confiance, je suis prêt à passer l'éponge.

Il se tourna vers moi pour me regarder avec un peu plus de chaleur.

— J'aimerais que nous remettions les compteurs à zéro. Que nous soyons amis.

Je répondis à son sourire et fis un pas vers lui mais ne parvins pas à parler.

— Que se passe-t-il, Cyrla ?

— Je voulais vous dire… J'ai réfléchi…

Je butais sur les mots. J'avais encore du mal à exprimer certaines idées en allemand, et ce que je voulais essayer de lui faire comprendre aurait été difficile à formuler dans n'importe quelle langue.

— Anneke vit à l'intérieur de moi, Karl. Je lui ai volé sa vie. Je ne peux rien y changer, et cela nuit à notre relation.

— Vous ne lui avez rien volé du tout. Elle a perdu la vie, c'est différent. Vous, vous vous contentez de vous servir de son nom.

— Non. J'ai toujours été jalouse d'elle. Tout lui était tellement facile. Si je me cache ici sous son identité, c'est uniquement pour prendre la place qui lui était réservée. Je n'attendais pas d'enfant. Mon but n'avait rien d'héroïque : je me suis arrangée pour tomber enceinte uniquement pour pouvoir prendre sa place. C'était ma propre peau que je voulais sauver. Non, c'était encore plus égoïste que ça. Je fais bien plus qu'utiliser son nom.

— C'est-à-dire ?

— Eh bien, j'ai essayé de prendre sa personnalité. Anneke était volubile. Ici, je la laisse parler pour moi. Mais dans mes bavardages, je reste une menteuse. Anneke n'a jamais eu besoin de choisir ses mots comme je le fais. Elle était si pure qu'elle pouvait dire tout ce qui lui passait par la tête. Elle n'a jamais rien eu à cacher. Elle, elle était enceinte d'un Allemand, pas moi. C'est tellement dangereux que je ne m'autorise même pas à m'en souvenir. Je me conduis comme elle, j'essaie de penser comme elle, au point que j'ai l'impression de la sentir. Il me semble que deux personnes vivent en moi.

À cet instant, le bébé bougea dans mon ventre, comme s'il avait entendu et réagissait. Cela me fit rire. Soulagée, je mis la main là où son talon appuyait.

— Enfin, je veux dire trois. Nous sommes trois.

Karl regarda mon ventre comme s'il avait envie de le toucher. Je lui pris la main et la posai sur le pied du bébé qui donnait de petits coups.

— Alors… quand vous pensez à lui, vous imaginez qu'il est de moi ? demanda Karl à voix basse.

— Oui, en théorie. Quand je suis au rez-de-chaussée, quand je parle aux autres, j'essaie de me mettre dans la peau d'une fille qui porte l'enfant d'un soldat allemand. Mais pas quand je suis seule… C'est compliqué. Quand vous me demandez si nous pouvons être amis, c'est encore plus difficile parce que je la sens si fort en moi. Vous comprenez ?

Karl retira la main de mon ventre, mais à contrecœur, me sembla-t-il. Il avait l'air peiné, sans que je puisse deviner si c'était pour lui ou pour moi.

— Autrefois, quand j'étais jeune, nous avions une chienne au chantier naval. Elle a eu une portée mais un des chiots est mort. Je le lui ai enlevé en pensant que c'était ce qu'il fallait faire. Mais la chienne est devenue folle. Elle faisait le tour de la portée frénétiquement en cherchant. Sur les conseils de mon père, je lui ai rapporté le corps pour lui permettre de comprendre. Elle l'a pris dans sa gueule, et elle l'a emporté dehors elle-même et l'a laissé dans des buissons. Quand elle est revenue, elle avait retrouvé son calme. Mon père avait raison.

— C'est vrai que je n'ai pas assisté à son enterrement, mais je l'ai vue morte.

Je pressai les mains sur mon cœur, le temps que l'image terrible se dissipe. Karl passa un bras autour de ma taille et m'attira contre lui.

— Je sais qu'elle est morte, continuai-je. J'arrive à le dire ; j'arrive à la pleurer. Cela n'empêche qu'elle reste vivante en moi.

— Vous auriez peut-être eu besoin de l'enterrer.

— Peut-être, mais je n'ai pas pu le faire.

— Vous ne pensez pas qu'elle aurait voulu que nous soyons amis ?

— Si, bien sûr. Elle le disait, d'ailleurs. Elle répétait que je vous aimerais sûrement, et que je pouvais vous faire confiance. Mais elle reste tellement vivante que, quand je vous vois, des colères terribles me prennent. Vous lui avez fait du mal, et si elle…

Karl me lâcha, et j'eus peur de ne plus pouvoir tenir debout sans son soutien.

— Je n'arrête pas d'y penser, dit-il. Mais si je l'ai quittée, c'était pour lui éviter de souffrir. Nous n'étions pas faits l'un pour l'autre. Je suis sûr qu'elle l'aurait compris avec le temps.

— Certainement... Mais j'avais besoin de vous expliquer tout ça, de vous faire comprendre ce que je ressens.

— Je suis heureux que vous l'ayez fait. Je reconnais que ça doit être très dur de vivre ici.

Il me reprit dans ses bras et me garda contre lui. Dans le silence, un chant monta du rez-de-chaussée. *Deutschland über Alles.*

— Oui, ça doit être très dur, répéta-t-il.

— La réunion des Allemandes se termine. Il vaut mieux que vous descendiez.

Il prit son manteau sur le lit, mais il ne s'en alla pas tout de suite.

— Nous devrions fêter notre réconciliation, dit-il. La paix est un événement digne d'être célébré.

— C'est vrai. Vous avez tout à fait raison.

Le nœud qui serrait ma poitrine depuis des mois se relâchait enfin.

— Je peux me libérer ce week-end. On installe de nouvelles machines, je n'ai que de la paperasserie à faire. Nous pourrions sortir pour voir un film, ou aller au restaurant.

Nous avions fait la paix, mais plus important encore, il m'avait pardonné. Je me sentais bénie.

Le samedi matin, alors que je me préparais, j'eus vraiment l'impression de m'apprêter à fêter un événement important. Je pris un bain et mis les plus jolis vêtements que m'avait donnés Erika. Je surveillai la pendule constamment. Ce fut enfin l'heure de descendre. Karl m'attendait déjà en bas, au bureau du hall, et parlait à l'infirmière de service. Elle lui souriait d'un air indulgent comme si elle succombait au charme d'un enfant gâté, puis elle le chassa d'un geste rieur.

Il me rejoignit et m'expliqua en m'aidant à enfiler mon manteau :

— Nous avons huit heures de permission, aujourd'hui. Il est onze heures, ce qui fait que vous n'êtes pas obligée de rentrer avant le dîner.

— Comment vous êtes-vous débrouillé ?

— Je lui ai expliqué que je n'avais pas pu venir le week-end dernier et que je voulais me rattraper. Je l'ai convaincue de reporter notre sortie manquée en nous la laissant prendre à la suite de l'autre. J'ai raconté que nous fêtions un anniversaire, que j'avais une surprise pour vous.

— Une surprise ? Et c'est vrai ?

— Oui, par contre il vous faudra attendre que nous soyons arrivés pour la découvrir. Mais avant de partir, je veux que vous alliez chercher un objet qui appartenait à Anneke.

— Pour quoi faire ?

— Faites-moi confiance. Souvenez-vous de ce que vous m'avez promis.

Je remontai dans ma chambre et cherchai quoi prendre. Presque tout ce que je possédais avait appartenu à ma cousine. Devinant ce que Karl voulait faire, je me décidai vite. Je pris la bouteille de vernis à ongles et un de ses mouchoirs, et les glissai dans ma poche.

Sur la banquette arrière, il y avait un bouquet de roses rouges et une bêche. Je montrai à Karl ce que j'avais choisi.

— Alors, vous êtes prête ? demanda-t-il.

— Oui, allons-y.

Il me ramena à la bergerie et nous empruntâmes en silence le chemin sur lequel nous nous étions déjà promenés. En arrivant au panorama, nous nous arrêtâmes. Karl m'interrogea du regard, et je hochai la tête pour lui indiquer qu'il pouvait commencer.

— Elle a été enterrée à Apeldoorn, lui dis-je. J'irai me recueillir sur sa tombe dès que je le pourrai.

Il enfonça la bêche dans la terre et creusa un trou. J'enveloppai la bouteille de vernis à ongles dans son linceul de mouchoir en dentelle, puis me baissai pour la placer au fond du trou. Ensuite, Karl referma la petite fosse et posa les roses sur le dessus.

— Attendez, dis-je en les reprenant. Il ne faut pas laisser d'épines.

Je détachai les pétales un à un et les jetai sur la terre retournée. Ils tombaient comme des lamelles de mon cœur. *Je ne souffre pas assez*, pensai-je. Je dis alors en pensée à Anneke tout ce que j'aurais voulu lui avoir dit, et serrai les tiges dans ma main pour enfoncer les épines dans ma paume. Karl me les arracha et les jeta par terre.

— Au début, remarquai-je, quand vous êtes venu au foyer, j'ai pensé que nous ne pourrions pas partager Anneke, mais j'avais tort.

Il prit ma main, et nous retournâmes à la voiture en silence, doigts enlacés.

— J'ai apporté un pique-nique, annonça-t-il. Il paraît qu'il va faire beau cet après-midi. Mais si vous préférez, nous pouvons faire autre chose. Aller à Munich, par exemple…

— Non, je n'ai pas pique-niqué depuis longtemps. C'est une activité tellement normale !

Il jeta la bêche à l'arrière et sortit un grand panier en osier du coffre ainsi qu'une couverture et un sac. Nous traversâmes le champ à l'arrière de la grange pour nous installer sous un orme immense. Un cercle de pommiers auréolés d'un halo de fleurs roses nous entourait.

— Je meurs de faim. J'ai envie de manger toutes les dix minutes depuis quelque temps ! Qu'avez-vous apporté ? ajoutai-je en me penchant sur le panier.

Il y eut un grondement au loin qui me fit sursauter. Les deux années de guerre n'avaient pas suffi à m'habituer aux rumeurs du conflit.

Remarquant mon inquiétude, Karl me rassura :

— Ce n'est que le tonnerre.

Nous levâmes les yeux vers le ciel. De gros nuages noirs s'amoncelaient au-dessus des montagnes, bleutés et menaçants.

— Ça va vite passer, jugea Karl, mais il vaut mieux nous abriter.

La grange était très sombre, même en laissant la porte en partie ouverte, et sentait bon le foin et les moutons. J'eus un sourire.

— Qu'est-ce qui vous arrive ? demanda Karl.

— Je ne sais pas, je me sens bien. En sécurité, bien cachée. Cela fait tellement longtemps que je subis une surveillance constante. Aujourd'hui, personne ne sait où je suis…

— Moi, je sais où vous êtes…

Il fit un pas vers moi, mais s'arrêta, soudain embarrassé.

— Je comprends très bien ce que vous ressentez, vous savez.

Il prit l'échelle pour grimper dans le grenier à foin d'où il fit tomber deux bottes. Une fois redescendu, il les délia avec son canif.

— Nous n'avons qu'à imaginer que nous sommes dehors.

Il étala le foin par terre, puis déploya la couverture.

— Karl, vous m'avez parlé d'une surprise…

— C'est vrai. D'ailleurs c'est le moment. Tournez-vous.

— Vous imaginez que j'ai assez confiance en vous pour vous quitter des yeux ?

J'étais d'humeur légère. Il m'arrivait tellement rarement de plaisanter…

— Vous l'aurez voulu !

Il enleva sa cravate, déboutonna sa veste d'uniforme et l'ôta ainsi que sa chemise. Après les avoir posées, il se pencha sur le sac dont il tira un épais pull bleu marine torsadé. Les muscles de son dos se contractèrent lorsqu'il l'enfila, puis il se tourna vers moi, de toute évidence enchanté de s'être changé.

— Quoi, c'est ça votre surprise ? Un pull ?

— Je risque la cour martiale pour avoir mis des vêtements civils, plaisanta-t-il, et c'est tout ce que vous trouvez à dire ? Je me rends bien compte que vous n'aimez pas ça, ajouta-t-il en reprenant son sérieux. J'ai vu la façon dont vous me regardiez… ou plutôt ce n'est pas moi que vous regardez, c'est mon uniforme. Vous ne voyez que ça, Cyrla, jamais moi.

— Mais si, je vous vois. Je vous vois dans votre uniforme.

— Je le porte contre mon gré. Ne pouvez-vous pas essayer de l'oublier ? Je voudrais tellement que vous y arriviez. En tout cas, aujourd'hui, vous ne le verrez pas, et nous serons simplement un homme et une femme. Passez la journée sans vous inquiéter de ce qu'Anneke aurait pensé, sans vous méfier. Vous ne voulez pas, rien que pour cette fois ?

— Je ne crois pas en être capable, répondis-je, la gorge serrée.

— Vous partez dans trois semaines. Il ne nous reste que trois semaines. Ça ne fera de mal à personne.

— Si. Ce n'est pas bien.

— Pourquoi ?

— Je ne sais pas ! Parce que…

Je posai les mains sur mon ventre et regardai Karl dans les yeux.

— Je ne peux pas oublier mon enfant. Je ne le veux pas. Il est juif. Son père est juif, et je lui dois beaucoup. Vous, vous êtes allemand.

— Vous pensez vraiment que je ferais du mal à un enfant ?

— Je n'ai plus que mon bébé. Je ne vis que pour lui. Et voyez comme je le protège mal. Venir me fourrer dans la gueule du loup ! J'essaie de me rattraper, maintenant, de faire au mieux.

Je lui tournai le dos. Il y eut un nouveau coup de tonnerre, plus proche. Au bout d'un instant, je sentis Karl approcher derrière moi. Près, trop près… et pourtant, je ne bougeai pas. Il y avait de l'électricité dans l'air, une électricité qui passait entre nos deux corps. J'entendis le doux clapotement de la pluie.

Il me toucha. Pas au bras, pas à l'épaule, pas à la nuque comme je m'y étais attendue. Comme je l'avais désiré. Non, il se colla contre moi et posa les mains sur ma taille. Je ne me tournai pas vers lui, et le laissai faire. J'attendis, presque incapable de respirer.

Très lentement, comme pour me laisser le temps de comprendre ses gestes, il passa les mains sur mes hanches, suivit la courbe de mon ventre gonflé comme une lune montante. Il se pencha en avant pour poser la joue contre la mienne, puis, doucement, il croisa les mains sous le globe que formait mon enfant et le souleva. Il me soulageait ainsi de mon fardeau, le portait pour moi.

Je fus touchée jusqu'au fond du cœur. Un sanglot d'apaisement m'échappa. Karl voulut retirer ses bras comme s'il redoutait de m'avoir déplu, mais je le retins. Nous restâmes ainsi un long moment, Karl tenant le poids qui me lestait, moi en larmes, puis je pivotai dans le cercle de ses bras et l'embrassai.

56

Rien ne pouvait rassasier mon désir de sa langue, de sa bouche brûlante. Nos lèvres étaient soudées, scellées, et je n'avais qu'une seule pensée en tête : *Il ne faut pas faire ça, c'est mal. Mais nous n'avons pas le choix.* C'était un besoin, aussi irrépressible que celui de respirer, et il s'amplifia, ne laissant en moi que manque et frissons, tandis que Karl n'était plus que force et chaleur.

— Couche-toi, dit-il.

Je m'allongeai.

Il se plaqua dans mon dos et se pencha par-dessus mon épaule pour retrouver ma bouche affamée. Tout en m'embrassant, il se pressait contre moi, et entre nos baisers, il nous déshabilla. Il s'arrêta le temps de demander si nous pouvions continuer, si ça n'était pas dangereux pour l'enfant. Ma réponse fut d'attirer de nouveau sa bouche contre la mienne, de me cambrer pour le trouver. Il y eut encore des baisers, et lorsqu'il me prit, je pleurai de joie, comblée par ce cercle que nous venions de fermer.

Corrie se trompait. Aucun souvenir terrible ne surgit entre nous. Du moins pas pendant que nous fîmes l'amour.

Plus tard, je me reposai au creux du bras de Karl en écoutant la musique sublime de la pluie, si calme que je sentais son pouls battre contre ma joue. Quand il caressait ma peau nue, j'avais l'impression, exquis miracle, de n'avoir jamais été touchée auparavant. Il descendit le long de mon dos puis passa la main sur mon ventre. Ayant trouvé une bosse, il s'arrêta pour la couvrir du bout de ses doigts, et se redressa pour l'examiner.

— Un coude.

— Ou un genou. Mais peut-être un coude. C'est un vrai gymnaste.

— Es-tu sûre que nous n'avons pas eu tort ? Que ce n'est pas dangereux ?

— Tout à fait. On est tranquilles jusqu'au dernier mois.

— Comment le sais-tu ?

— Nous avons une bibliothèque complète sur le sujet : soins prénataux, accouchement, éducation des enfants. Et moi, je ne sais pas quoi faire de mon temps.

Il se pencha pour m'embrasser le ventre.

— Alors tant mieux, tant mieux.

Quand la pluie eut cessé, Karl alla ouvrir en grand la porte de la grange pour faire entrer le soleil. Devant nous, le champ était d'un vert intense, propre et frais. Les oiseaux s'étaient remis à chanter, manifestant leur joie de retrouver le beau temps, comme s'ils assistaient à un miracle. Je restai allongée, souriante, et je pensais qu'ils avaient raison.

Karl me demanda :

— Tu as faim ?

— Non.

— Tu as envie de partir ? D'aller ailleurs ?

— Non.

— Tu voudrais te promener, alors ?

— Pourquoi pas.

Nous avançâmes d'un pas lent, main dans la main. Karl me montrait les arbres et nommait les fleurs sauvages au bord du chemin. Sa main puissante, chaude et réconfortante, me semblait être le seul contact qui me reliait au monde. Quand il me lâcha pour secouer les gouttes de pluie d'une branche de pommier en fleur pour me la faire sentir, une angoisse me prit, une peur de m'évaporer, comme la brume. Ensuite, je m'accrochai à lui encore plus fort.

L'herbe étant mouillée, Karl retourna à la voiture pour prendre une toile étanche qu'il étala sous la couverture. Ensuite il disposa le pique-nique, fromage, pain, anchois, olives vertes, abricots secs, noix, et une boîte en carton qu'il ne voulut pas me laisser ouvrir parce que, dit-il, elle contenait une surprise.

— Où as-tu trouvé toute cette nourriture ?

— J'ai des relations.

Il sortit deux verres et déboucha une bouteille de vin rouge.

L'étiquette me plongea dans la stupeur.

— Du chianti !

— Je t'ai dit que j'avais le bras long. Je suis à moitié italien, tu sais, alors il me faut un verre de vin avec mes repas.

— Tu es à moitié italien ? Je l'ignorais.

Karl avait l'air de penser que c'était la chose la plus naturelle du monde, comme si, quand on avait des parents issus de deux mondes différents, on ne se sentait pas pourfendu, le cœur coupé en deux.

— Ma mère vient de Toscane. Mon père l'a rencontrée alors qu'il allait chercher de l'olivier pour le bateau d'un client. Le coup de foudre.

— Mais tu n'as pas l'impression d'être déchiré ? De n'être nulle part chez toi ?

Il versa le vin.

— Non, pas du tout. Je n'y pense jamais, sauf pour me féliciter que mon origine italienne m'évite d'être éligible pour entrer au parti national-socialiste. Toi, tu te sens déchirée ?

Je hochai la tête et pris une gorgée. Je fus aussitôt réconfortée par la chaleur du vin qui montait en moi.

— Ce n'est pas pareil pour moi. Imagine que ta mère soit morte et que ton père t'ait envoyé en Italie pour vivre dans ta famille maternelle.

— J'aurais été très malheureux. Il n'aurait jamais fait ça.

Je plongeai le nez dans mon verre.

— Sans doute peut-on se passer plus facilement de certains enfants.

Karl posa son verre et prit mon visage entre ses mains.

— Tu sais bien que cela n'a rien à voir. Anneke m'a dit que tu es arrivée en 1936.

— Oui.

— Ah, tu vois ! Piłsudski venait de mourir et un autre dictateur a pris le pouvoir. Ici, il y a eu les lois de Nuremberg… Ton père s'est inquiété à juste titre du sort qui attendait la Pologne. Tu dois bien imaginer qu'il a beaucoup souffert de se séparer de toi.

— Je n'en suis pas vraiment persuadée. Et si cela l'avait soulagé, au fond ?

— Le soulager ? De perdre sa fille ?

— Il ne parlait jamais de ma mère après sa mort. Il s'est débarrassé de tout ce qui la lui rappelait. Alors peut-être que… je ne saurai jamais.

Karl eut un sourire.

— Moi, je crois que tu ne te poseras plus ces questions dès que ton enfant naîtra. Beaucoup de choses vont changer. Cela nous est arrivé à ma sœur et à moi à la naissance de Lina. J'ai un peu l'impression d'être son père, tu sais. Depuis que Lina est arrivée, Erika et moi nous comprenons mieux nos parents.

Je doutai encore, tout en ayant envie de le croire.

— Je t'assure. Tu verras quand le bébé sera là. Mais maintenant, il est temps de manger.

Il se dressa sur ses genoux et nous servit. Comme il avait oublié les couverts, il partagea le pain avec les mains et se servit de son canif pour ouvrir les boîtes de conserve et couper le fromage.

— Ce n'est que dans le domaine de la gastronomie que je me rends vraiment compte que ma mère était italienne.

Il fit tomber des olives luisantes d'huile sur un morceau de pain qu'il me tendit.

— Quand j'étais jeune, mes amis voulaient tous se faire inviter chez nous. Une fois par an, la dernière semaine d'août, elle partait pour l'Italie afin de se ravitailler. Erika et moi nous adorions l'accompagner. C'était notre semaine préférée de toute l'année. Nous faisions le marché avec elle. Nous achetions des sardines et de grands bidons d'huile d'olive, des nattes d'ail, des sachets de pignons, des bonbonnes de vin. Et la pancetta. Tu sais ce que c'est ? Une sorte de lard fumé. Des figues, des pruneaux, du fromage. Il y avait une farine spéciale dont elle avait besoin pour préparer ses spaghettis et de la pâte d'amandes pour les gâteaux. Erika et moi, nous regardions tout, nous goûtions à tout. À la fin, elle nous autorisait à manger une glace. Le dernier jour, elle achetait quatre ou cinq cageots d'olivettes, parce qu'on ne trouvait pas ces tomates en Allemagne, un cageot de citrons, et un énorme sac de café en grain. Nous ramenions tout ça dans le train. Je me souviens encore de la délicieuse odeur qui régnait dans notre compartiment. Elle ne voulait à aucun prix se séparer de ses précieux paquets.

Je m'allongeai sur le côté, appuyée sur un coude pour continuer de manger tout en l'écoutant. Parfois, quand j'entendais les gens parler de leur mère, j'avais un pincement de jalousie, comme s'ils m'avaient dérobé des souvenirs. Mais pas avec Karl.

— Je crois que son dernier voyage remonte à six ou sept ans. Mais elle arrive toujours à faire des prodiges. Ceci, par exemple…

Il prit la boîte mystérieuse et l'ouvrit.

— Des *amaretti*. Des macarons aux amandes.

J'en pris un. Il était petit et finement doré, comme les *spekulaas* qu'aimait tant Anneke. Je le remis dans la boîte.

— J'en goûterai un plus tard.

J'aidai Karl à ranger. Nous émiettâmes ce qui restait de pain pour les oiseaux sur le muret, puis nous nous lavâmes les mains dans des flaques d'eau de pluie qui s'étaient accumulées au creux des pierres. Nous retournâmes rêveusement à la couverture, engourdis par notre bon repas, le vin, et la soudaine chaleur de l'après-midi.

Karl vida ce qui restait de la bouteille dans nos verres, puis retira son pull et son maillot de corps, et s'allongea sur le ventre. Moi, je me couchai sur le dos, verre à la main, pour contempler les nuages que poussait le vent. Le soleil me chauffait agréablement le visage et les bras, picotant d'abord la peau, puis m'amollissant le corps dans sa tiédeur. Je m'assis pour enlever mes bas, je déboutonnai mon corsage et défis les rubans de satin qui retenaient ma combinaison pour permettre au soleil de tomber sur le haut de mon ventre. La chaleur rayonnait jusqu'à mon enfant, alimentait le moteur bouillant de sa croissance. Je descendis un peu l'élastique qui retenait ma jupe. Puis encore un peu.

Karl m'observait. Il sourit et acheva de descendre ma jupe pour m'exposer aux rayons bienfaisants.

— Tu crois qu'elle sent le soleil ? demanda-t-il.

Je m'allongeai de tout mon long, yeux clos. Il caressa mon ventre doucement, mais je l'arrêtai en posant la main sur la sienne pour imprimer cette sensation sur ma peau.

Le soleil passait à travers mes paupières, formant sur ma rétine des taches rouge et jaune.

— Oui, répondis-je après réflexion. Mais ce n'est pas une fille, c'est un garçon.

Karl posa doucement l'oreille sur mon ventre comme pour écouter. Il releva la tête et annonça avec le plus grand sérieux :

— Elle te fait dire que c'est une fille, et que tu aurais intérêt à t'y habituer.

Puis il replaça la main sur mon ventre chaud qui frémit à ce contact. Il suivit la courbe de ma peau tendue de ses doigts amoureux, et je gardai les yeux fermés pour mieux sentir ce frôlement délicieux.

— On dirait que tu as avalé une lune qui se lève dans ton ventre.

Je passai les doigts dans ses cheveux, m'émerveillant de pouvoir m'autoriser ce geste.

— Une lune très pleine, alors.

— Tu es aussi belle que la lune.

Il s'appuya à moi et m'embrassa, sa main s'égarant plus bas. Ses gestes laissaient dans leur sillage une coulée d'or en fusion qui me faisait fondre. Ensuite il se souleva, et je sentis ses lèvres, sur mon ventre d'abord, puis sur mon enfant. Je m'offris à lui, prête à l'accueillir.

Il se mit à genoux et me caressa avec les deux mains, lentement, gravement, presque, et j'eus la sensation que ma peau venait de naître au monde. Je compris que le toucher constituait un langage et que

Karl me disait ce que j'avais rêvé d'entendre toute ma vie. Il ôta ma combinaison de satin pour découvrir ma poitrine, et, dans l'air frais, je sentis s'allumer une flamme entre mes jambes. Ensuite il s'allongea sur moi, la bouche sur la mienne, caressant mes seins si doucement que j'en mourais de désir. C'était tellement bon que je me crus comblée.

Mais il n'en était rien. Bientôt, je redevins insatiable. Je poussai un gémissement. Il souleva ma jupe et s'agenouilla entre mes jambes. Malgré mes paupières closes, je sentis son regard se poser sur moi, interrogateur.

— Oui, murmurai-je.

La réponse, quelle que fût sa demande, ne pouvait être que oui. Il se pencha pour soulever mes reins et posa ses lèvres sur moi. Notre dialogue secret me fit lui révéler des choses dont je ne soupçonnais pas l'existence. Puis il leva mes hanches entre ses cuisses jusqu'à ce que nos corps se trouvent. Cette fois, tendre et plus que prête, je reçus sa force comme un baiser. *Je te connais, je te connais*, nous disions-nous à chaque mouvement, et le bonheur de cette découverte nous secoua au même moment.

Karl retomba doucement à mes côtés. Bras et jambes entremêlés, abandonnés, nous nous regardâmes. Il sourit devant mon air émerveillé.

— Ça devrait toujours être comme ça, dit-il.

Il se pencha sur moi pour ôter l'herbe arrachée que j'avais encore entre les doigts, puis il ferma mes lèvres sèches avec des baisers.

— Ça devrait toujours être comme ça.

Ensuite il posa la tête sur mon épaule, la main enveloppant mon sein avec une intimité qui m'emplissait de désir, et de paix, tout à la fois.

Je levai les yeux pour regarder le ciel à travers les fleurs de pommier. Les nuages filaient dans un azur parfait. On voyait presque les feuilles se dérouler, tant leur hâte de percer leurs bourgeons était grande. Des abeilles vrombissaient partout. Elles volaient en longues processions, se regroupaient puis se dispersaient parmi la nacre rose des fleurs, ivres de pollen, affolées par l'abondance. Mes paupières se fermaient, et, juste avant de m'endormir, je revis l'image de l'apiculteur couvert d'abeilles. Comment avais-je pu penser qu'elles étaient dangereuses ?

Je fus réveillée par un mauvais rêve qui planait sur moi quand je repris conscience, ombre noire flottant juste hors de portée. Dans ce cauchemar, Isaak se mettait en colère parce que j'avais oublié quelque chose. Je reconnus l'expression qu'il avait eue le dernier soir, quand il avait découvert ce qui m'était arrivé.

L'homme assoupi à mes côtés me parut soudain aussi étranger que si je ne le connaissais pas. Je me redressai pour attacher ma combinaison. Karl ouvrit les yeux et, se souvenant de ce qui venait de se passer, me sourit. Je ne pus qu'éviter son regard.

— Quoi ? demanda-t-il en posant tendrement la main sur mon genou.

Je le repoussai. Il s'assit, bien réveillé maintenant.

— Qu'est-ce qu'il y a, Cyrla ?

— Je ne sais pas où j'en suis…, murmurai-je après un silence. Je voudrais comprendre ce qui se passe.

— Pourquoi vouloir tout comprendre ?

— J'ai besoin de savoir ce que nous sommes en train de faire.

Karl hocha la tête comme s'il s'était attendu à cette réponse.

— Toi et tes mots... étiqueter, classer, désigner. Moi qui construis des bateaux, je n'ai pas besoin de nommer les choses du moment qu'elles fonctionnent. Si c'est beau et que ça marche, c'est plus que suffisant.

— Je veux juste savoir...

— On n'a pas besoin de toujours tout savoir.

Il remit ses vêtements pour se protéger de moi, comme il aurait enfilé une armure avant la bataille.

— Je ne veux pas que tu m'enfermes dans tes catégories. Quand tu me considères comme le petit ami d'Anneke, tu as l'impression de trahir Anneke. Quand tu me considères comme un Allemand, tu trahis ta famille. Tout ce qui te préoccupe c'est ce que je représente, et non pas qui je suis.

Je ne pouvais pas le nier.

— Écoute, moi non plus je ne sais pas ce qui nous arrive. Certains événements sont comme ça, ils restent indéfinissables. Il est parfois préférable d'attendre avant de se poser certaines questions.

— Mais c'est arrivé, je ne pourrais pas prétendre le contraire.

Karl sembla avoir du mal à comprendre, puis une ombre passa dans ses yeux. Quand je vis mes pensées se refléter sur son visage, je compris le mal que je lui faisais.

— Comment ça ? explosa-t-il. Pourquoi voudrais-tu prétendre le contraire ?

Tandis qu'il me dévisageait, j'aurais voulu pouvoir faire machine arrière, tout effacer. Mais c'était trop tard.

— Tu te cherches des excuses comme si tu te sentais coupable. Tu veux que je te dise que nous avons fait une erreur ? Mettre ça sur le dos du vin, du soleil ? Eh bien moi, je ne me sens pas coupable. Et je ne veux pas m'excuser.

— Karl, je voulais discuter un peu, c'est tout.

— Eh bien, parfait. Nous n'avons qu'à dire que nous sommes amoureux.

— Non, c'est impossible, ça ne peut pas être de l'amour.

— Comment ça, impossible ? En vertu de quelles lois ? Est-ce que tu as besoin de tes préjugés pour te rassurer, Cyrla ? Je ne vois pas à quoi ça te mène.

Je récupérai ma jupe et mes chaussures et me rhabillai moi aussi pour livrer ce duel qui s'était engagé malgré moi.

— De quel droit me critiques-tu ? Est-ce que tu as souffert, toi ?

— Ça suffit, Cyrla. J'ai peut-être moins souffert que toi, mais ça n'excuse rien. Je crois que tu devrais plutôt te demander si tes idées préconçues t'ont jamais rien apporté, si elles t'ont protégée.

Il se leva.

— Il est tard, annonça-t-il sans même regarder sa montre. Je te raccompagne.

Le soleil m'indiquait qu'il ne devait pas être beaucoup plus de cinq heures, mais je ne protestai pas.

Karl rassembla les restes du pique-nique et jeta les affaires dans la voiture. Je le regardais de l'orme sous lequel j'étais restée assise, impuissante, regrettant qu'il efface toutes les traces de notre passage dans l'écurie et dans le champ.

Le trajet s'écoula dans un silence glacial. Et pourtant, quand nous arrivâmes en vue du foyer, tout mon être se rebella à l'idée d'y retourner. Comment les murs de granit qui nous enfermaient pouvaient-ils n'avoir pas bougé alors que dehors tout avait si radicalement changé ?

Karl se gara le long du trottoir devant la grille et coupa le moteur. Il sortit la clé du contact et attendit en silence, fixant le trousseau au lieu de me regarder.

— J'ai perdu un enfant. Tu y penses, parfois ?

Honteuse, je fus incapable de répondre.

— Si tu veux, reprit-il, je ne viendrai plus sauf le jour de ton départ.

— Très bien, répondis-je, jouant comme lui l'indifférence.

Sans attendre qu'il descende pour m'ouvrir, je sortis de la voiture et traversai la rue sans me retourner. J'entendis le moteur se remettre en marche.

Alors je revins sur mes pas en courant pour le rattraper.

57

La dernière semaine d'avril et la première semaine de mai, Karl vint me voir dès qu'il arrivait à voler quelques heures. Je l'attendais avec une impatience irrépressible. Avec lui, je n'avais pas à cacher qui j'étais et ses visites me procuraient mes seuls moments de répit, et puis je n'avais l'impression d'être vivante que lorsqu'il me touchait. J'avais un besoin fou de lui, et je n'essayais pas de lui dissimuler l'intensité de mon désir. Ses épaules gardaient la trace de mes ongles, et je lui fis même une fois saigner la lèvre en l'embrassant. Nous allions directement à la bergerie abandonnée, et nous nous enveloppions dans nos couvertures au milieu du foin pour faire l'amour. Karl ne parvenait qu'ensuite à parler de ma fuite de la mi-mai, comme s'il ne pouvait penser à mon absence qu'après s'être rassuré en me prenant dans ses bras.

Chaque fois, la conversation commençait de la même façon : « Cyrla, as-tu bien réfléchi ?… » Et invariablement, je lui répondais que je ne changerais pas d'avis. Il soupirait, puis me donnait les informations qu'il avait recueillies, une carte, une liste des points de contrôle militaires, les horaires de train. Il continuait de me toucher tout le temps que nous parlions. Inlassablement, il me faisait répéter ce qu'il faudrait que je dise si l'on m'interrogeait. Il me faisait aussi promettre de le contacter si l'on me rattrapait, même si cela devait dévoiler sa complicité. Nous mîmes au point un code pour la lettre que j'enverrais à Erika une fois que j'aurais rejoint Leona à Amsterdam. Mais plus nous revenions sur les détails de ma fuite, plus des doutes me prenaient.

Le deuxième samedi de mai devait être le jour de notre dernière rencontre puisque la date de mon départ était fixée huit jours plus tard, le 17. Nous restâmes allongés sur la couverture, enlacés, sans faire l'amour et sans parler. Je compris que c'était sa façon de me dire au revoir. Au bout d'un long moment, il recommença le rituel.

— Cyrla, as-tu bien réfléchi ?…

Je lui posai un doigt sur les lèvres.

— Chut ! Parle-moi d'autre chose. De quelque chose de beau.

Il hésita, inquiet, puis il me prit dans ses bras. D'une main, il sortit son portefeuille de sa poche et en tira une photo.

— Regarde, c'est mon bateau.

— Celui que tu as construit ? Il est magnifique.

— Oui, j'y tiens énormément.

Il reprit la photo et la contempla de l'air épris d'un homme qui couve une femme du regard.

— Un channel cutter de dix mètres. Il est très maniable.

— On dirait presque que tu en es amoureux.

— C'est vrai, admit-il avec un sourire. Quand on est à la barre d'un très bon voilier par beau temps, c'est comme de faire l'amour. Le mouvement est fluide, parfait, et on ne sait plus où le bateau finit et où l'eau commence.

— Où est-il ?

— Dans l'Elbe, à un endroit où le fleuve fait un méandre entre les flancs d'une colline et des prairies. Le courant est tellement fort dans le tournant qu'il a creusé une fosse d'au moins neuf mètres de fond. Mon voilier est là, sous l'eau.

— Comment ? Il a coulé ?

— Comme une pierre, répondit Karl avec un regard espiègle. C'était très beau. J'ai ouvert la vanne de coque.

Je me soulevai pour le regarder.

— Tu as fait couler ton propre bateau ?

— Je l'ai sabordé. Reviens dans mes bras.

Je me blottis de nouveau contre lui, la tête sur son cœur.

— Mais pourquoi, si tu l'aimes tant ?

— C'est justement parce que je l'aime. Je l'aime tellement que j'ai voulu le sauver. Je ne voulais pas que les nazis me le prennent. S'ils l'avaient utilisé, ils l'auraient souillé.

— Et au fond de l'eau, ils ne pourraient pas y toucher… ?

— Voilà. La veille, j'ai retiré le gréement. J'ai enterré le mât, la bôme, les voiles. J'ai tout préparé, et puis j'ai ouvert la vanne et j'ai rejoint la rive à la nage. Je suis resté assis sur la berge en buvant du vin jusqu'à ce qu'il ait fini de couler. Il lui a fallu une heure.

— Tu devais être très malheureux.

— Oui et non. J'avais l'impression de m'amputer d'une jambe, mais j'étais heureux d'éviter le pire. Et puis c'était un très beau moment. Cette ombre que je devinais était magnifique. L'obscurité était très épaisse parce que c'était une nuit sans lune, et il n'y avait pas un bruit. Il a coulé en silence. Il n'y a pas eu un murmure jusqu'à quelques secondes de la fin.

— Et là… ?

— Là, il a poussé comme un soupir, et il a disparu sous l'eau. Il n'en est plus rien resté. C'est tellement beau, tellement mystérieux. Malgré la transparence de l'eau, il est invisible. Les nazis pourraient naviguer au-dessus un millier de fois sans rien soupçonner.

— Mais tout de même, tu as dû avoir beaucoup de peine de le perdre.

— Je ne l'ai pas perdu. Je l'ai simplement caché pour quelque temps.

Je me redressai.

— Tu peux le récupérer ?

— Quand la guerre sera finie, je le renflouerai.

Karl me reprit dans ses bras et me serra contre lui. Des grains de poussière flottaient dans le soleil qui s'infiltrait à travers les planches disjointes de la bergerie. J'écoutai le battement de son cœur en pensant *Je suis heureuse.* C'était un sentiment très nouveau. Très bon. Mais très triste aussi parce que nous étions ensemble pour la dernière fois.

— Un jour, la guerre finira, dit-il. Quelle que soit l'issue du conflit, il y aura la paix. J'attendrai qu'il n'y ait plus de risque, et puis je demanderai à des amis de m'aider. Nous prendrons une péniche équipée d'un treuil. Je plongerai et je le retrouverai... ce sera facile, je sais exactement où il se trouve, au centimètre près. Je passerai deux courroies autour de la coque, à la proue et à la poupe, et puis nous le remonterons.

Je pris la main de Karl et lui enlaçai les doigts. Je ne voulais pas que ce moment finisse.

— Et ensuite. Raconte-moi ce que tu feras ensuite.

— Le plus pénible sera de le débarrasser du limon dont il sera recouvert. J'ai boulonné les panneaux d'écoutille et scellé l'entrée de l'escalier de la cabine, donc l'intérieur devrait être à peu près intact. Il faudra faire un grand nettoyage quand nous l'aurons sorti de l'eau. Ensuite, je le laisserai sécher sous des bâches ou dans un hangar à bateau pour le protéger du soleil. Je compte qu'il faudra six mois pour un séchage correct, pas trop rapide pour éviter les déformations. Ensuite, je restaurerai la coque, c'est-à-dire que je la poncerai, que j'appliquerai du vernis, et que je la repeindrai.

Je pressai la main de Karl et passai le pouce sur la peau tiède et douce de l'intérieur de son poignet.

— Tu pourras le remettre à l'eau ensuite ?

— Avant, il faudra que je remplace la quincaillerie, et que je révise le moteur. Je l'ai plongé dans l'huile et ensuite je l'ai enveloppé dans une toile, et je l'ai enterré. J'espère qu'il sera encore en bon état. Il faudra évidemment remettre le gréement. L'ensemble de l'opération prendra sans doute un an, mais ensuite, je pourrai reprendre la mer, oui.

— Et où iras-tu ? Quand la guerre sera finie, où iras-tu dans ton voilier ?

— Loin d'ici. Loin de la grisaille, loin des traces de la guerre. Je trouverai une île, peut-être. Je rêve de verdure et de chaleur. Et toi, Cyrla, où iras-tu ?

— Je rentrerai chez moi, répondis-je sans hésiter.

— Chez toi ? C'est-à-dire ? demanda-t-il, doucement, comme s'il se doutait que cette question allait rouvrir des blessures.

— Je ne sais pas, murmurai-je les larmes aux yeux. Je ne sais pas. Je ne sais pas !

Karl m'attira contre lui et me serra dans ses bras, me laissant pleurer tout mon soûl, puis il essuya mes larmes et me caressa les cheveux.

— Parfois, je rêve que je me promène dans un champ de tournesols, lui confiai-je. Mais toutes les fleurs se détournent de moi.

— Ne t'en fais pas. Tu trouveras un endroit où tu te sentiras chez toi, où tu t'installeras avec le bébé. Tout se passera bien, tu verras.

Mais non, cela ne pouvait pas bien se passer, je le savais, et je le savais depuis longtemps sans avoir jamais voulu l'admettre. Il aurait fallu que je lui parle mais je n'en avais pas le courage. Alors je lui dis qu'il était temps de rentrer.

Sur la route, il conduisit en silence, me jetant des regards inquiets parce qu'il devinait mon angoisse. C'était maintenant ou jamais. Après un dernier tournant, le mirador apparut. Une énorme boule dans la gorge, je lui demandai de s'arrêter sur le bas-côté avant l'entrée.

— Tu n'aurais pas dû me parler de ton voilier…

— Pourquoi ?

— Pour rien, ce n'est pas grave…

Je pressai les mains sur mes yeux et tâchai de me calmer. Dès que je m'en sentis capable, je me tournai vers lui.

— J'ai changé d'avis.

Karl regarda sa montre puis me tendit son poignet pour me la montrer.

— Regarde, c'est l'heure de rentrer. Nous n'avons plus le temps de nous promener.

— Non… Je veux dire…

J'avais du mal à respirer, comme si on m'avait arraché un morceau de mon cœur et que la douleur bloque mes poumons.

— Karl, promets-moi que tu t'occuperas bien de lui ! Tu devras être là pour la naissance, il faut absolument que je puisse te joindre le moment venu. Et si ça se passe mal, ou si… tu veilleras sur lui. Promets-le-moi.

— Tu renonces à partir ?

— Je voudrais rencontrer ta sœur. Il faut que je lui parle.

— Bien sûr. Et tu verras Lina. Tu prends la bonne décision, c'est beaucoup mieux comme ça. Je veillerai sur lui, et nous te le rendrons dès que possible. Nous le garderons juste le temps qu'il te faudra pour trouver un lieu sûr.

— Vous le prendrez dans vos bras ? Et quand il pleurera…

— Calme-toi, Cyrla, dit-il en me prenant la main. Nous nous occuperons bien de lui, je t'assure.

Mais je n'arrivais pas à m'apaiser. Je pleurais toutes les larmes de mon corps, comme si on m'arrachait déjà mon enfant.

— Il faudra le photographier. Il faudra aussi lui montrer des photos de moi pour qu'il me reconnaisse.

Karl me rassura d'une pression de la main.

— Chut ! Tout va bien se passer. Nous t'enverrons des photos. Ce sera facile, puisque tu n'auras plus besoin de te cacher. Tu seras en sécurité en Hollande avec des papiers inattaquables.

— Tu lui donneras le prénom que j'aurai choisi…

— Chut ! Cyrla, dit-il, ferme mais souriant en essuyant mes larmes. Il nous reste un mois, maintenant. Même plus : cinq semaines si j'ai bien compté, ou même six.

Je pris alors conscience que ce répit me permettrait de préparer la suite.

— Tu as raison, il nous reste du temps.

— Oui, mais pas aujourd'hui. Je reviendrai dès que possible et nous reparlerons de tout ça. Maintenant, il faut que tu rentres.

Il redémarra et nous passâmes la grille. Devant le perron, je l'embrassai longuement.

Une pensée me frappa : Isaak ne m'avait jamais embrassée de lui-même. Moi, je l'avais embrassé une première fois derrière chez moi, et puis une autre, sur le toit. Mais jamais, même pendant que nous faisions l'amour, il n'avait semblé en avoir envie, jamais il ne s'était livré à moi.

Le foyer me parut différent. Les murs, les gardes, et même *Frau* Klaus me semblaient protecteurs à présent. Je ne me sentais plus enfermée. En prenant le couloir, j'eus très envie de voir Neve ou Leona. Malheureusement, c'était Eva qui les avait remplacées.

Je m'arrêtai à quelques pas de notre porte. Je ne lui faisais pas confiance, et, depuis son arrivée, j'avais pris l'habitude de me concentrer avant d'entrer dans la chambre pour mieux me couler dans le rôle d'Anneke. C'était plus facile maintenant que j'avais vraiment un amant allemand qui allait s'occuper de mon enfant. Quand je me sentis prête, j'approchai sans bruit, comme nous le faisions toutes, car les filles enceintes faisaient souvent la sieste.

La porte était grande ouverte, et je vis qu'Eva était endormie, un bras au-dessus de la tête, l'autre sur sa poitrine. Son ventre rond était tourné vers la porte et tirait sur sa chemise de nuit, découvrant sa jambe presque jusqu'à la hanche. Provocante même dans son sommeil.

J'entrai à pas feutrés, mais dès que je fus à l'intérieur, je faillis pousser un cri. Dans l'ombre, au pied de son lit, une petite élève infirmière la contemplait d'un regard brûlant. Elle sursauta en me voyant et s'enfuit, trop tard pour me cacher le désir qui la dévorait.

Quelques jours plus tard, en la croisant dans le hall, je voulus l'arrêter pour la rassurer, lui dire que l'amour ne se commandait pas, et que j'étais la dernière à pouvoir la juger. Mais elle baissa le nez, et se dépêcha de se sauver.

Je m'en voulus de n'avoir pas su la retenir, de ne pas lui avoir dit qu'il n'y avait pas de raison d'avoir honte.

58

Klaas disparut du jour au lendemain. Un beau matin, en allant à l'orphelinat, je ne le trouvai pas. Je demandai des comptes à une élève infirmière.

— Il a été adopté hier, expliqua-t-elle laconiquement.

Elle avait dit cela tout naturellement, comme si mon petit Klaas n'avait pas été arraché à son cocon et jeté dans un monde où n'importe quoi pouvait arriver. Je me sentais impuissante. Je remontai dans ma chambre et écrivis les dernières lignes du journal que je tenais pour Leona.

Il rit de tout. Hier, il a eu le hoquet, ce qui l'a beaucoup amusé ! Quand j'enfile ses chaussons au bout de mes doigts pour faire les marionnettes, il attrape le fou rire. Il m'oblige à recommencer des centaines de fois, et il ne se lasse pas. Si tu voyais son visage quand il dort… Il est d'une beauté angélique. Ses parents adoptifs vont l'adorer. Ce serait impossible de ne pas l'aimer.

Maintenant que le départ de Klaas avait vidé mes après-midi, je commençai à me préoccuper sérieusement de la naissance de mon enfant. Tant que je n'avais pas su où j'allais accoucher, j'avais été incapable de me représenter l'événement. Maintenant, je ne pouvais plus penser à rien d'autre.

Je lus tous les livres que nous avions sur la question, et posai constamment toutes sortes de questions à Ilse. Cette femme était la patience même, et trouvait toujours le moyen de me rassurer. Elle n'avait vu que très peu de mères mourir en couches depuis son arrivée, et dans la plupart des cas, le décès était dû à des problèmes de santé préalables qui avaient causé des complications. Non, les forceps ne causaient pas de dommages permanents. Oui, en cas de nécessité, les médecins se tenaient prêts à effectuer une césarienne.

— Et Sofie ? lui demandai-je.

Je n'avais pas été témoin de la scène, mais les filles du premier étage avaient trouvé Sofie cramponnée à la porte de sa chambre, mordant une serviette de toilette pour étouffer ses cris. On avait eu toutes les peines du monde à la faire lâcher, et on avait découvert la tête de son enfant écrasée entre ses cuisses.

— Elle a attendu trop longtemps parce qu'elle avait peur des médecins. Vous n'aurez pas peur des médecins, j'espère.

— Et Sigi ?

— Une naissance par le siège. En général, on s'en sort bien. D'ailleurs la mère et l'enfant se portent très bien tous les deux.

« Les femmes accouchent depuis des milliers d'années, Anneke, me rassurait-elle chaque fois. Vous êtes en bonne santé, tout se passera bien. »

Un jour où je rendais visite à Ilse dans la pouponnière, alors que je roulais des paires de chaussons pendant qu'elle préparait des doses de médicaments, elle me demanda si je n'avais pas pensé à rester un peu après la naissance.

— C'est meilleur pour l'enfant, ne serait-ce que pour quelques semaines. L'allaitement leur fait le plus grand bien.

Cette perspective m'angoissait, mais j'y avais déjà songé. Je ne voulais prendre aucune décision définitive, mais ne l'excluais pas. Pourquoi pas… Je décidai d'en parler à Karl.

— Et je suis désolée de me mêler de ce qui ne me regarde pas, Anneke, ajouta-t-elle, mais je vous ai vue avec le père… Pourquoi voulez-vous à tout prix partir ? Est-il marié ?

Avant que je ne puisse répondre, Ilse lâcha sa dosette, se leva d'un bond et courut à la fenêtre.

— Que se passe-t-il ?

Elle avait les mains crispées sur le rebord. Une camionnette officielle était arrêtée dans la cour de la salle d'accouchement, porte arrière ouverte, gardée par un homme en uniforme noir.

— Des soldats ? Que se passe-t-il, Ilse ?

— Ce n'est pas la Wehrmacht, c'est la Gestapo, murmura-t-elle. Ils sont venus arrêter quelqu'un.

Elle courut à une autre fenêtre, cou tendu pour essayer de mieux voir. Elle pâlit.

— Ils entrent ici, dans ce pavillon. Ils arrivent.

— Que faut-il faire ?

Elle revint à la table, et s'y appuya de ses deux mains fébriles pour réfléchir.

— Il vaut mieux que vous partiez. Vous n'êtes pas dans votre bâtiment.

Mais elle se ravisa, et dit en s'effondrant sur sa chaise :

— Non, restez, ils ne connaissent pas notre règlement. Continuez à faire ce que vous faisiez.

Je repris place face à elle et m'emparai d'une paire de chaussons. S'ils entraient dans ce pavillon, raisonnai-je, alors ce n'était pas pour moi. Je me demandai de quoi Ilse avait peur, elle. Je ne l'avais jamais vue dans un état pareil.

Tendue à l'extrême, elle resta assise dos à la porte, serrant si fort une fiole que je craignis qu'elle ne la brise.

— Vous les voyez ? demanda-t-elle.

Je risquai un regard par la vitre qui donnait dans la salle des infirmières.

— Oui, ils sont dans le bureau. Non, attendez, ils s'éloignent. *Frau* Klaus se lève.

— Est-ce qu'ils viennent par ici ?

— Je ne sais pas. Ils se sont arrêtés pour parler. Non, ils repartent, ils se dirigent vers le couloir de gauche.

— Celui qui va aux chambres des infirmières ?

Elle n'attendit pas ma réponse, elle bondit sur ses pieds et courut de nouveau à la fenêtre.

Il ne leur fallut pas plus de cinq minutes pour ressortir. Nous vîmes deux hommes qui traînaient une petite femme. Un troisième suivait en compagnie de *Frau* Klaus.

Ilse se décomposa.

— Mon Dieu… c'est Solvig ! Non !

Les agents de la Gestapo tiraient sur les bras de l'infirmière brutalement comme si elle leur résistait. Et pourtant, il n'en était rien. Elle avait une soixantaine d'années, et je l'avais souvent entendue se plaindre de son arthrite. Elle pleurait et essayait seulement de garder son cardigan sur ses épaules.

— Qu'est-ce qu'elle a fait, Ilse ?

Sans la quitter des yeux, tressaillant chaque fois que les agents de la Gestapo la brutalisaient, elle me répondit :

— Elle n'a rien fait du tout. On n'arrête plus les gens parce qu'ils ont fait quelque chose, vous le savez bien.

— Mais pourquoi l'emmène-t-on ?

— Son mari est juif, murmura-t-elle. Ils ont essayé de cacher qu'il était juif.

Les yeux débordant de larmes, elle eut une expression de terreur.

— Non !

Elle pressa les deux mains à plat sur la vitre comme pour essayer d'interrompre la scène qui se déroulait sous nos yeux.

Solvig venait d'échapper à l'un des agents de la Gestapo et essayait de se dégager de l'autre. Celui-ci l'empoigna violemment par le bras pour la ramener vers lui. Au même instant, l'homme qui gardait la porte de la camionnette leva la crosse noire de son fusil et l'abattit sur sa tempe. Elle s'effondra. J'eus l'impression de tomber avec elle. Juste avant que sa tête ne heurte le gravier, le premier agent lui donna un coup de pied de sa botte cloutée, lui ouvrant le visage de l'œil au menton. Le sang jaillit. Ilse et moi nous poussâmes un cri, portant chacune notre main à notre joue, comme si nous avions reçu nous-mêmes le coup assassin.

Les hommes ramassèrent le corps inerte de Solvig sans plus d'égards que s'il s'était agi d'un sac de pommes de terre, et la portèrent à la camionnette laissant traîner son pied sur le chemin, puis la lancèrent à l'arrière. Ils partirent aussitôt, emportant avec eux toute illusion de sécurité.

Ilse était paralysée d'horreur. Je voulus lui prendre le bras, mais elle se dégagea brutalement et partit. Je la suivis des yeux, puis, par la fenêtre, je la vis courir à l'endroit où la Gestapo avait emmené son amie. Elle se pencha pour ramasser une chaussure qu'elle pressa contre son cœur, le regard brûlant de colère.

Frau Klaus, qui était toujours à la porte du pavillon, n'avait rien perdu de sa réaction.

À sa visite suivante, Karl ne put rester qu'une heure. Nous sortîmes dans le jardin que les lilas en fleur, les tulipes et la lavande habillaient de violet. Sur les pelouses, les filles bavardaient ou lisaient, allongées sur des chaises longues. Les bébés faisaient la sieste dans une rangée de landaus alignés à l'abri du bâtiment, indifférents aux drapeaux frappés de la croix gammée qui bruissaient au-dessus d'eux. Dans le potager, des hommes en uniforme suivaient une visite guidée menée par le Dr Ebers.

Nous prîmes possession d'un banc à l'écart. J'aurais tout donné pour pouvoir m'allonger nue dans les bras de Karl. Mon désir pour lui me rendait sentimentale. Mais il fallut bien que je me contente du contact de nos genoux, et de la force que me communiquait sa main qu'il avait posée dans mon dos. J'avais beaucoup de sujets d'inquiétude.

— Il faudra venir le prendre dès le premier jour. Le jour de sa naissance, tu entends ?

— Je sais, tu me l'as déjà dit.

— C'est très important. Sors-le d'ici et ne le ramène sous aucun prétexte, ni pour venir chercher du lait, ni pour une visite médicale.

— Tu as peur à ce point ?

Je voulus lui raconter ce qui était arrivé à Solvig, mais l'idée de rapprocher, même en pensée, cet événement de la naissance de mon enfant m'était insupportable.

— Il sera en danger, ici.

— Tout se passera bien, je t'assure. Personne ne se doutera de rien. Il n'y a aucune raison. Ne t'inquiète pas, je t'en prie.

Il me rassurait un peu, mais je ne voulais pas le laisser endormir ma vigilance.

— Tu as raison, mais je n'ai pas fini. Au début, il ne faut surtout pas exposer les enfants au soleil. Ta mère pourra le promener avec Lina s'il y a un parc près de chez toi, mais il faudra bien le protéger. Plus tard, en été, il faudra lui mettre un chapeau.

— Tu en parles toujours au masculin, mais je t'assure que c'est une fille.

— Tu crois ? C'est possible. En tout cas, il faudra la protéger du soleil. Et où le ferez-vous dormir ? Pardon. Où *la* ferez-vous dormir ? Est-ce qu'Erika pourra l'entendre ? Et n'oublie pas que dès trois mois, les bébés savent déjà se retourner, alors il ne faudra jamais le laisser seul…

— Tu devrais peut-être noter toutes tes instructions. Je donnerai le papier à Erika.

Cette réflexion, et le ton qu'il avait pris pour l'énoncer, m'alerta.

— Pourquoi, tu ne seras pas là ?

Il eut l'air triste, mais aussi soulagé, comme s'il avait voulu m'annoncer la nouvelle sans savoir comment s'y prendre.

— Ça ne changera rien. Il ne faut surtout pas que tu te fasses de soucis.

J'attendis la suite, prête au pire.

— Je vais être muté, expliqua-t-il en me prenant les mains. Ce n'est pas grave : je ne partirai qu'après la naissance du bébé. Pas avant août, ou même septembre.

— Où est-ce qu'on t'envoie ?

Tendue à l'extrême, je lui retirai mes mains, et les posai sur mes genoux, poings serrés.

— À Peenemünde, c'est sur la côte.

— Loin d'ici ?

— À cinq heures de route.

— Mais…

— Ne t'inquiète pas. J'en ai parlé avec Erika. Si mon affectation doit durer longtemps, et que l'endroit n'a pas l'air trop dangereux, elles me rejoindront. Nous ferons pour le mieux.

— Et si elles ne déménagent pas ? Est-ce que tu pourras aller les voir ?

— Je suis désolé, mais je ne sais pas encore grand-chose. J'aurai plus de détails la prochaine fois. Je dois aller faire une reconnaissance lundi.

— Tu vas partir !

— Rien qu'une semaine pour préparer mon arrivée. Tu ne dois accoucher que le mois prochain.

— Mais...

Il se leva.

— Je dois partir. Raccompagne-moi à la voiture.

Avant de reprendre le volant, il me serra dans ses bras et m'embrassa.

— Ne t'inquiète pas, ma mutation ne change rien à nos projets.

— Karl, pourquoi est-ce qu'on t'envoie là-bas ?

Il ouvrit la portière sans répondre et monta en voiture.

— Je reviendrai te voir à la fin de la semaine prochaine. En attendant, ne t'inquiète pas.

Mais comment ne pas m'inquiéter ? J'eus encore plus peur quand il revint car son attitude me rappela celle d'Anneke lorsqu'elle était rentrée de ses examens d'admission au foyer.

— Karl, ça ne va pas ?

— Si, et toi ? Et le bébé ? répondit-il d'un ton désinvolte, mais sans arriver à me regarder en face.

— Je suis grosse comme un éléphant, mais à part ça, le bébé et moi, nous nous portons bien. Karl... il t'est arrivé quelque chose...

— Je n'ai pas beaucoup de temps aujourd'hui, mais j'ai emprunté un appareil photo.

— Pour quoi faire ?

— Mais pour te prendre en photo ! Tu as dit que tu voulais laisser une photo de toi pour que le bébé puisse te reconnaître. Tu dois accoucher dans trois semaines, il ne faut pas traîner. Je vais le chercher dans la voiture.

— C'est interdit par le règlement. On ne peut pas photographier les mères au foyer. Mais Karl, attends… Dis-moi ce qui est arrivé pendant ton absence. Je vois bien que ça ne va pas.

— Partons faire un tour, alors. Je m'arrêterai en route pour prendre la photo.

Je crus presque qu'il avait bu, et pourtant, même si son regard était bizarre, il n'était pas embrumé par l'alcool ; même s'il hésitait avant de parler, il ne cherchait pas ses mots.

Dans la voiture, l'inquiétude me rendit silencieuse. En voyant qu'il prenait la route de la bergerie, je fus soulagée. Dans notre grange, nous arriverions à nous parler. C'était un endroit où il se sentait bien. Mais une fois là-bas, il refusa d'entrer.

— Il fait trop chaud. Allons à la rivière.

Il prit l'appareil photo sur la banquette arrière et s'engagea sur le chemin. Je le suivis. Il s'arrêta après quelques pas pour ôter sa veste d'uniforme et reprit sa marche en la laissant traîner par terre. Mon anxiété n'eut plus de bornes.

En chemin, il ne s'adressa qu'une seule fois à moi.

— Il n'y a plus un bruit nulle part…

— Que veux-tu dire ?

— À cause de la guerre, même les oiseaux sentent qu'il n'y a plus de raisons de chanter.

Je glissai la main dans la sienne, ce qui sembla l'apaiser un peu.

— Plus personne ne parle, continua-t-il. Dans ce pays, tout le monde se tait. Nous avons tous peur.

— Mais à moi, tu peux parler, intervins-je doucement.

— Oui, tu es bien la seule.

— Et Erika ?

— Elle, oui, bien sûr, mais nous évitons d'aborder les sujets difficiles. D'abord, nous devons attendre que les gens qui occupent les appartements voisins soient partis au travail parce que nous ne voulons pas risquer d'être entendus. Mais même quand ils ne sont pas là, nous préférons ne pas perturber ma mère.

— Il s'est passé quelque chose de particulier cette semaine ? Raconte-moi, tu me fais peur.

Karl secoua la tête et désigna le bout du chemin.

— La rivière est au bout, tu l'entends ? Elle, au moins, ne s'est pas arrêtée de parler.

Rapide, elle sautait sur les pierres et les racines des pins et des hêtres qui poussaient le long de ses berges. Elle chantait plus qu'elle ne parlait. Karl retira ses bottes et ses chaussettes et roula le bas de son pantalon. Il entra dans l'eau et me tendit la main. J'enlevai mes chaussures et mes bas et le rejoignis. Il grimpa sur un grand rocher plat et je m'assis un peu à l'écart de lui. J'attendais, je l'observais, pieds ballants dans l'eau claire.

Karl me regarda en souriant.

— Tu as l'air d'une adolescente. Même pas. Tu pourrais avoir douze ans.

Je m'appuyai en arrière sur un bras pour montrer mon énorme ventre.

— Je suis en avance pour mon âge, alors…

Il prit son paquet de cigarettes et en fit sortir une en tapant sur le fond. Il l'alluma, en aspira une bouffée, profondément, mais la retira aussitôt de ses lèvres pour la contempler, étonné, comme s'il ne savait pas comment elle était arrivée là. Il la jeta dans le courant bouillonnant, où elle dansa un moment avant de disparaître.

— J'ai vu des choses…

L'air profondément désespéré, il pressa les mains sur son front avec une force fiévreuse, comme s'il essayait d'écraser ses pensées. Je descendis de mon perchoir et traversai le courant pour m'asseoir près de lui. Il me laissa le prendre dans mes bras, mais, insatisfait, il déboutonna maladroitement mon corsage, arracha dans sa hâte ma combinaison pour mettre ma poitrine à nu, puis enfouit le visage entre mes seins en tremblant.

— J'ai vu des choses…

59

Je serrai Karl dans mes bras. Le courant froid du dégel tourbillonnait autour de mes chevilles, tandis que ses larmes brûlantes tombaient sur ma poitrine. Au bout d'un long moment, il se redressa et regarda la prairie parsemée de fleurs jaunes semblables à des pièces d'or. Je voulus poser un bras sur ses épaules, mais il secoua la tête et s'essuya les yeux, rassemblant ses forces pour parler.

— J'ai vu des prisonniers dans un camp. Il y en avait des centaines. Ils se ressemblaient tous : le crâne rasé, l'uniforme gris, la peau grise. On ne les distinguait pas les uns des autres. On ne pouvait même plus dire s'il s'agissait d'hommes ou de femmes. Ils étaient d'une maigreur squelettique.

Il dut attendre quelques secondes avant de continuer.

— Un caporal me faisait visiter une chaîne de montage dans une usine. Il me parlait d'une nouvelle peinture qui était à l'essai et qui devait résister à de très hautes températures. Et puis, tout à coup, il a abattu un homme.

Karl se courba en avant, bouchant ses oreilles comme pour bloquer le bruit de la détonation. J'attendis, saisie d'une angoisse épouvantable, très longtemps, il me semble.

— Il l'a à peine regardé. Il a quasiment tiré à bout portant. Il me parlait de la peinture et de la façon de l'appliquer quand il a jeté un regard au prisonnier décharné qui travaillait à côté de nous, qui l'avait sans doute contrarié. « Ce qu'ils sont pénibles », a-t-il dit. Et puis il a sorti son revolver de son étui, et…

— Tais-toi, murmurai-je.

Karl leva une main. Je vis qu'elle tremblait.

— Non, il faut que je te raconte.

Il prit une inspiration douloureuse et, cette fois, il termina d'une traite.

— Il a sorti son revolver, et sans même le regarder, il a tiré dans la tête de cet homme. Ensuite il s'est tourné vers le prisonnier qui se trouvait à côté de celui qu'il venait d'abattre. Il avait arrêté de travailler, couvert de sang, de cervelle et d'éclats d'os. Il l'a tué, lui aussi. D'une balle dans la poitrine. Et puis il a continué de me parler comme si de rien n'était. « Bien sûr, cette peinture est beaucoup plus chère que l'ancienne. » Il n'a dit que ça.

— Qu'est-ce que tu as fait ?

Je posai la question gorge serrée, presque incapable d'émettre un son, le cœur transi comme si mes côtes étaient de glace.

— Je n'ai rien fait du tout. On a poussé jusqu'à nous un chariot où s'amoncelaient des cadavres. On a hissé les deux corps sur le sommet de la pile, et on les a emmenés. Le caporal a levé la main en montrant deux doigts pour demander deux remplaçants. Je n'arrivais plus à le regarder. On a terminé la visite, puis il m'a confié au responsable de l'atelier suivant pour que je continue mon tour de l'usine.

Je pensais à Isaak. C'était lui, cet homme qui s'effondrait, mort.

— D'où venaient-ils, ces prisonniers ?

Karl ne répondit pas. Et puis je me rendis compte que je n'avais pas posé ma question à voix haute.

— Il devait y avoir une centaine de témoins. Personne n'a bronché. Maintenant je sais que tout ce qu'on entend dire est vrai. Tout est vrai.

Il avait le regard torturé. J'eus l'ébauche d'un geste pour le reprendre dans mes bras, mais je ne l'achevai pas, incapable de le toucher. Il fit un geste pour m'en empêcher, d'ailleurs, comme s'il ne s'estimait pas digne d'un réconfort que je ne parvenais pas à lui offrir. Il reprit la parole d'une voix monocorde.

— Quand je travaillais encore au chantier naval, en 1939, on entendait des rumeurs. On parlait de camps, de ce qui s'y passait peut-être. Mais c'était difficile d'obtenir des informations, et personne ne savait rien. Et puis, en 1940, j'ai été appelé et tout s'est arrêté.

— Qu'est-ce qui s'est arrêté ?

— Tout. Les rumeurs, les informations, les conversations. Nous n'avions plus que les nouvelles officielles de la guerre, la propagande. Ça m'a soulagé. On vivait beaucoup plus à l'aise avec sa conscience.

Je n'avais plus à me préoccuper de rien, sauf du bateau que je réparais, du travail du métal et du bois. Nous n'avions plus d'états d'âme. Je crois que tout le monde a réagi pareil. Tu comprends ? C'était tellement plus facile de ne rien voir.

Je ne le savais que trop. *Il n'y a pas pire aveugle que celui qui ne veut pas voir.*

— J'ai été tellement lâche ! Nous sommes tous pareils. D'épouvantables lâches.

Au comble de la souffrance, il quêtait ma compréhension. Mais je ne pouvais pas lui donner l'absolution.

— En Hollande, ça me gênait d'être dans un pays envahi, de voir la haine des gens quand je passais en uniforme. Je savais qu'ils ne nous aimaient pas, mais ça n'allait pas plus loin. Et puis il y a eu Anneke... Je me disais que si elle arrivait à dépasser l'antipathie que lui inspirait mon uniforme, moi aussi je pouvais en minimiser l'importance. Tu sais comment elle était.

Oui, je le savais. Sa joie de vivre chassait tous les nuages. C'était là que résidait son charme.

— Ensuite, quand je suis arrivé à Munich, j'ai eu mon nouveau travail et ma vie est devenue encore plus facile. Ici, je ne me suis presque jamais senti coupable.

— Karl, dis-moi ce que tu fais.

— Je construis surtout des modèles réduits de missiles avec une équipe. On nous donne des plans, et nous, nous fabriquons les maquettes en bois. Si tu nous entendais ! Nous nous vantons de travailler pour le bien de l'humanité parce que nous mettons au point des techniques qui révolutionneront les transports un jour. Mais je ne peux plus me voiler la face.

Nous participons à la construction d'armes destinées à tuer des civils par milliers. Je l'ai toujours su. J'ignorais seulement que le processus de fabrication lui-même tuait des gens.

Karl s'interrompit et me regarda pour la première fois depuis un long moment. Il vit à quel point j'étais affectée.

— Cyrla, pardon ! Isaak… Je suis désolé, j'avais oublié.

Ce fut sa compassion qui me fit le plus de mal.

— Non, non ! Il est à Westerbork, tu sais bien. Il doit encore s'y trouver. Il va bien. Et mon père est à Łódź. Ma famille est en sécurité à Łódź.

Il me serra de toutes ses forces dans ses bras. Je le laissai faire. J'en avais besoin. Nous restâmes un long moment accrochés l'un à l'autre sur notre rocher dur au milieu de l'eau froide et tumultueuse.

Quand il me relâcha, il avait le visage ravagé par l'angoisse.

— Je ne sais pas quoi faire. Si jamais je parle, je serai fusillé. Mais nous offensons Dieu, Cyrla. Dieu est en colère. À quoi bon rester en vie ?

— Tu ne seras pas fusillé. Tu as trop de valeur à leurs yeux.

— Ne crois pas ça. Ils aiment tuer pour l'exemple. On me fusillera sans hésitation pour en mater des centaines d'autres. Je ne pense plus qu'à une seule chose : il faut que je refuse de servir mon pays. Au moins, j'aurai la conscience tranquille. Mais même si j'en avais le courage, je ne suis pas seul. J'ai trop peur des représailles contre Erika, la petite et ma mère. Si je protestais, si je désertais, on les enverrait dans un camp, ou pire.

Il devina la crainte qui s'éveillait en moi.

— Non, n'aie pas peur. J'ai donné ma parole à Erika, et je te la donne à toi aussi.

— Au foyer, j'ai rencontré une femme très intéressante…

Je lui racontai le compromis qu'avait trouvé Ilse pour continuer à vivre en se regardant en face.

— Est-ce qu'elle croit réparer quoi que ce soit ? Est-ce qu'elle arrive à dormir ?

— C'est le mieux qu'elle puisse faire.

Karl se pencha pour plonger la main dans la rivière, et laissa l'eau filer entre ses doigts.

— Elle se berce d'illusions. Comme si ça changeait quoi que ce soit ! Je voudrais bien me mentir, moi aussi, mais je n'y arrive pas. La nuit, on ne peut plus se raconter d'histoires.

Je repensai à Ilse qui avait couru dehors sans cacher ses sentiments quand on avait emmené Solvig, et je compris que pour elle aussi, c'était terrible. Elle ne se faisait plus aucune illusion, et elle avait cessé de se soucier de sa sécurité.

— Karl…, commençai-je en l'obligeant à me faire face. Karl, il faut me promettre…

Mais je ne savais pas trop quoi lui demander.

— Ce que tu fais, ta proposition de sauver mon enfant… c'est vraiment bien, tu sais.

Il échappa à mon regard, il ne me croyait pas. Il avait les yeux dans le vague, posés sur la clairière.

— C'est moi qui suis lâche, Karl. Je vais repartir me mettre à l'abri en Hollande en abandonnant mon enfant.

— Non, au contraire, il faut beaucoup de courage pour faire ce choix.

Je sortis les pieds de l'eau et repliai les jambes sous moi. C'était à mon tour de ne plus supporter de me voir à travers ses yeux.

— Je ne sais pas... Et si ça se transmettait de génération en génération, cette manie de se débarrasser des enfants ?

Je lui dressai alors la liste de tous les gens qui m'avaient chassée pour mon bien : ma mère, quand elle avait su qu'elle allait mourir... : « Va à l'école, allez, tu vas être en retard. » Mon père, ensuite, ma tante, mon oncle. Anneke et Isaak. Tous ceux que j'avais aimés.

— Et cela remonte à plus loin encore, des deux côtés de ma famille.

Je lui parlai de ma grand-mère qui avait renié ma mère parce qu'elle avait épousé mon père et qui s'était conduite comme si je n'existais pas.

— Et la famille de mon père, aussi. Ils étaient polis avec moi, mais je n'étais pas née d'une femme juive. Je ne faisais pas partie de leur clan.

Un souvenir me revint. Mes grands-parents paternels avaient vécu sur le chemin de l'école. En passant, je les imaginais derrière leurs rideaux, qui me guettaient, méprisants et aigris parce que mon père avait mal choisi sa femme.

Je posai la tête sur l'épaule de Karl, et il passa le bras autour de ma taille ronde.

— Je voudrais tellement que ça change. Je veux donner à mon enfant une grande famille. Je veux qu'il soit accueilli. Je voudrais qu'il n'ait jamais peur d'être abandonné. Et moi, je ne suis même pas capable de lui laisser sa mère.

— Tu pourrais rester avec lui. Épouse-moi. Je te protégerai.

Non… Il me fallut une éternité pour prononcer ce mot, lourd comme une enclume. Mais je finis par me l'extirper de la gorge. *Parce que je te mettrais en danger. Parce que je ne supporterais pas qu'on te défonce le crâne à coups de crosse de fusil. Je ne veux pas voir Erika le visage ensanglanté par ma faute. Ni le corps de ta mère tiré sur le sol et jeté à l'arrière d'une camionnette.*

— Non, c'est impossible… Ne me demande pas pourquoi. Occupe-toi seulement de lui. Donne-lui une famille jusqu'à ce que je puisse le reprendre.

Karl poussa un soupir, puis m'embrassa le haut du crâne.

— D'accord. Mais nous ne le garderons pas longtemps. C'est toi qui lui donneras une famille et qui l'élèveras.

Je voulus imaginer notre réunion. Il ne s'agirait pas seulement de s'occuper de lui, mais aussi de décider quel type d'éducation lui donner.

Karl avait dû deviner.

— Est-ce que tu l'élèveras dans la tradition juive ?

— Oui. Si c'est possible. J'aimerais lui apprendre les rites. Ça ne serait que justice.

— Pour compenser ce qui se passe ?

— Oui. Je me suis cachée et j'ai menti trop longtemps. Et puis aussi… Il y a Isaak. Lui aussi voudra élever son enfant.

Karl ôta son bras de ma taille. Il alluma une cigarette et se pencha sur l'eau.

— Tu as raison, dit-il au bout d'un moment. Isaak a son mot à dire, bien entendu.

La fumée masquait son expression.

— Je crois que nous avons assez parlé de tout ça, ajouta-t-il.

Il descendit du rocher et me tendit la main.

— Je vais te photographier, maintenant. Nous garderons un souvenir de cette journée.

Moi aussi, j'avais envie de penser à autre chose. Karl me prit en photo au bord de la rivière, assise dans la prairie, puis debout près d'un arbre. Il semblait se sentir un peu mieux, mais son visage restait marqué par le choc qu'il avait éprouvé. Peut-être que cela ne passerait jamais.

— Karl, je croyais que tu n'avais pas beaucoup de temps aujourd'hui, remarquai-je au bout d'un moment.

Il regarda sa montre.

— En effet, j'aurais déjà dû rentrer il y a une heure.

— Partons, alors.

— Non, ça m'est égal. C'est peut-être la solution. Un retard, c'est sans doute l'infraction parfaite : pas assez grave pour se faire pendre, mais suffisante pour se faire jeter en prison jusqu'à la fin de la guerre.

— Ce n'est pas drôle. Viens, il faut rentrer.

— Je ne suis pas pressé.

Il rangea son appareil photo, et nous prîmes lentement le chemin du retour en nous arrêtant plusieurs fois pour regarder un terrier de renard, pour examiner des pêchers dont son ami lui avait parlé, et pour écouter les merles. Pour nous embrasser aussi. Il semblait vouloir tout faire pour oublier notre conversation.

— Tu ne voudrais pas me réciter un de tes poèmes ? me demanda-t-il alors que nous longions la bergerie pour regagner la voiture.

J'en aurais eu très envie, mais l'endroit, et le moment, n'étaient pas bien choisis.

— Pas aujourd'hui, répondis-je après un silence.

— Très bien, mais dis-moi au moins comment tu les écris.

Cela demandait réflexion. Je ne m'étais jamais vraiment posé la question.

— Parfois, le premier vers me vient à l'esprit. C'est presque effrayant et tellement bizarre que j'ai besoin de l'écrire pour maîtriser ce qui arrive. J'ai l'impression que quelque chose s'échappe de moi. Poser ma pensée sur le papier, c'est l'enfermer dans un espace clos, la contenir. Tu dois croire que je suis folle.

— Au contraire. C'est tout à fait naturel de vouloir maîtriser les choses.

Il récupéra sa veste d'uniforme qu'il avait abandonnée au bord du chemin, et la jeta sur son épaule sans même la dépoussiérer. Cette désinvolture m'alarma. En arrivant à la voiture, alors que nous allions bientôt nous séparer, je compris encore autre chose. J'étais amoureuse de lui. J'eus encore plus peur.

Avant de monter en voiture, nous nous jetâmes dans les bras l'un de l'autre. Quand il me relâcha, je craignis qu'il ne m'annonce que ce serait notre dernière promenade. Je redoutais d'être encore abandonnée. Mais il me surprit.

— Je déteste cette expression que tu as parfois.

— Quelle expression ?

— Celle que tu as quand nous nous embrassons, quand tu sors de mes bras. Comme si tu regrettais, que tu te sentais coupable.

Je lui caressai la joue.

— C'est plus fort que moi. C'est parce que j'ai l'impression de voler quelque chose à Anneke.

— Me voler moi ? Mais tu ne peux pas voler quelque chose qui n'a jamais été à elle.

— Elle voulait se marier avec toi. C'est pour ça que je me sens coupable. Si elle était encore en vie, nous ne serions pas là. Et puis elle ne m'aurait jamais trahie.

— C'est-à-dire ?

— Si elle avait vécu, elle n'aurait jamais eu d'aventure avec Isaak, par exemple, même si Isaak et moi nous n'avions pas eu de liaison.

Une expression fugitive passa sur le visage de Karl. Il tenta de la camoufler, mais je reconnus une sorte de surprise inquiète, comme s'il avait quelque chose à cacher.

— Quoi ? Qu'est-ce qu'il y a ?

— Rien, il est temps de rentrer.

Soudain, je compris.

— Anneke a eu une aventure avec Isaak ?

Je dus m'appuyer à la voiture. Je résistai à cette hypothèse de toutes mes forces, et pourtant c'était tout à fait vraisemblable. Cela expliquait bien des choses.

— Karl, regarde-moi. Anneke a-t-elle eu une aventure avec Isaak ?

Son silence confirma mes craintes. Je dus insister.

— Comment l'as-tu appris ?

— Elle me l'a dit. Quand c'est arrivé, elle a voulu te l'annoncer parce que vous étiez tellement proches qu'elle pensait que tu serais heureuse pour elle. Elle a commencé à parler d'Isaak, mais une de tes réflexions lui a fait comprendre que tu t'étais amourachée de lui.

— Comment ça, « amourachée » ?

— Tu ne devais avoir que seize ans. Ils étaient très jeunes, eux aussi. Elle m'a dit que ça n'avait pas été important pour elle, et qu'elle l'avait vite quitté.

Mais pour Isaak, cela avait dû beaucoup compter.

— Cyrla…

J'étais sous le choc, mais au fond, j'avais l'impression de l'avoir toujours su. Ne sachant comment l'exprimer, je joignis les mains comme Karl l'avait fait un jour, et je croisai les doigts.

— Les pièces s'emboîtent ? demanda-t-il.

Je hochai la tête. Il y avait une sorte de symétrie dans la chaîne des événements, douloureuse mais qui avait sa logique.

— Anneke t'aimait profondément, Cyrla. Elle s'est toujours sentie très coupable.

Le désir de la voir m'étreignit le cœur. J'aurais voulu lui dire que ce n'était pas grave. Qu'elle ne m'avait rien pris. Ma passion pour Isaak était une passion d'adolescente, c'était vrai. Il m'avait rappelé mon père, et j'avais pris ma nostalgie pour de l'amour. Ma gorge était si serrée que je dus faire signe à Karl pour lui indiquer que je ne pouvais pas parler, puis je montai en voiture. J'avais envie de rentrer et de me retrouver seule un moment.

Quand il s'arrêta devant le foyer, il posa sa main sur la mienne.

— Ne sois pas triste.

— Je ne suis pas triste, mais je n'ai pas envie de parler de tout ça. La prochaine fois, peut-être.

— Tu sais, les conditions ont changé. Il est possible que je ne puisse pas revenir.

Ressentant ma terreur, il pressa ma main.

— Ne t'en fais pas. Quoi qu'il arrive, je serai là pour la naissance. Tout ira bien.

Je n'avais plus envie de quitter la voiture. J'en étais même incapable.

— J'ai peur, Karl. J'ai peur pour toi, maintenant, j'ai peur pour le bébé…

— Je te promets de ne rien faire de dangereux. Et toi, il ne faut pas t'inquiéter.

— Comment veux-tu que je fasse !

— Tu es courageuse, je te connais.

Mais je ne me sentais pas du tout courageuse. Je n'avais même pas la force de lui avouer la vraie cause de mes craintes. Et comment pouvait-il me connaître alors que je ne me connaissais même plus moi-même ? Qu'était devenue la jeune fille qui jurait que l'amour ne devait obéir à aucune loi ? Qui avait traité Isaak de lâche parce qu'il n'osait pas ouvrir son cœur ? Qui avait affirmé à son oncle que l'amour ne pouvait jamais être coupable ?

J'avais bien une méthode pour m'aider à surmonter ma peur, mais je n'en avais plus besoin.

— Karl, dis-je sans trembler, je t'aime.

60

Le 1er juin, je m'éveillai tard. Eva était déjà descendue prendre le petit-déjeuner. Je me levai aussitôt, fébrile, prise d'une envie impérieuse de me préparer, de faire le ménage, ma valise. Je la sortis de sous mon lit et ouvris en grand les portes de la penderie. Je ne voulais plus de mes vieux vêtements de maternité, d'ailleurs Erika ne souhaitait pas que je lui rende les siens, mais il me faudrait de quoi m'habiller après l'accouchement. Je ressortis les affaires d'Anneke que ma tante avait choisies pour moi, il y avait si longtemps. J'examinai le pantalon gris perle. Même sans les pinces, la taille semblait d'une étroitesse incroyable. L'idée de remettre des vêtements normaux me remplit de joie. Je jetai tous les vêtements d'Anneke sur le lit à côté de ma valise, puis j'inspectai la commode. Dans le dernier tiroir, je retrouvai quelques affaires qui pourraient m'aller. Je pouvais attendre la dernière minute pour empaqueter ce qu'il y avait sur le dessus… mais que faire de la pochette en velours ? Je ne voulais pas courir le risque qu'on la trouve pendant que je serais en train d'accoucher.

Je m'allongeai par terre lourdement et tendis le bras pour tâtonner sous l'armoire. Mon gros ventre ne me rendait pas la tâche facile. Quand j'eus trouvé ce que je cherchais, j'arrachai le papier collant, jetai la pochette sur le lit avec mes vêtements, et me relevai péniblement. J'eus alors une pensée soudaine pour la layette : Erika m'avait fait parvenir quelques affaires à ajouter à celles que j'avais déjà. Il fallait que je les lave. J'avais envie de sentir sous mes doigts la douceur des vêtements qui toucheraient bientôt la peau de mon bébé. Ce n'était pas un de mes jours de lessive, mais je décidai de m'en occuper malgré tout après le petit-déjeuner.

Le petit-déjeuner ! Je m'habillai en hâte, pris la layette et descendis. Le réfectoire sentait bon le lilas et vibrait des conversations assourdies des filles au ventre rond. Je saluai Eva qui remontait, mangeai du pain et du miel, parlai à ma voisine de table, sans vraiment me rendre compte de ce que je faisais. J'avais tellement de sujets de préoccupation… Il ne faudrait pas oublier les livres de Neve ni les miens. Je chercherais son adresse. Mais avant tout, je voulais avertir Ilse. Il était inconcevable pour moi d'accoucher avec une autre infirmière. Ne l'ayant pas vue depuis plusieurs jours, je craignais qu'elle ne fût absente. Je décidai d'aller me renseigner chez la surveillante après avoir fait ma lessive.

Dans la lingerie, je lavai la layette avec le savon spécial très doux réservé aux vêtements des nouveau-nés. Je pris un plaisir intense à manipuler les petites manches, les minuscules encolures, les fermetures miniatures, les ourlets brodés. Je compris que je faisais mon nid. *Énergie soudaine, besoin de se préparer, de nettoyer*. Je mis les petits vêtements à sécher et retournai dans ma chambre, m'émerveillant de ce miracle : la naissance s'annonçait.

J'ouvris la porte un sourire aux lèvres. J'allais quitter cette chambre, j'allais enfin voir le visage de mon enfant !

Ce fut ma dernière pensée heureuse.

Sur le lit, à côté du fouillis de vêtements que je voulais plier dans ma valise, je vis la pochette de velours bleu. Elle était vide.

Je me figeai, la fixant sans comprendre. Et puis je me précipitai pour la prendre, la tournai en tous sens, à l'endroit, à l'envers, puis je fouillai comme une démente dans les vêtements, refusant d'admettre l'évidence. Je courus à la porte pour la fermer. Puis je l'ouvris de nouveau. Il n'y avait personne dans le couloir, tunnel interminable au bout duquel, à une distance quasiment infranchissable, il y avait le téléphone.

Je m'obligeai à sortir, et pas à pas, sans même sentir le sol sous mes pieds, j'avançai vers lui comme une somnambule. Ma main tremblait si fort que je fis tomber le combiné. Le bruit résonna dans le couloir alors même que je me rendais compte que je n'avais pas le numéro de Karl. Je repris mes esprits. Karl et Ilse. J'avais des alliés. Je pouvais leur faire confiance.

Je retournai dans ma chambre tâchant de me nourrir de l'idée que je n'étais pas seule. Je pris le numéro de Karl, puis je retournai au téléphone. En chemin, je croisai Inge et sa compagne de chambre. Elles me saluèrent et Inge posa la main sur ses reins avec un gémissement théâtral. Elle ne savait rien. Pas encore.

Je fis le numéro, et il me sembla attendre une éternité avant que quelqu'un décroche. Ce n'était pas Karl, mais on alla le chercher.

J'entendis sa voix.

— Viens me chercher, vite ! soufflai-je. Ils savent tout !

— Cyrla ?

— Viens, viens vite !

Je raccrochai brutalement. Même lestée par mon énorme ventre, je parvins à descendre l'escalier à toute allure et je courus à l'aile de la maternité. Au bureau, il y avait une infirmière que je ne connaissais pas. Je demandai à voir Ilse.

— Elle n'est pas là.

— Où est-elle ?

— Elle est partie. Vous vouliez quelque chose ?

Une douleur lancinante me fit porter la main à mon front.

L'infirmière me contemplait par-dessus ses lunettes.

— Qu'est-ce qui vous arrive ?

Je tâchai de respirer, et redescendis le bras. Il ne fallait surtout pas céder à la panique.

— Rien, je voulais seulement lui demander quelque chose. Pouvez-vous me dire où je peux la trouver ?

L'infirmière abandonna ses papiers et recula sa chaise pour mieux me dévisager. Elle croisa les bras, et j'eus l'impression que la croix d'honneur de la mère allemande fixée à son revers, frappée de la croix gammée en son milieu, dardait sur moi un œil suspicieux.

— Ilse a été remerciée. Vous ne voulez pas me dire pourquoi vous la cherchez ?

— Elle me donnait de la tisane... Elle avait de la tisane, marmonnai-je en reculant.

— Attendez !

Je tournai les talons.

— Revenez ! cria-t-elle en se levant avec un grincement de chaise. Comment vous appelez-vous ?

J'étais arrivée à la porte, mais je pris le temps de me tourner vers elle.

— Eva De Groot, chambre 12B.

Je ne savais plus quoi faire. Je retournai à la lingerie, espérant pouvoir m'y réfugier quelques minutes pour réfléchir.

C'est alors que le destin me sourit.

Une élève infirmière me tournait le dos, penchée sur la machine à laver ouverte dont elle sortait des vêtements. C'était celle que j'avais surprise en train de regarder Eva dormir et que j'avais fait fuir. Elle était enceinte. Le tablier attaché autour de sa taille soulignait la rondeur de son ventre. Par habitude, j'évaluai l'avancée de sa grossesse. Cinq ou six mois, pas plus. Était-ce arrivé lors de la fête de Noël ? Cela avait dû être encore plus horrible de se donner à des hommes bruyants et brutaux pour une fille qui préférait la douceur féminine. Ou peut-être, au contraire, avait-elle trouvé cela plus facile.

Les bras chargés de linge mouillé, elle se tourna et me vit. Elle laissa tout tomber par terre de saisissement.

Je me tins bien droite pour l'impressionner et lui ordonnai froidement :

— Donnez-moi votre calot.

Elle jeta un coup d'œil éperdu vers la porte. Je fis un pas pour lui barrer le passage. Elle voulut parler mais je ne lui en laissai pas le temps, tendant la main avec un regard dur.

Elle hésita, puis elle retira les épingles à cheveux qui retenaient son calot d'infirmière et me le donna.

— Le tablier aussi.

Je revêtis son uniforme sans la quitter des yeux pour l'intimider.

— Je quitte le foyer. Ne donnez pas l'alarme, cela vaudra beaucoup mieux pour vous. Vous serez plus tranquille quand je serai loin.

Cette mise au point faite, j'attrapai un panier à linge et sortis de la lingerie. Je pris le couloir jusqu'à la porte des livraisons et je sortis. Dans l'allée, je dus marcher à découvert jusqu'à la grille de service où un homme montait la garde, face à la rue.

Il se tourna vers moi en entendant mes pas. Je fis un signe de tête et une grimace comme pour dire :

Regardez ce qu'on m'oblige à faire, dans mon état. Je lui souris de toutes mes dents... avec une témérité de désespérée.

Il me rendit mon sourire, leva la main, moitié bonjour, moitié salut hitlérien, sans me porter grande attention. *Les gens voient ce qu'ils s'attendent à voir. Il n'y a qu'à jouer la comédie.*

Je passai devant lui pour sortir, si près que j'eus peur qu'il voie la sueur couler dans mon cou.

Une fois dans la rue, je m'éloignai de la grille principale. Ce long trajet sous les yeux du garde fut épouvantable. La lumière m'éblouissait, mes jambes tremblaient, j'avais l'impression que le sang ne circulait plus dans mes veines et que j'allais m'évanouir. À chaque pas, je redoutais de sentir une main s'abattre sur mon épaule. Malgré mon envie de courir, je m'obligeai à marcher calmement, et même d'un pas ferme. Le trottoir longeait le parc. Il y avait au moins trois cents mètres de la grille à la route dans laquelle je pourrais tourner. J'y arrivai enfin, et dès que je fus hors de vue, je lâchai mon panier et m'adossai au tronc d'un orme, tremblant de tous mes membres.

Un vrombissement de moteur s'éleva. Je crus reconnaître le ronflement d'un Kübelwagen. Je traversai en hâte pour me cacher dans la haie de troènes. Elle était si dense que les branches m'arrachèrent la peau des bras, des jambes et du cou, mais je parvins à m'y ménager une place, heureusement soutenue par la pression de la végétation sans laquelle je me serais sûrement effondrée. Le Kübelwagen passa avec quatre soldats à son bord, sans tourner vers le foyer.

Je m'enfonçai encore plus profondément dans la haie. Bien sûr, je n'avais aucune chance d'en réchapper à moins que Karl n'arrive avant que les recherches soient lancées. Il viendrait. Il avait reçu mon appel et il ne m'abandonnerait pas.

En brisant quelques branches, je finis d'agrandir la cache qui me permettrait de l'attendre en surveillant la route. Il lui fallait quarante minutes pour venir ; s'il était parti immédiatement après mon coup de fil, il serait bientôt là. Il fallait qu'il arrive avant les chiens.

Un camion passa. Puis deux voitures, mais des voitures civiles. Je continuai mon guet, tendue, les jambes lourdes. Il n'y eut plus de circulation pendant un long moment, puis le laitier apparut avec sa charrette, les gros bidons de fer-blanc brinquebalant à chaque tour de roues. Lentement, je parvins à m'accroupir non sans m'égratigner. Puis j'entendis le ronronnement puissant d'une Mercedes. C'était une voiture sombre et élégante, mais de loin, à travers les branches, je ne pouvais distinguer aucun détail. Je me risquai à avancer la tête. Elle était bicolore, gris clair et gris foncé, et non pas noire comme celle dont se servait Karl. Elle passa en vrombissant, puis il y eut un autre Kübelwagen qui freina au carrefour, ce qui indiquait qu'il allait sans doute tourner dans la rue du foyer.

J'entendis de nouveau le ronronnement régulier et doux d'une Mercedes. Je regardai à travers les branches. Elle était très sombre, assez sombre pour être noire. Il fallut qu'elle approche encore pour que je voie bien la grille du radiateur qui formait une sorte de sourire en coin. Je jaillis de ma cachette.

C'était Karl.

61

— Vite, repars !

Il appuya sur l'accélérateur.

— Que s'est-il passé ?

— Vite, plus vite !

Je me couchai sur le côté, la tête pratiquement sur ses genoux, pour disparaître sous le pare-brise. La peur de mes poursuivants me chauffait le cou comme une haleine de loup.

— Plus vite !

Il roulait beaucoup trop lentement à mon goût. Soudain, je sentis qu'il freinait. Je redressai la tête. Nous prenions l'embranchement qui menait à la bergerie.

— Non, continue, il ne faut pas nous arrêter !

— Regarde derrière nous, tu vois bien que personne ne nous suit.

— Mais…

— Cyrla, voyons, tu es enceinte de neuf mois, il faut bien que nous prenions le temps de réfléchir.

Il se gara derrière la grange.

— Tu es toute griffée, que s'est-il passé ?

Il sortit son mouchoir pour essuyer des gouttes de sang sur mon visage, mais je ne le laissai pas me toucher. Je descendis de voiture et courus me cacher dans la grange. Je l'obligeai non seulement à fermer la porte mais aussi à pousser le verrou. Et puis je la lui fis rouvrir pour me permettre de guetter d'éventuels poursuivants.

— Cyrla, essaie de te calmer. Est-ce que tu as parlé de la bergerie à quelqu'un ?

— Non, mais…

— Moi non plus. Nous sommes en sécurité. Assieds-toi et dis-moi ce qui est arrivé.

Il me conduisit à des sacs de grain qu'il avait remplis de paille voilà longtemps pour nous fabriquer des sièges, m'obligea à m'asseoir et me prit dans ses bras. Je lui racontai ce qui s'était passé, et il m'écouta, se contentant de poser des questions, me serrant plus fort contre lui. Je ne quittais pas la porte des yeux.

— Laisse-toi faire, maintenant, dit-il en ressortant son mouchoir.

Il me nettoya doucement le visage, comme si mes égratignures étaient notre seule source d'inquiétude et que nous eussions tout le temps du monde. Il me demanda de pencher la tête en arrière pour me tamponner le cou.

Je retins sa main.

— Karl, que faut-il que je fasse ?

— Je ne sais pas, laisse-moi réfléchir. Pour l'instant, tu vas rester ici et te reposer. Je vais retourner voir ce que je peux découvrir.

— Non, ne pars pas !

— Il le faut. Ici, tu ne risques rien. Tu n'auras qu'à aller boire à la rivière.

— Mais quand vas-tu revenir ?

— Il faut que j'assiste à une réception, ce soir. Ma présence est obligatoire parce que je dois rencontrer des gens. On remarquerait mon absence. Après, ils boiront et joueront aux cartes, et personne ne s'occupera plus de moi.

— Le temps va me sembler long.

— Personne ne viendra te chercher ici. Essaie de dormir. Je vais trouver une stratégie.

Il voulut se lever, mais je l'en empêchai.

— Karl, il faut que je me sauve, maintenant qu'Eva a découvert la vérité.

— Oui, bien sûr, mais pas en plein jour. Je serai de retour vers huit heures ce soir. Va prendre de l'eau à la rivière. Il y a peut-être déjà des fraises des bois. Tu te souviens où nous en avons vu ? Je dois partir.

Il m'embrassa deux fois puis me laissa.

Quand je me retrouvai seule, un calme étrange m'envahit. Environ toutes les heures, je me rendais à la rivière pour boire, et je ramassais quelques minuscules fraises des bois que je mangeais. Je passai le reste du temps couchée sur la paille de la grange à me remémorer les heures heureuses que nous y avions partagées. Je me sentais chez moi ici plus que nulle part ailleurs. Et pourtant, je ne reviendrais plus jamais. J'arrachai une touffe de laine de mouton accrochée à un poteau et aspirai l'odeur de suint. Je songeai que je ne pourrais plus jamais porter de pull sans penser à Karl. Au-dessus de moi, libres et gracieuses, des hirondelles voletaient dans la charpente où elles avaient fait leurs nids, délogeant des particules de poussière qui tournoyaient dans l'air.

Le bébé me rappela brutalement sa présence. Je soulevai mon corsage et suivis l'ondulation de son mouvement. Il était impatient. Un pied apparut en haut de mon ventre, bien visible, appuyé contre ma peau avec les cinq orteils clairement définis, pas plus grands que des grains de café. Puis l'empreinte disparut, et il se calma. Je m'endormis. Des cris me réveillèrent, et il me fallut plusieurs secondes avant de comprendre que c'était moi qui les avais poussés. Je ne me rallongeai pas, préférant rester assise, bras croisés sur mon ventre, à regarder le ciel s'assombrir sur les montagnes.

Karl revint enfin. Il m'apportait une miche de pain et des pêches au sirop.

— Je suis désolé, c'est tout ce que j'ai pu trouver à l'intendance.

Pendant que je me restaurai, il me fit part de ce qu'il avait appris. Je l'écoutai, calme à présent, comme s'il s'agissait de quelqu'un d'autre.

— La Gestapo est venue m'interroger cet après-midi. On m'a demandé si je savais que tu étais juive et que tu t'étais sauvée. J'ai affirmé que non, et j'ai joué l'homme trahi, horrifié. On m'a surveillé toute la journée.

— Personne ne sait que je t'ai appelé ?

— J'ai pris mes précautions. J'ai demandé à la secrétaire de ne pas me passer ma sœur si elle rappelait, et de lui dire que j'étais trop occupé pour répondre au téléphone.

Je posai la conserve de pêches.

— Et maintenant, je fais quoi ?

— Tu vas rentrer en Hollande. Je vais t'accompagner à la frontière.

Je me jetai dans ses bras. Il me serra fort contre lui pendant que des tremblements de soulagement me parcouraient.

— Et toi ?

— Je dirai que je suis parti à ta recherche. Je continuerai mon rôle d'amant trompé, fou de rage. J'ai tout prévu.

— Mais…

— Ne te préoccupe pas de moi, pense à toi.

Il me passa la Thermos de thé. Je bus une gorgée, puis je la lui rendis.

— Il ne faut pas que je boive trop, autrement, nous serons obligés de nous arrêter toutes les vingt minutes. Le bébé est tellement gros maintenant…

— Tu te sens capable de marcher ? Tu auras un petit trajet à parcourir.

Je hochai la tête. Je n'avais pas le choix.

— Est-ce qu'on me recherche ?

— Pas activement. Ils comptent t'attraper à la frontière. Il est tout de même préférable de ne partir qu'à la nuit tombée.

— Tu as une idée de l'endroit où je vais pouvoir la franchir ?

Il hésita.

— Oui, je crois. Je t'expliquerai le moment venu.

— Tu penses pouvoir m'approcher beaucoup de la Hollande ?

— Le plus possible. Ne t'en fais pas pour l'instant.

Il jeta un coup d'œil au ciel. À l'ouest, les nuages se teintaient d'or.

— Il va faire nuit d'ici une demi-heure. Viens Cyrla, allongeons-nous un peu. Ce sera la dernière fois…

Je le fis taire en posant un doigt sur ses lèvres.

— Ne dis pas ça…

Nous nous allongeâmes sur notre lit de paille dans les bras l'un de l'autre. Nos gestes étaient lents, comme si nous cherchions à apprendre par cœur nos corps à travers nos caresses, nos lèvres à travers nos baisers. Comme si nous avions tout le temps du monde. Comme si nous ne devions plus jamais nous revoir.

Nous restâmes couchés jusqu'au dernier moment, volant les ultimes secondes, en silence et sans bouger, à regarder le ciel qui, indifférent, après avoir viré au rouge, tourna au violet foncé. Karl se redressa. Il me toucha la joue, laissa courir les doigts jusqu'à mon cou, longer ma clavicule, mon épaule, puis descendre lentement le long de mon bras jusqu'à ma main. Il pressa sa paume contre la mienne puis rompit le contact en disant :

— Il est temps de partir.

Il se leva et m'aida à me lever, puis il mit la main dans sa poche et en tira un petit paquet rond enveloppé dans du papier de soie.

— Attends… Je voulais te donner ça le jour de la naissance.

À l'intérieur, je trouvai une fleur de tournesol en bois sculpté, les graines et les pétales incurvés finement ciselés.

— Tourne-la.

Les deux côtés étaient identiques et me feraient toujours face.

Nous prîmes la route dans la nuit. Nous évitâmes les barrages de contrôle en passant par les petites routes, à travers des villages aussi noirs que le cœur des forêts. J'avais l'impression que nous filions dans un tunnel. Une demi-lune se leva, jetant sur le paysage une faible lueur argentée. Nous arrivâmes devant le Rhin, fil scintillant qui me montrait le chemin de la Hollande. Nous n'avions plus qu'à le suivre, et puis…

Karl m'expliqua un peu comment se passerait la dernière partie du voyage, et où je traverserais la frontière.

— Nous couperons à travers bois à Brüggen. La forêt est épaisse à cet endroit. Tu te retrouveras dans une petite localité au sud de Nimègue, Beesel. Tu connais ?

— Non.

— Il y a surtout des fermes. Il faudra essayer d'en trouver une où te cacher quelques jours avant d'aller chez Leona. Voyons ce que tu pourrais dire pour expliquer pourquoi tu es à pied, sans papiers, sans bagages et sans argent. Si je te donnais des *Reichsmarks*, ça risquerait d'éveiller les soupçons.

— Je n'ai qu'à raconter que ma maison a été bombardée. C'est l'explication que je comptais donner en avril.

— Un bombardement, oui, très bien, surtout avec tes égratignures. On ne pourra pas vérifier ton histoire avant un ou deux jours.

— Où cela aurait-il pu arriver ?

— À Nimègue, peut-être. Tu serais montée dans un train là-bas. On te demandera ce qui est arrivé à ta famille. On s'attendra à ce que tu contactes tes proches. Il faudra prétendre que tu es seule au monde.

— Je suis seule au monde, répétai-je.

— Et ton mari…

— Je suis mariée ?

— Veuve. Il était soldat et il a été tué voilà plusieurs mois.

— Tu te débarrasses bien vite de mon mari.

— Il était très courageux, concéda-t-il avec un haussement d'épaules.

— Oui, il était très courageux.
— Mais tu ne l'aimais pas.
— Mais je ne l'aimais pas... Attends, qu'est-ce que tu racontes ?
— Tu ne pouvais pas l'aimer parce que tu étais amoureuse depuis toujours d'un charpentier naval allemand. Un très bel homme.
— Ah oui ? Vraiment ?
— Oui. Ne ris pas, c'est très sérieux. Très romantique. Tu l'as rencontré dans une boulangerie. Tu as eu le coup de foudre. Tu as eu l'impression qu'un halo de lumière se formait autour de lui, qui le désignait comme un être à part.
— L'amour, alors...
— Oui, ou plutôt la passion. Tu as dû te retenir d'arracher tes vêtements et de te jeter sur lui.
— Bizarre... Je ne me souviens pas bien de ce moment.
Karl hocha la tête d'un air sagace.
— C'est normal, ce souvenir doit te gêner.
— Sans aucun doute !
Cela me faisait du bien de rire. La réalité était trop terrible. Je regardai Karl, si beau, si cher à mon cœur.
— Je t'aime, lui dis-je.
— Moi aussi, je t'aime.

Pendant les quelques heures suivantes, nous n'abordâmes aucun sujet douloureux ou sensible. Nous nous racontâmes des souvenirs d'enfance, seulement les bons, comme si ces histoires étaient un molleton qui nous protégeait. Je demandai à Karl de me donner plus de détails sur les voyages qu'il faisait avec Erika en Italie, quant à moi je lui parlai de vacances que j'avais prises avec mes parents un an avant la maladie de ma mère.

Les heures filaient avec nous dans la nuit. Malgré ma hâte d'arriver, elles passaient trop vite.

Vers trois heures et demie du matin, Karl s'arrêta au bord d'un champ. Le paysage plat qui s'étendait devant moi sous la lune me semblait accueillant, familier. Au bout du champ, il y avait un bois de conifères.

— Karl, regarde.

Des glaçons pendaient des branches. Bien sûr, par une nuit aussi douce, cela ne pouvait pas être de la vraie glace. On aurait cru que la forêt avait été décorée pour Noël avec un million de guirlandes argentées qui scintillaient sous la lune. Je descendis de voiture pour mieux voir, éberluée.

— Des cheveux d'ange ? demandai-je sans trop y croire à Karl qui m'avait rejointe. *Eis-Lametta ?*

— Non, c'est du papier d'aluminium. On en largue par avion pour brouiller les ondes radio.

— Il va y avoir des bombardements, alors.

— Oui.

— Nous sommes proches de la frontière ?

Karl désigna le bois. L'angoisse me prit. Je ne me sentais pas prête. Je ne me sentirais jamais prête.

— C'est ici que je dois traverser ? Ça y est, on se quitte ?

— Non, pas encore. Remonte en voiture.

Je m'approchai de ma portière, soulagée.

— Non, à l'arrière !

Sa voix avait changé. Je me tournai vers lui, étonnée, mais son regard aussi avait changé.

— Monte à l'arrière et couche-toi sur la banquette.

— Mais…

— Vite. Fais-moi confiance.

Je me cachai à l'arrière comme il le demandait. Karl ouvrit le coffre et en sortit une couverture qu'il jeta sur moi, puis il reprit sa place au volant, démarra et repartit.

J'écartai la couverture… notre couverture. Elle sentait bon le foin, l'odeur rassurante de notre nid, et pourtant le danger était immense à présent. Il m'avait demandé de lui faire confiance, mais j'avais beau ne pas mettre ses bonnes intentions en doute, je voyais que les muscles de son cou étaient tendus comme des cordes. Il conduisait vite. Nous dépassâmes un panneau qui indiquait Brüggen, puis un autre annonçant le poste frontière.

— Karl, arrête-toi. Les lumières, là-bas, c'est la frontière.

— Couche-toi !

Il ne s'arrêta pas, mais au contraire accéléra, roulant pied au plancher. Je voulus me redresser, mais il devina mon intention car il jeta le bras en arrière pour me plaquer contre la banquette.

— Ne te relève pas !

Cela ne l'empêcha pas de prendre encore de la vitesse. Des lumières éblouissantes passèrent sur nous, et j'entendis un bruit de bois rompu, un froissement de tôle, du verre brisé. Nous avions fait voler la barrière en éclats, et Karl ne s'arrêtait toujours pas. J'étais collée à la banquette, glacée de terreur, tandis que la voiture filait à un train d'enfer à travers les ténèbres. Nous étions en Hollande.

Après quelques minutes, je sentis qu'il freinait. Je m'assis, mais, sans me laisser le temps de poser de questions, il s'arrêta sur le bas-côté et se tourna vers moi.

— Vas-y, sauve-toi. Tout de suite. File ! Fais ce que je te dis !

Il tâtonna sous le siège et trouva une bouteille d'alcool qu'il déboucha. Il s'en versa un peu dans la bouche et répandit le reste sur son uniforme et sur le tapis de sol, gardant les yeux fixés sur le rétroviseur.

— Sauve-toi, sors de la voiture, cours !

Sa voix était dure, mais je vis dans le rétroviseur que son visage était inondé de larmes.

Au loin monta le hurlement d'une sirène, puis d'une deuxième.

Karl descendit, ouvrit ma portière et m'obligea à sortir, m'entraînant vers le bord de la route.

— Cache-toi dans le fossé !

Il me serra dans ses bras puis me repoussa.

— Tu suivras la route jusqu'à ce que tu trouves une ferme qui t'inspire confiance. Reste sous le couvert des arbres. Vas-y ! Ne te retourne pas !

Je lui obéis, allant aussi vite que je le pouvais sans mettre en péril la vie de mon enfant, le cœur exsangue. Je descendis sur le bas-côté et dégringolai la pente entre les sapins. Je me retins tant bien que mal, puis chutai et terminai sur le dos. Je ressentis une vive douleur, comme si le placenta s'arrachait à ma colonne vertébrale, et je restai prostrée sous les branches, serrant les bras autour de mon enfant pour me raccrocher à la vie.

Une lumière brilla sur la route au-dessus de moi. Les sirènes se rapprochaient. *Sauve-toi, rejoins-moi.* J'adressai cette prière à Karl en silence, mais il se contenta de se tourner vers les arbres qui me cachaient, et de lever les bras en croisant les doigts. Les pièces s'emboîtaient.

Nos poursuivants arrivèrent. Couchée au fond du fossé boueux, je vis deux voitures et un Kübelwagen s'arrêter en encadrant la Mercedes. Des soldats en jaillirent revolver au poing, brandissant des torches et criant des sommations. Calme au milieu de la tempête, Karl levait les mains pour se rendre. L'espace d'un instant, j'aperçus son visage dans le faisceau d'une torche. Je crus deviner l'ombre d'un sourire sur ses lèvres. Ensuite on l'emmena et quand il passa dans la lumière des phares, je ne vis plus que sa silhouette entourée d'un halo qui le désignait comme un être à part.

62

Septembre 1947

Je suis devant la porte, j'hésite. Le courage me manque pour frapper. Je viens de faire trois fois le tour du pâté de maisons pour me donner la force d'affronter cette rencontre. Mon avenir en dépend. Je me décide enfin.

La femme qui m'ouvre doit être Erika. Son visage marqué me surprend, elle a l'air plus fatiguée, plus vieille que je ne l'aurais cru, mais la ressemblance avec Karl est frappante. Il y a de la peur dans son regard. Je reconnais cette crainte fugitive : c'est celle que je ressens dès qu'on frappe à ma porte à l'improviste. Ce réflexe passe aussitôt – *Non, c'est fini*, se dit-on. Elle me dévisage. Derrière elle, une petite fille déboule en courant. Voyant la porte ouverte et une inconnue sur le seuil, elle se cache derrière les jambes de sa mère.

— Cyrla… c'est vous ? demande Erika.

C'est la première fois que nous nous rencontrons, mais elle m'a reconnue.

Nos mains volent à nos lèvres comme des oiseaux jumeaux, nos yeux se remplissent de larmes, et nous restons face à face, paralysées par l'émotion. C'est sa fille qui remet de la vie dans ce tableau figé. La tête de Lina surgit de derrière sa mère et elle sourit timidement à Anneke. Elle ressemble encore au bébé que j'ai vu en photo il y a cinq ans. Anneke lui tend sans hésiter son lapin en peluche adoré qu'elle ne prête pourtant jamais.

Erika et moi nous ressaisissons. Elle me serre dans ses bras, et même si le besoin ne s'en fait pas sentir tout de suite, une question me brûle les lèvres.

— Est-ce qu'il est là ?

Elle recule.

— Non.

Ce mot, j'essaie de l'interpréter presque avant qu'il ne quitte sa bouche.

— Entre, Cyrla. Entre.

Comme elle sourit, mon cœur se remet à battre.

Dans l'entrée, nous nous serrons encore une fois dans les bras l'une de l'autre, et puis nous échangeons les politesses d'usage, tâchons d'exprimer l'inexprimable. Elle me conduit dans un modeste salon et me propose de m'asseoir pendant qu'elle prépare du thé.

En regardant autour de moi, je regrette d'avoir trop soigné notre toilette. Mon chapeau à plume, le gros nœud jaune citron qui attache les cheveux d'Anneke contrastent cruellement avec la modestie de l'appartement. La vie a été plus dure pour elles ici que pour moi. Je me lève pour approcher d'un mur où sont accrochées des photos. Je vois Karl bébé, ailleurs petit garçon tenant le guidon d'un vélo neuf, jeune homme à côté de la coque d'un navire. Sur tous les clichés, même sur celui où il n'a que quelques mois, sa sœur jumelle le contemple avec amour. Il n'y a aucune photo de lui en uniforme.

Incapable de détacher les yeux de son visage, je ne pense qu'à une seule chose : même s'il n'est pas ici… elle a souri.

Quand elle revient, elle s'excuse de n'avoir rien à m'offrir pour accompagner le thé.

Je ne peux plus me contenir. La civilité s'est perdue depuis des années.

— Où est-il ?

Elle se débarrasse du plateau sur le guéridon, prend une lettre qui y était posée, et me la donne. Je regarde aussitôt l'adresse de l'expéditeur, me sentant si faible que je regrette de ne plus être assise.

Et puis je souris moi aussi.

— Alors il va bien ?

— Oui, il va bien.

Mais son expression change, s'assombrit.

— Non, bien sûr qu'il ne va pas bien. Il a passé trois ans à Dachau.

Elle me tend ma tasse et nous nous asseyons côte à côte sur le canapé, seul siège de la pièce.

— Personne ne va bien, ajoute-t-elle. Comment pourrions-nous aller bien ?

Nous méditons un moment cette remarque. J'attends. Elle comprend à mon expression qu'il faut tout me raconter.

— On lui a brisé les mains pour l'empêcher de pratiquer son métier. Et puis on l'a pratiquement tué à la tâche. Il était tellement maigre que j'ai failli ne pas le reconnaître quand il est descendu du train. Je l'ai dépassé sans le voir dans la foule. Il a dû m'appeler. Pendant de longs mois, il n'a quasiment pas parlé. Notre mère est morte, de chagrin je pense.

Pendant ce temps, les petites jouent à nos pieds. Lina raconte à Anneke qu'elle a eu un chien, un chien très courageux. Il est évident qu'elle n'a jamais eu de chien ni aucun animal de compagnie. Elle apporte une boîte de poupées en carton, et donne à ma fille des consignes très strictes pour les habiller. Anneke la comprend même sans connaître l'allemand, et se laisse diriger alors que, d'habitude, elle n'accepte jamais d'obéir aux autres enfants. De temps en temps, Lina se rassure en posant la main sur la jambe de sa mère, et monte même une fois sur le canapé pour mettre la tête sur ses genoux. Leur vie a dû être vraiment très difficile.

— Est-ce qu'il m'en veut ?

— Bien sûr que non. Au contraire. Karl pense que tu lui as sauvé la vie. Sans toi, son existence n'aurait plus valu la peine d'être vécue. C'est ce qu'il dit.

— Et maintenant ? Que fait-il ?

Pendant qu'elle me parle de lui, je ferme les yeux pour mieux me l'imaginer.

— Est-ce qu'il est… ?

— … marié ? achève-t-elle à ma place en jetant un regard à ma main gauche. Non.

Le rouge me monte aux joues tant le soulagement est vif.

Erika caresse les boucles blondes d'Anneke.

— Karl se faisait beaucoup de soucis pour elle. Il va être tellement heureux d'apprendre que vous allez bien toutes les deux. Où as-tu accouché ?

— J'ai eu les premières contractions le lendemain. Dans la ferme où j'avais trouvé refuge cette nuit-là. J'ai eu de la chance, Dieu merci. J'ai été accueillie sans qu'on me pose la moindre question. Je suis restée six mois.

— Karl t'a cherchée partout. Il a remué ciel et terre.

J'ai le plus grand mal à retenir mes larmes.

— Moi aussi, je vous ai cherchés.

— Comment nous as-tu trouvées ?

— J'ai commencé par Munich, mais pas de Karl Getz. Enfin, si, il y en avait plusieurs, mais aucun n'était le bon.

Je m'interromps, jugeant mes explications insuffisantes. Comment dire mieux ? Rendre compte des rues arpentées, des registres consultés, des employés de l'état civil interrogés. *Pourriez-vous encore essayer, s'il vous plaît ? Êtes-vous sûr d'avoir bien regardé ?*

— Oui, répond-elle. C'est encore presque impossible de retrouver les gens.

— Ensuite, je suis allée à Hambourg. Tout ce que je savais, c'était qu'il avait grandi près d'ici, non loin de l'Elbe. J'ai exploré tous les villages le long du fleuve. Voilà presque un mois que je remue ciel et terre. Je demandais si on connaissait Karl, si on te connaissait, si on connaissait Lina.

La petite tourne la tête en entendant son nom. Elle regarde sa mère, puis moi, décide qu'il n'y a pas lieu de s'inquiéter, et retourne à ses poupées.

— Je suis allée dans toutes les écoles de toutes les villes du fleuve. Je ne savais pas votre nom de famille, mais je parlais d'une petite fille de six ans prénommée Lina, dont la mère s'appelait Erika. Et de son oncle. Je n'ai rien trouvé. Jusqu'à aujourd'hui. L'institutrice de Lina a refusé de me donner votre adresse au début, mais j'ai réussi à la convaincre. Je lui ai dit que nos filles étaient cousines.

— Elles le sont presque. Elles le sont même tout à fait. Karl t'a cherchée pendant des mois. Il a écrit dans toutes les villes de Hollande, mais il n'a pas pensé à l'Angleterre.

Je lui jette un regard, surprise qu'elle sache d'où nous venons, puis je me souviens que ma fille a prononcé quelques mots en anglais.

— Oui, nous vivons en Angleterre. Je travaille dans un orphelinat.

— Comment es-tu arrivée là-bas ?

— Je suis allée à la synagogue d'Isaak dès que je l'ai pu. Il fallait que je sache ce qu'il était devenu.

Erika se penche vers moi et pose la main sur la mienne.

— Isaak ? C'est le père ? Est-il… ?

Je détourne la tête pour me laisser le temps de ravaler mes larmes.

— Buchenwald.

— C'est terrible…

Un immense regret m'étreint la gorge. Celui de ne pas être allée à la cabane de jardinier. Ce souvenir me poursuivra jusqu'à mon dernier jour.

— Il avait organisé ma fuite avant sa déportation… De faux papiers m'attendaient, une nouvelle identité qui me donnait de la famille en Angleterre. C'est grâce à lui que j'ai pu partir. Isaak n'avait pas prévu la présence d'un enfant parce qu'il pensait que j'embarquerais bien des mois avant la naissance. Cela a causé quelques difficultés, mais je me suis débrouillée. Peu importe, à présent.

Une seule chose compte maintenant. Dans cette pièce, je suis enfin plus proche de lui. Mais encore trop loin.

Je reprends l'enveloppe.

— Tu permets ?

Je prends un stylo et un petit carnet dans mon sac et je recopie l'adresse de l'expéditeur.

— Mon frère sera tellement heureux. Tu vas lui écrire tout de suite ?

— Non, je ne vais pas écrire.

Elle s'étonne.

— Mais il faut lui dire. Il a besoin de savoir.

— Je veux voir son visage. Voir son expression quand je serai en face de lui.

Entre-temps, je m'étais souvenue de la dernière chose qu'Anneke m'avait dite. Elle m'avait expliqué comment reconnaître l'homme de sa vie. Erika comprend ce genre de chose. Je repars avec ma fille après de chaleureux adieux, et nous reprenons le tram pour Hambourg. Il est encore tôt. Je demande où se trouve l'agence de voyages la plus proche.

— Je peux vous réserver des couchettes dans le paquebot du 19.

— Non, je veux partir demain.

L'employée vérifie les horaires.

— Ça vous coûtera beaucoup plus cher de prendre une cabine au dernier moment.

Et en effet, les billets absorbent presque toutes mes économies.

Ma première vision de lui après tout ce temps : il est près de son voilier en cale sèche. Sa peau brunie brille comme du bois patiné sous le chaud soleil. Il se penche pour tremper son pinceau dans un pot de vernis. Je me souviens qu'il se penchait exactement de la même manière dans le salon de Steinhöring. Je le reconnais même de dos. Et même de loin, je vois que ses mains sont déformées. Je m'approche, silencieuse sur le sable. Je peux à peine respirer, mais je murmure à Anneke que je porte dans mes bras de ne pas faire de bruit.

C'est plus fort qu'elle. Alors que je ne vois que lui, elle s'émerveille du bleu tropical de la mer, des nuées d'oiseaux noir et blanc qui picorent le long de l'eau, des pins en haut des dunes, qui ressemblent à des parapluies verts géants agités par le vent.

Je la laisse descendre pour courir sur le sable.

Il se redresse. Il l'a entendue. Il doit sourire un peu parce que c'est un enfant. Sans doute pense-t-il à Lina qu'il imagine sur la plage en train de ramasser des coquillages. Puis, comme cela arrive souvent quand on voit un enfant seul, il regarde autour de lui pour vérifier qu'elle est accompagnée. On ne laisse pas les petits sans surveillance.

C'est alors qu'il m'aperçoit.

Je suis prise de panique : nous avons été séparés si longtemps ! C'est si facile de se perdre…

Il lâche son pinceau.

Je vois alors dans ses yeux que je suis enfin arrivée à bon port.

Note de l'auteur

Le Lebensborn

Plusieurs facteurs ont contribué à faire chuter de façon vertigineuse la courbe de natalité en Allemagne après la Première Guerre mondiale : population masculine décimée, pays ruiné, et avortement, qui, bien qu'illégal, se pratiquait couramment. En 1935, Heinrich Himmler fonda le Lebensborn (source, ou fontaine de vie) une organisation SS dépendant du Bureau pour la race et la colonisation, dont le but était d'accroître la population de la « race des maîtres ».

Il y eut trois phases successives. Tout d'abord une campagne nationale de propagande poussa les femmes et les jeunes filles « valables d'un point de vue racial » à donner autant d'enfants que possible au pays, qu'elles soient mariées ou non. Il n'était pas rare que de jeunes Allemandes fanatiques, certaines n'ayant pas plus de quinze ans, consentent à avoir des relations avec des SS pour repeupler la nation et lui donner de futurs soldats. Des foyers maternels furent fondés à travers toute l'Allemagne, en général installés dans des établissements de cure thermale, des villas ou des hôtels confisqués à des juifs, dans lesquels des jeunes filles ainsi que des femmes mariées pouvaient mener discrètement à terme leur grossesse dans de bonnes conditions, puis accoucher en toute sécurité.

Dans un deuxième temps, le processus fut étendu aux pays occupés. Des centres furent créés pour assister dans leur grossesse les jeunes filles « suffisamment aryennes » qui attendaient des enfants de soldats des troupes d'occupation. Ils étaient considérés comme des citoyens allemands dès la naissance et adoptés par des nazis ou placés dans des orphelinats. Même si ces foyers ne furent implantés que dans sept pays, des jeunes filles de pratiquement toute l'Europe occidentale, îles Anglo-Normandes comprises, y furent envoyées et y perdirent leurs enfants.

Vers la fin du conflit, le processus s'accéléra. Il s'agit alors d'enlèvements massifs d'enfants des pays de l'Est occupés. Rien qu'en Pologne, deux cent mille enfants furent emmenés, qui, dans l'immense majorité des cas, ne furent jamais rendus à leurs familles après la guerre.

Les mères ayant accouché dans des Lebensborn qui voulurent retrouver leurs enfants durent y renoncer car les dossiers étaient classés secrets ou détruits dans bien des cas. Les bébés et les enfants plus grands trouvés dans les foyers, les orphelinats ou autres maisons d'éducation à la fin de la guerre furent le plus souvent abandonnés. Dans les pays ayant subi l'Occupation, leur origine honteuse les rendit victimes de négligences et de mauvais traitements. Beaucoup d'entre eux devinrent autistes, ou furent considérés à tort comme des attardés mentaux et placés dans des institutions spécialisées. De nos jours encore, cette population vieillissante souffre d'un taux anormalement élevé de dépression, d'alcoolisme et de suicide.

Malgré les graves conséquences de cette tragédie qui a touché des femmes et des enfants de l'Europe entière, cette page de l'histoire de la Seconde Guerre mondiale reste encore très peu connue.

Remerciements

On n'écrit jamais un livre seul. Pendant six ans, chaque fois que je mentionnais mon projet, des gens me répondaient invariablement : « Je crois que je peux vous aider. » J'en ai autant appris sur la générosité humaine pendant ce travail que sur cette période historique que je ne connaissais pas. Ayant dû tout découvrir sur le sujet, j'ai consulté des centaines de personnes ; il serait impossible de toutes les remercier, aussi n'en citerai-je que quelques-unes.

Tout d'abord, ma gratitude au Virginia Center for the Creative Arts. Pendant trois ans, ce centre m'a attribué des bourses qui m'ont permis d'écrire une grande partie de ce roman. Libérée de mes responsabilités et accueillie dans un cadre paradisiaque, j'ai pu plonger sereinement dans cette époque terrible. Pour la même raison, je désire remercier la Ragdale Foundation et le Vermont Studio Center, qui m'ont l'un et l'autre accordé une résidence.

Merci à Tom Gallen qui m'a parlé des Lebensborn au cours d'une promenade, puis a patiemment répondu à mes questions… Sept ans plus tard, voilà le résultat de cette conversation. Mon atelier d'écriture… Je ne sais par où commencer. Maureen

Hourihan, Rose Connors, Pauline Grocki, Penny Haughwaut… Merci à ces femmes au grand cœur, intelligentes et talentueuses qui m'inspirent et nourrissent ma pensée semaine après semaine, et me rendent l'immense service d'élaguer les pages que je leur livre.

Shana Deets, cette force de la nature, poète généreuse, m'a fourni les vers et l'âme de mon personnage. Tout comme à elle, j'offre mes remerciements à Brad Pease, de Pease Boat Works à Chatham, qui a répondu à mes nombreuses questions sur la construction navale et, encore plus important, m'a fait comprendre sa passion pour cet art. Merci à Harm de Blij, le célèbre géographe et historien, qui m'a rendu visite et m'a dépeint avec talent la Hollande occupée. Merci à tous ceux et celles qui, en personne ou à travers leurs livres, leurs journaux intimes et leurs blogs ont partagé leurs souvenirs, même dans la douleur. Pauline et Siggi surtout… J'espère que vous sourirez en retrouvant les éléments que vous m'avez fournis. Et merci à l'institut néerlandais de documentation sur la guerre (NIOD) pour la relecture du manuscrit et les commentaires qui l'ont accompagnée.

Pendant la phase de recherche je me suis servie d'une grande quantité de documents ; voici la liste de ceux qui m'ont le plus aidée : *Hitler's Perfect Children*, une vidéo de History Channel, transcription : 20/20, date de diffusion : 26 avril 2000 ; *Wartime Encounter with Geography* de Harm de Blij, The Book Guild Ltd., 2000 ; *Of Pure Blood*, de Marc Hillel et Clarissa Henry, Pocket Books, 1978 ; *The Holocaust Chronicle*, d'un collectif d'auteurs, Publications International, Ltd., 2000 ; *Master Race* de Catrine Clay et Michael

Leapman, Hodder & Stoughton, Ltd. ; *WWII – Time-Life Books History of the Second World War*, Prentice Hall Trade, 1989.

Et tant d'attentifs lecteurs et de merveilleux auteurs à saluer : Anne LeClaire qui a jeté un coup d'œil à mes tout premiers brouillons et m'a dit qu'elle croyait en mon projet, et Jackie Mitchard, qui, elle, a regardé la version finale et l'a jugée réussie. Les Tideline Writers, pour les bons conseils qu'ils m'ont prodigués pour de nombreux chapitres ; Jebba, Ginny et Ann qui ont apporté la même attention au livre dans son entier.

Mais ces pages seraient restées à l'état de manuscrit sans mon agent, Steven Malk. Comme toujours, toute ma reconnaissance parce qu'il a cru en moi et pour son intégrité. Quel n'est pas mon soulagement quand je lui abandonne une pile de feuillets avec la certitude qu'elle va devenir un livre… Ensuite, merci à Jenna Johnson, mon éditrice chez Harcourt, qui a pris ce risque et a su me montrer quelle forme définitive lui donner… Cette collaboration fut un plaisir.

Et enfin, tout mon amour et ma profonde gratitude à mes enfants, Caleb et Hillary, pour les moments que j'ai pris à écrire ce livre au lieu de les passer avec eux. Et pour tout le reste.

Achevé d'imprimer par GGP Media GmbH, Pößneck
en Janvier 2009
pour le compte de France Loisirs,
Paris

N° d’éditeur : 54457
Dépôt légal : Février 2009

Imprimé en Allemagne